浅海伸夫

高校生のための「歴史総合」入門 II

【世界の中の日本・近代史】

欧米の「近代」に学ぶ

藤原書店

高校生のための「歴史総合」入門

——世界の中の日本・近代史

II

目次

第2章　国会と憲法をつくろう　139

第3章 帝国主義と植民地

第4章 日清対立、遂に戦争 …………………… 353

高校生のための「歴史総合」入門
——世界の中の日本・近代史

Ⅱ　欧米の「近代」に学ぶ

凡例

一　各章冒頭の年表は以下の資料を参考に作成した。
▽岩波書店編集部編『近代日本総合年表』（岩波書店）▽歴史学研究会編『日本史年表』（同）▽歴史学研究会編『世界史年表』（同）ほか

一　参考文献は巻ごとに巻末に掲載した。

一　重要語句・出来事については★を付し、ページ左側の囲み記事で解説を加えた。

一　年代・月日の表記は西洋紀年・陽暦を用いた。必要に応じて陰暦・和暦を添えた。

第Ⅱ巻まえがき

『高校生のための「歴史総合」入門』第Ⅱ巻では、明治維新政府がスタートしたばかりの一八七〇年代から一九〇〇年にかけての「世界の中の日本」の物語を書いています。

その頃、世界は「帝国主義」の時代で、欧米列強は先を争ってアジア、アフリカに乗り出し、植民地や勢力圏をうちたてました。一八七六年当時、列強が領有する植民地の面積は、イギリスとロシアが圧倒的に大きく、次いでフランス。ドイツ、アメリカ、日本は、まだ植民地を持っていませんでした。

その後、欧州諸国は凄まじい植民地争奪戦を繰り広げ、一九〇〇年までのわずか二四年間に、七六年に保持していた植民地総面積の約二分の一にあたる広大な土地を奪取。アフリカ大陸の大半を席巻し、太平洋地域でも、英・仏のほか、米・独も参入して多くの植民地を獲得しました。

日本政府の岩倉使節団が「世界一周」の旅をしたのは、一八七一年から七三年のことで、欧米の帝国主義が幕を開けた時でした。そして二年近く、西洋文明を実地体験して得た学習効果は、極めて大きいものがありました。

しかし、岩倉具視、木戸孝允、大久保利通、伊藤博文ら外遊組の帰国を待ち受けていたのは、西郷隆盛の「征韓論」でした。士族らの憤懣（ふんまん）を背景に、朝鮮との国交問題解決のため、自らの訪朝を主張する西郷に対し、大久保は「無用な戦争」は避け、内治を優先させるべきだと猛反対。強引なやり方で西郷派遣の閣議決定をひっくり返しました。

西郷、大久保という朋友同士はここで決裂し、西郷は、板垣退助、後藤象二郎、江藤新平、副島種臣らとともに一斉に下野します。この「明治六年政変」は、翌七四年の江藤による「佐賀の乱」や西郷の「西南戦争」（七七年）を引き起こすことになります。

政変のあとに成立した「大久保政権」は、「洋行エリート」らが国家運営を主導する明治国家の性格を決定的にします。維新政府に登用された旧幕臣・官僚も、思想家・学識者も、西洋近代を摂取し、国際感覚をもつ留学組が活躍します。

大久保政権は、琉球（沖縄）の漂流民が台湾の先住民に殺害された事件（七一年）を受け、自国民保護と問責のため、台湾出兵（七四年）を決めます。琉球が日本の領土であることを対外的に明確にするとともに、不平士族の暴発を防ぐことが狙いでした。明治初期の日本のアジア外交は、いずれも清国を頂点とする華夷秩序（冊封体制）への挑戦を意味しました。日本政府は、琉球の日清両属を認めず、朝鮮との日朝修好条規（七六年）では、朝鮮を「自主の国」と規定して清との宗属関係を断ち切ろうとしました。これにより日清関係は緊張の度を増します。

七五年に政府は、樺太・千島交換条約を結び、ロシアとの国境問題の解決を図りました。南下政策をとるロシアの脅威論は、ロシア勢力が朝鮮に及ぶにつれて増大し、来日中のニコライ・ロシア皇太子が日本人巡査に襲われた大津事件（九一年）では、報復を恐れる民衆の「恐露病」が沸点に達しました。

大久保暗殺（七八年）後、政権の中枢を占めた伊藤博文や大隈重信らの使命は、憲法と国会を創設し、不平等条約を改正することでした。

国会の開設要求は、明治六年政変で下野し、藩閥政府の野党に回った板垣退助らの「民撰議院設立建白書」（七四年）に始まります。これが口火となって自由民権運動が盛んになり、運動は軍隊の中にまで入り込み、これを懸念した陸軍卿・山県有朋は、「軍人訓誡（くんかい）」（七八年）を出して軍人の政治的関与を禁止。政府もまた、条例で集会・結社の自由を規制しました。

政府側も七五年、「漸次立憲政体樹立の詔（みことのり）」を出しましたが、漸進論にとどまりました。その一方、民権派は、主に英米をモデルに「私擬憲法」を相次いで作成し、百家争鳴になります。政府内でも、大隈がイギリス流の議会・政党政治を範とし、八三年初頭に国会を開会するという「急進的」な憲法意見書（八一年）を打ち出しました。

これに驚いた岩倉は、井上毅に命じてドイツ流を模範とするよう工作を進め、伊藤も大隈案の排撃に回ります。これに開拓使官有物払い下げ事件も絡み、大隈と大隈派の官僚は政府から追放されました（明治一四年政変）。政府は、一〇年後に国会を開設することを約束して民権派の批判をかわし、伊藤をトップに憲法策定作業に入ります。

伊藤は八二年に渡欧し、一年半近く、主にベルリン、ウィーンに滞在し、近代憲法を研究し、英仏米流とは異なる、日本に適した憲法のあり方を模索しました。帰国後は、天皇の大権を大前提としつつ、議会に相応の権限を与えて君主権を制約し、国民の権利も広く認める方向で議論を進めました。

大日本帝国憲法（明治憲法）は八九年に発布され、第一回帝国議会が九〇年に開かれます。ここにアジアで初の近代的立憲国家がスタートしました。刑法、商法、民事・刑事訴訟法なども、西洋を模範に法典が整備されます。ただ、フランス法学者・ボアソナード起草の民法は、日本の伝統的な家族道徳などを破壊するとして批判を浴び、施行延期となる一幕もありました。

議会は、初めこそ暴力沙汰があり、総選挙では民党を追い落とす選挙干渉が行われましたが、次第に「公議輿論」の府として定着し、政党が政権を担当するまでになります。

国権回復をはかる条約改正は、宿願達成まで長い年月がかかりました。寺島宗則、井上馨、大隈重信、青木周蔵ら歴代の外務卿・外相が、それぞれ懸命に米欧各国と交渉を重ねながらも、失敗・挫折を繰り返しました。中でも、井上が条約交渉を有利にするため、欧化政策をとり、鹿鳴館で盛んに西洋風の舞踏会を開けば、大隈は条約案に反発する国家主義団体・玄洋社社員の爆弾テロに遭い、片脚を失いました。領事裁判権を撤廃する条約改正は、九四年の日清戦争開始の直前、陸奥宗光外相の手によって実現しました。

一八八〇年代、隣国の朝鮮では、「壬午軍乱」（八二年）のあと、日本と結んで朝鮮の近代化をめざした「甲申政変」

（八四年）が起こりましたが、清軍の反撃で失敗しました。首謀者の金玉均らを支援してきた福沢諭吉が、アジアを脱して西欧列強に仲間入りするという「脱亜論」を発表したのは、クーデター失敗の三か月後でした。

これ以降、日本の朝鮮への影響力は衰え、逆に清国は朝鮮の内政・外交への関与を強め、日清関係は険悪化します。このため、伊藤博文と李鴻章が会談し、日清両国の共同撤兵と、今後、朝鮮へ出兵する場合は、事前に通告することを約した天津条約を締結（八五年）して、日清開戦の事態を回避しました。しかし、九年後、朝鮮で排日を叫ぶ農民反乱（東学党の乱）が起こると、清国は朝鮮政府の要請を受けて出兵し、これに対抗して日本も派兵して日清戦争が勃発しました（九四年）。陸・海の戦いで日本軍が勝利を収め、清国は下関条約（九五年）で、朝鮮の独立を認め、遼東半島、台湾・澎湖諸島を日本に譲ることにしました。

これにより日本は、植民地を有する帝国になりましたが、日本の大陸進出を阻止したいロシアは、フランス、ドイツを誘って、遼東半島の返還を要求し（三国干渉）、日本政府はこれをやむなく受け入れました。戦勝の酔いに冷や水を浴びせられた国民は、ロシアへの復讐心に燃え、「臥薪嘗胆」が合言葉になります。

日本は、日清戦争で朝鮮半島から清国勢力を追い出すことには成功しました。しかし、代わりに現れたのがロシアでした。小国日本の勝利は、黄色人種への圧迫を正当化する「黄禍論」を刺激する一方、大国・清の敗北は、世界に強い衝撃を与え、弱体ぶりをさらした清国は、列強による領土分割の憂き目にあいます。

第1章　西郷・大久保と明治維新

第1章関連年表

年	月	事項
1849（嘉永2）	12月	薩摩藩でお由羅騒動
1851（嘉永4）	2月	島津斉彬が薩摩藩主になる
1853（嘉永6）	7月	ペリー米提督、黒船を率いて浦賀に来航
1858（安政5）	7月	日米修好通商条約調印
	10月	安政の大獄始まる
1862（文久2）	5月	薩摩藩主の父島津久光、藩兵を伴って入京
	7月	久光、江戸入り。徳川慶喜らの登用決定
	9月	生麦事件発生、大久保が賠償交渉にあたる
1863（文久3）	8月	イギリス艦隊、鹿児島湾で交戦（薩英戦争）
1866（慶応2）	3月	西郷、大久保と木戸孝允らが薩長同盟密約
1867（慶応3）	11月	岩倉具視、「倒幕の密勅」を大久保に手交 徳川慶喜が大政奉還を上奏
1868（慶応4・明治元）	1月	西郷が5藩兵で宮門を封鎖し、朝廷が王政復古を宣言。小御所会議で慶喜の「辞官納地」を命じる 戊辰戦争起こる（―69年6月）
	4月	西郷と勝海舟が会見。江戸無血開城 天皇が五箇条の御誓文
1869（明治2）	7月	大名が領土・領民（版籍）奉還
	9月	政府、蝦夷地を北海道と改称

年	月	事項
1871（明治4）	4月	西郷ら、薩長土3藩で親兵編成
	8月	藩を廃し府県を置く「廃藩置県」の詔書
	9月	日清修好条規調印
	11月	台湾で琉球漂流民殺害事件
	12月	岩倉使節団が欧米各国歴訪に出発
1872（明治5）	9月	学制公布
	10月	日本政府、朝鮮・釜山の「草梁倭館」接収 琉球国王・尚泰を琉球藩主とし華族とする
1873（明治6）	1月	士族・平民の別なく兵役に服させる徴兵令公布
	7月	地租改正条例公布
	8月	政府が閣議で西郷の朝鮮派遣を決定
	10月	政府、閣議で再議し、西郷の派遣を確認 天皇、岩倉の奏議により朝鮮遣使を無期延期 陸軍大将西郷隆盛が参議・近衛都督辞職。参議の副島種臣、後藤象二郎、板垣退助、江藤新平が辞職（明治六年政変）
	11月	内務省を新設
	12月	朝鮮で大院君政権が倒れ、閔氏政権が成立
1874（明治7）	1月	板垣ら「愛国公党」結成 右大臣・岩倉具視、高知県士族らに襲われ負傷 副島、後藤、板垣、江藤ら8人、民撰議院設立建白書を左院に提出。『日新真事誌』に掲載
	2月	加藤弘之が同紙に民撰議院設立尚早論を発表 「佐賀の乱」。江藤は逮捕、4月処刑される

年	月	事項
1874	2月	大久保、大隈重信両参議が「台湾蕃地処分要略」を閣議に提出。政府、台湾出兵を決定
	4月	イギリス公使、台湾出兵に英人・英船の参加禁止を通告（アメリカ公使も同様の通告）
		木戸参議、台湾出兵に不満をもち辞表提出
		日本政府は、出兵の中止を決定し、西郷従道・遠征軍総司令官に出発延期命令
	5月	大久保は、長崎で大隈、西郷従道と協議し、西郷の強硬意見をいれて征討実施を決定
	6月	西郷隆盛、鹿児島に私学校を設立
	7月	清朝、日本の台湾出兵に抗議。日本政府、「開戦も辞せず」と閣議決定
	8月	台湾問題で大久保を全権弁理大臣とし、清国に派遣。北京で、恭親王と交渉を開始
	10月	日清交渉難航。大久保は「帰国」を清国側に通告。英駐清公使ウェードの斡旋案で日清双方が合意
1875（明治8）	1月	英・仏公使、横浜駐屯軍の引き揚げを通告
	2月	木戸、大久保、板垣が大阪で会合（大阪会議）。政治改革の推進で意見一致。木戸、板垣は翌月、参議に就任
	4月	「漸次立憲政体樹立の詔」出る
	5月	日露両政府、樺太・千島交換条約に調印
		日本の小砲艦「雲揚」が朝鮮・釜山に入港
	6月	言論規制のため讒謗律、新聞紙条例を定める
	7月	内務大丞・松田道之が、首里城で琉球藩に対し、清国への使節派遣・冊封の廃止を厳命
	8月	福沢諭吉『文明論之概略』発刊

年	月	事項
1875	9月	朝鮮西海岸を北上した「雲揚」が江華島に接近、守備兵と交戦（江華島事件）
	10月	左大臣・島津久光と参議・板垣退助を免官
1876（明治9）	1月	朝鮮との交渉のため、特命全権大使黒田清隆、副全権井上馨らが軍艦6隻を率いて出発。陸軍卿山県有朋を下関に急派、朝鮮遠征軍を編成
	2月	黒田全権、江華府で日朝修好条規に調印
	3月	軍人・警察官らを除き帯刀禁止（廃刀令）
	9月	金禄公債証書発行条例を定める
	10月	政府、小笠原諸島を管治する旨、各国に通告
		「神風連の乱」「秋月の乱」「萩の乱」鎮圧
	12月	大久保内務卿、農民一揆対策として地租減額を建議
1877（明治10）	1月	鹿児島私学校生徒らが、移送中の陸軍の兵器・弾薬を奪う（西南戦争の発端）
	2月	西郷隆盛が「政府に尋問の筋有り」と、兵を率いて鹿児島を出発
	3月	政府軍、田原坂を占領。翌月、熊本城に入る
	5月	木戸孝允病没
	8月	第1回内国勧業博覧会開幕
	9月	西郷隆盛ら城山で自刃（西南戦争終わる）
1878（明治11）	5月	参議兼内務卿・大久保利通、東京・紀尾井町で石川県士族らに暗殺される
1879（明治12）	3月	内務大書記官松田道之、2個中隊を率いて首里城を接収
	4月	琉球藩を廃止し沖縄県とする旨布告

＊1851年までは日本関連事項は陰暦の月で示した。

1　明治維新、二人の役割

鹿児島城下の生まれ

明治維新の主役である西郷隆盛（一八二七―七七年）と大久保利通（一八三〇―七八年）の政治活動をたどると、「維新史」の輪郭が浮かび上がります。ここで二人を軸にいま一度、幕末―明治初期の動きを振り返ってみましょう。

二人は、ともに鹿児島城下の下加治屋町で生まれました。西郷が生まれて一〇年後、大塩平八郎★（一七九三―一八三七年）が貧民救済のために武装蜂起しています。また、大久保の誕生から一〇年後には、イギリスと清国との間でアヘン戦争が勃発しました。西郷の方が大久保より三つ年上で、二人は親しい仲間でした。ともに家柄は、城下に住む武士の中でも下層の御小姓与で、生活は楽ではなかったようです。

西郷は斉彬の庭方役

アメリカのペリー提督が再来航した一八五四年、西郷は、薩摩藩主・島津斉彬★（一

●明治時代の鹿児島城

八〇九―五八年）の参勤交代に従って江戸に向かいます。斉彬は、西洋文明を受け入れることにより、経済・軍事の近代化を図るべきだとする積極的開国論者であり、西郷が師父と仰ぐ人物でした。西郷は庭方役を拝命します。庭方役は、幕府の御庭番になったもので、藩主専属で機密事項を扱うポストです。ここで西郷は、斉彬の意を体し、政界の裏工作などにあたります。

●島津斉彬

◉大塩平八郎

陽明学者。大坂町奉行所与力、同吟味役を務め、在職中は賄賂政治摘発などで敏腕をふるった。辞職後は家塾を開き、学問に専心した。「天保の飢饉」の一八三七年、餓死者が相次ぐ窮状をみて、難民救済を大坂町奉行所に直訴したが、奉行所はこれを受けいれないどころか、幕府の指示を受けて江戸に大坂の米を回送していた。憤慨した大塩は、蔵書などを売り払って困窮者に分配したが、とても足りず、ついに門弟や富豪、農民らとともに挙兵し、町に火を放ち、船場に近い豪商らを襲った。しかし、大坂城代によって一日で鎮圧された。大塩は自殺。火は二日間消えず、類焼した家屋は一万八千戸に及んだという。幕府の直轄地で、声望のあった元役人が武装蜂起した「大塩の乱」は、幕府や諸藩に強い衝撃を与えた。

◉島津斉彬

幕末の薩摩藩で、世界的識見をもつと評された開明的藩主。洋学者の箕作阮甫、高野長英らを招いて洋書を翻訳させ、自分も蘭語を学んだ。殖産興業、富国強兵を目的に、洋式軍艦や蒸気船などを建造したほか、反射炉や溶鉱炉、ライフルなど大小砲銃、陶磁器、各種ガラスなどを製造し、その洋式工場群を「集成館」と命名した。また、老中・阿部正弘、徳川斉昭（水戸）、松平慶永（越前）、山内豊信（土佐）ら有力者と親交を結び、養女篤姫を将軍徳川家定の御台所（妻）とし、幕府への発言力を強めた。将軍継嗣問題が起こると、松平慶永らとともに、一橋慶喜の擁立に尽力したが、井伊直弼が大老になるに及んで挫折、間もなく病死した。西郷隆盛や大久保利通、五代友厚らに大きな影響を与えた。

この仕事を通じ、西郷は、水戸藩主・徳川斉昭の腹心である藤田東湖と出会い、この尊皇（王）論を鼓吹する著名な学者に心酔します。また、越前藩主・松平慶永の懐刀だった橋本左内とも知り合い、徳川家定の将軍継嗣問題では、ともに一橋慶喜（斉昭の子）擁立のために奔走。斉彬の養女で将軍家定の正室となった篤姫（のちの天璋院）らを通じて大奥工作も展開しました。

しかし、大老に就いた井伊直弼は、日米修好通商条約の調印を強行、新将軍は家茂と決まり、斉彬ら一橋派の敗北に終わります。これを受け、井伊は反対派の大弾圧に打って出ます。この「安政の大獄」（五八年一〇月）は、そもそも、条約の無断調印（同年七月）に怒った孝明天皇が水戸藩に発した勅書（戊午の密勅）が導火線になっています。西郷はその密勅の運び役を仰せつかっています。

井伊は、一橋派を厳しく罰し、左内も斬罪に処せられ、西郷の同志だった僧月照も幕吏に追われます。西郷は、月照を保護しようと帰藩しますが、西郷への風当たりは強く、二人は鹿児島・錦江湾に入水し、西郷だけが蘇生します。西郷は、その「恥」をしのびつつ、奄美大島で三年間、幽閉生活を送ることになります。

大久保、藩の中枢へ

他方、藩の記録所書役助に就職した大久保は、「お由羅騒動★」（一八四九年）に巻き込まれ、父親は喜界島に島流し、自分も免職となり、「謹慎」生活を強いられました。大久保は三年後に復職し、五七年には西郷とともに徒目付に就きます。しかし、安政

●月照

●鹿児島市にある大久保利通像

の大獄直前に斉彬が死去すると藩政は一変し、新しい藩主の父親である久光（斉彬の異母弟）が実権を握ります。

大久保は藩内の有志らと尊皇攘夷派の「誠忠組」を結成します。彼らは一斉に脱藩して、井伊ら幕府首脳を襲撃しようと計画します。大久保は、「突出」行動を抑えて巧みに久光に接近し、六一年には、藩主側近の小納戸役に昇進し、藩の権力中枢に食い込みます。以後、久光と大久保は、斉彬が遺していった公武合体構想の実現をめざして、藩兵を率いての京都・江戸遠征を計画します。

六二年、奄美に流されていた西郷が赦免されて復帰しました。ところが、西郷は中央政局に乗り出す久光を「ジゴロ（薩摩言葉で田舎者）」と批判、さらに尊攘派の扇動者とみられたことで久光の怒りを買い、今度は徳之島―沖永良部島へ流罪となります。この二度目の島流しで、西郷は座敷牢に入れられるなど、過酷かつ孤独な生活を余儀なくされました。

●西郷隆盛が入れられた牢屋（再現、沖永良部島）（鹿児島県和泊町教育委員会提供）

◉お由羅騒動

薩摩藩主・斉興の嫡子・斉彬と、側室・お由羅の子・久光との間で起きた家督争い。藩財政を立て直した側用人の調所広郷らは、斉彬が藩主になると、藩財政が再び悪化することを恐れた。このため、調所派は、久光を擁立しようとお由羅と結んだ。調所は、密貿易が発覚して自殺し、斉彬擁立派の高崎五郎右衛門温恭らはお由羅と久光の暗殺を企てた。しかし、これが斉興に露見し、高崎らは切腹、同派四十数人が死罪・遠島になった。幕府老中の阿部正弘らが動いて斉興は隠居させられ、斉彬が後を継いだ。斉彬は反対派も用いて藩内の融和に努めたという。

公武合体運動を推進

大久保は六二年五月、藩兵一〇〇〇人余を率いて京都入りした島津久光に同行します。久光は「公武合体」のための幕政改革を朝廷に上申する一方、「浪士鎮撫」の勅命を受けて、伏見の寺田屋に集合していた急進派の薩摩藩士らを殺害します。★大久保は、一橋慶喜を将軍後見職に任ずる勅命を得るため、朝廷の実力者・岩倉具視を訪ねます。のちに明治国家の中枢をなす岩倉―大久保ラインは、この時の初対面に始まります。久光は、勅使とともに江戸入りし、この幕府の新人事を実現させました。

ところが、その帰路、行列を横切ったイギリス人を薩摩藩士が殺傷する生麦事件（六二年九月）が起き、これが薩英戦争（六三年八月）の原因になります。大久保は、イギリスから要求された賠償金問題の解決にあたります。彼は、幕府老中の屋敷に薩摩藩士を差し向け、「貸してもらえぬならイギリス公使を斬り、自分たちも切腹する」と言わせて老中を脅し、七万両を工面したといわれます。大久保は六三年三月、家老に次ぐポストの側役・小納戸頭取兼任に異例の昇格をします。

久光が去った京都では、「尊皇（王）攘夷」の長州藩が朝廷を動かして将軍家茂を上洛させ、孝明天皇は、幕府に攘夷決行を命じました。これに対して、六三年九月、公武合体派の会津藩と薩摩藩がクーデターを起こし、尊皇攘夷派の公卿と長州藩を京都から追放しました。

このあと、六四年二月、久光の公武合体論にもとづく「参預会議」（会津・越前・土佐・

●島津久光

宇和島の各藩主と一橋慶喜、島津久光で構成）が設置されます。しかし、久光主導を警戒した慶喜によって会議は、二か月で解体されてしまいます。とはいえ、大久保が側近として同行した久光の京都・江戸入りは、外様雄藩が、幕府改革に強い発言力を示し、朝廷の会議にも参加する道を切り開いた点で画期的といわれます。

このころ、流罪で辛酸をなめた西郷が召還されます。都合五年近くにわたる島流しに耐え、人間的に深みが加わった西郷は、同年四月に上洛し、久光と会見して、関係は一応修復されます。その後、西郷も、小納戸頭取に昇格するなど出世を重ね、京都で薩摩藩を代表して対外折衝にあたるようになります。

西郷と大久保の時代の到来です。

●東京・上野の西郷隆盛像

「討幕」で二人三脚

六四年七月、新選組が尊攘派の志士たちを殺害した「池田屋事件」が発生しました。これをきっかけに長州藩兵が京都に乗り込み、八月、御所に進撃して発砲します。いわゆる「禁門の変」（または「蛤御門の変」）です。西郷は、この戦闘で部下を率いて長

◉寺田屋事件

薩摩藩尊皇攘夷派志士の有馬新七らは、挙兵倒幕を企て、関白や京都所司代の襲撃を計画、一八六二年五月二一日、京都伏見の船宿「寺田屋」に集結した。当時、上洛中の薩摩藩主の父、島津久光はこれを知り、鎮撫隊を派遣。壮絶な斬り合いとなって有馬ら六人は死亡、二人は重傷を負い自刃を命じられた。

州軍と戦います。この時、流れ弾が足にあたり落馬して負傷しますが、この戦功で、西郷は重職の側役に就任します。

朝敵となった長州征討に、西郷は軍の参謀役として出向きます。しかし、長州藩を徹底的に追い詰めることはせず、三家老の切腹などによって戦闘を回避しました★。

幕府は一八六五年五月、長州の再征討へと動きます。会津藩が強く主張し、一橋慶喜と桑名藩が同調しますが、西郷や大久保は、大義名分が立たない再征に猛反発します。再征を阻止するため、大久保は朝彦親王に対して、「非義の勅命は勅命にあらず」と言い放ち、二条関白には、これが撤回されなければ、朝廷を見限ると宣言します。

しかし、幕府は勅許を手に入れ、翌六六年七月、長州再征の戦争が開始されます。

その約一年前の六五年八月、西郷は坂本龍馬と京都で会い、長州藩に武器を融通することに同意していました。六六年三月には、龍馬の呼びかけで、薩摩藩の西郷と大久保、小松帯刀が、宿敵だった長州藩の木戸孝允と京都で会合し、一橋・会津・桑名の「一会桑」打倒に向けて「薩長同盟」（薩長盟約）を締結します。六七年七月には、西郷、大久保、小松の三人は、土佐藩の後藤象二郎らとの間で、「薩土盟約」を結びました。王政復古によって徳川氏を一藩主に戻し、公卿・諸藩会議を設けること（公議政体）で合意したのです。

徳川慶喜を「排除」

しかし土佐藩は、これを実現するため、軍事力を行使することに否定的でした。こ

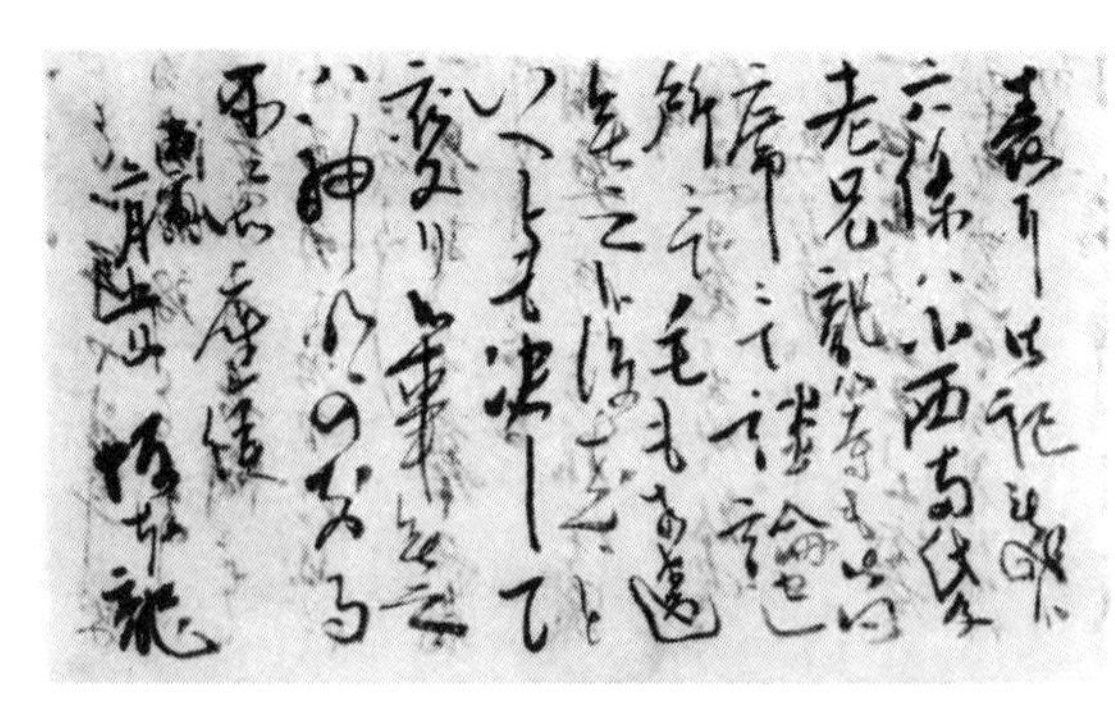

●坂本龍馬直筆の薩長同盟裏書き

のため、薩摩藩は盟約を破棄したうえで、大久保が六七年一〇月、長州を訪問し、木戸らとの間で挙兵のための出兵協定を結びます。大久保はその際、長州藩の首脳陣に軍事クーデター計画を説明しています（勝田政治『〈政事家〉大久保利通』）。

だが、西郷・大久保の足元の薩摩藩内では、出兵反対論が巻き起こり、厳しい状況に追い込まれた西郷は、「討幕の密勅」によって事態打開を企てます。同年一一月八日、公家の岩倉が「賊臣・慶喜を殺せ」との趣旨の密勅を大久保に手交します。ところが、この日、徳川慶喜は、土佐藩の建白を受け入れる形で大政奉還を決断し、在京の諸藩士に大政奉還の意向を表明しました。

この慶喜の決断は、西郷、大久保にとって思いもよらぬものでした。それでも西郷、大久保は、王政復古のクーデターをあきらめず、計画を練り直します。二人は、慶喜に対して強い不信感を抱いていました。同時に、朝廷を支配してきた摂関家（せっかんけ）の問題処理能力の欠如も痛感していました。このため、西郷と大久保は、慶喜の政権返上に反発する会津、桑名両藩を打倒するとともに、新政権で主導権をとるため、慶喜の「排

◉高杉晋作に斬首の危機

禁門の変後、第一次長州征討軍参謀の西郷隆盛は、長州藩に急進派藩士の処分を求めた。当時、幕府に恭順する保守派が藩政を執っていた同藩では、「姦吏（かんり）と徒党を結び、上を欺き、下を惑わし、君恩を忘れ、度々亡命すること不義不忠の至り」などとして、高杉晋作の「斬首」「切腹」を検討していた。これを示す文書が、近年、山口県岩国市立博物館が所蔵する長州藩岩国支藩の藩政史料から見つかった。結果的に晋作は斬首を免れ、その後、下関で挙兵し藩政府を打倒。その後、同藩は第二次長州征討軍に勝ち、倒幕を主導した（二〇一八年一月二一日、読売新聞朝刊）。

除」を決意します（家近良樹『西郷隆盛』）。

六八年一月三日（慶応四年一二月九日）、遂にクーデターが断行されます。西郷が薩摩、土佐など五藩兵を指揮して宮門を封鎖しました。その光景を大久保は、日記に「未曽有の壮観」と記しています。王政復古の大号令が宣言され、新政府が樹立されます。これによって七〇〇年にわたる武家政治が幕を閉じることになったのです。大久保は、宮中での小御所会議で、公卿・大名の言動に目を光らせ、会議は慶喜の「辞官納地（じかんのうち）」（内大臣辞退と領地返上）で決着しました。

ところが、間もなく、新政府内から慶喜の処分を見直す動きが浮上し、西郷・大久保は批判の矢面に立たされます。この二人の窮地を救ったのが、庄内藩兵による江戸薩摩藩邸焼き打ちでした。この事件が鳥羽・伏見の戦いに火をつけたのです。西郷は、薩摩側が放った「鳥羽一発の砲声は、百万の味方を得たるよりもうれしい」と、大喜びしたと伝えられます。

六八年二月、天皇親征の詔（みことのり）が発布されると、西郷は、東征大総督府下参謀に任命され、五万の大軍を率いて京都を出発しました。慶喜征討に熱意を燃やし、江戸総攻撃を四月七日（旧暦三月一五日）と定めます。しかし、西郷は、最終局面で幕府陸軍総裁・勝海舟と会談、総攻撃中止と江戸無血開城を実現させます。

「廃藩置県」を断行

西郷は、新政府入りせず、六八（明治一）年一二月に鹿児島に帰ります。箱館戦争のため、翌年、北海道に出陣しましたが、到着した時は既に平定されていました。

王政復古の第一の功臣として、西郷には賞典禄永世二〇〇〇石が下賜される一方、正三位にも叙せられます（のちに辞退）。西郷は、藩参政として藩政改革にあたります。さらに西郷は、凱旋兵士らに優遇措置をとりますが、これが島津久光らの反発を招きます。さらに西郷は、「下血」など深刻な体調不良に悩まされるようになり、久光とその周辺との関係も、以前のように悪化します。

一方の大久保は、西郷が戊辰戦争で転戦している間、京都で天皇政府樹立への政略をめぐらせていました。とくに京都から大阪への遷都を提案し、それを機に「民の父母」たる新しい天皇像の創出を考えていました。目指すところは、天皇みずから万機を親裁（裁決）する天皇親政の実現です。藩主が土地（版）と人民（籍）を天皇に返上する「版籍奉還」でも、大久保は、木戸らと話し合い、六九年一月、長州・薩摩・肥前・土佐の四藩主の建白によって、奉還へのレールを敷きました。

しかし、新政府は、首脳・幹部同士の対立や、農民反乱、凱旋兵士の反抗、貨幣贋造などが相次ぎ、その基盤はいっこうに安定しませんでした。このため、西郷の中央政府入りを求める声が強まり、七一年二月、岩倉勅使が大久保とともに鹿児島を訪ね、島津久光と西郷の上京を求めました★。

東京で西郷が中心になって三藩からなる約八〇〇〇人の「親兵」が創設されます。七一年八月、西郷は木戸と二人だけの参議に就任します。同月二九日には廃藩置県の詔書が出されます。長州藩の山県有朋から事前に廃藩置県を打診された西郷は、「断然同意」を表明。大久保も「断然決行すべし」と、この知らせにうろたえてしまった

●新政府を樹立する王政復古の大号令

岩倉を励ましています。日本近代化の礎となる廃藩置県は、「親兵」の武力を背景に、西郷が示した判断が、決定的な役割を果たしました。だが、その分、西郷は、藩体制の存続を願う久光をはじめ、職を失うことになる士族たちから恨まれます。

それからわずか四か月後、岩倉をトップに木戸や大久保が参加する米欧回覧の政府使節団が旅立ちました。西郷は留守政府を預かる立場に置かれます。留守政府はその後、地租改正や学制公布、太陽暦の採用、徴兵制導入など数多くの改革を実施しました。

岩倉使節団の一行は七三年九月に帰国します。西郷は、これを待たずに、征韓論の立場から自ら朝鮮使節に手を挙げます。これが、大久保らと決定的な対立を招き、政府大分裂の引き金を引くことになるのです。

◉西郷、帰郷から上京へ

西郷が維新で功績をあげながら帰郷し、新政府入りを拒んだのは、窮屈な役人生活を厭う「仕官嫌い」、西郷と大久保という薩摩の二人が政府中枢に座ることへの諸藩の嫉視、凱旋兵士の藩改革要求に対する島津久光の反発などが指摘されている（家近良樹『西郷隆盛』）。鹿児島で西郷は、間もなく、岩倉、大久保、木戸の新政府に対して、大臣以下が「驕奢」（ぜいたく）に過ぎ、朝廷の役人は月給をむさぼるだけの「泥棒なり」などと手厳しい批判を始めた。これに不安を覚えた政府側が、岩倉らを派遣し、上京の詔勅を西郷に伝えた。西郷は、陸海軍の充実や親兵の献上、外交における信義・礼節の尊重、政府要人の贅沢禁止などを要求し、財力を省みず、急進的な欧化政策に走ることにクギを刺した。岩倉がこれを了承し、西郷はようやく政府入りを決めた。

2　西郷隆盛は征韓論者か

西郷の手紙

三条実美・太政大臣は一八七三（明治六）年八月、避暑のため箱根に滞在中の明治天皇を訪ね、閣議で内定した西郷隆盛の朝鮮派遣について上奏しました。これを受けて天皇は、米欧使節団の岩倉具視・右大臣の帰朝を待って「熟議」し、そのうえで改めて報告するよう命じます。

一体、西郷隆盛が、この時期、突然、朝鮮行きを希望したのは、なぜだったのでしょうか。

その手がかりになるのが、西郷が、参議・板垣退助にあてて書いた手紙です。この時期に出された九通が残されています。その最初の手紙（七月二九日付）は、このように書かれていました。

「朝鮮に当方から出兵するとなると、必ず相手は撤兵を要求するに違いない。こちらが撤兵を拒めば、兵端（戦端）が開かれ、最初の御趣意（趣旨）に反する。したがってまず、公然と使節を差し向けるのがいいのではないか。そうすれば、朝鮮側は必ず

●三条実美

暴挙に出るはずで、討つべき（開戦）の名（目）も確かに成り立つ。使節は暴殺されると思われるので、なにとぞ、私（西郷）の派遣を伏してお願いする。（清国に出張した）副島君（種臣・外務卿）のような立派な使節はできなくても、死する位の事はできると思うのでよろしくお願いしたい」

文中の「最初の趣旨」とは、何を意味するのか。それは、明治元年以来の朝鮮政策の基本方針、すなわち、使節を朝鮮に派遣して、「昔からの隣交のよしみで公理公道をもって交渉を尽くすが、それでもなお朝鮮が聞き入れない場合は征討する」という方略（ほうりゃく）です。かつて「征韓論（せいかんろん）★」を唱えた木戸孝允の朝鮮遣使論を引き継ぐものでした（川道麟太郎『西郷隆盛』）。

西郷は、閣議で自らの派遣が内定したことを大変喜びました。内定直後の板垣への手紙には、「もう横棒（横槍）（よこやり）の憂いもこれあるまじく、生涯の愉快この事に候（そうろう）」と記していました。

非征韓論者説

西郷は、八月一七日の板垣への手紙で、「戦いは二段」からなるとしています。まず、第一段階で、使節派遣から暴殺に至れば、「天下の人」（一般国民）は「討つべきの罪」を知るので、ここに至って第二段階の戦争に入る、という主張です。これからいえば、彼は明らかに「征韓」論者です。

しかし、この見方に対して異論を唱えたのが、維新期のさまざまな政治家像を提示してきた歴史学者の毛利敏彦でした。その著書『明治六年政変』(一九七九年刊)は、二つの理由を挙げて、西郷を非征韓論者としています。

その理由の第一は、使節派遣を先行すべきだとしていた西郷は、即時派兵論に賛成した板垣を説得し、自分への支持を得るためのテクニックとして、使節暴殺論を持ち出した。第二は、一八六四年の第一次長州征討や、六八年の徳川慶喜追討でも、西郷は、まず強硬姿勢を示して実力行使の準備を進めながら、交渉による解決策を探り、最後は自ら乗り込んで穏便に落着させていた――というものです。

つまり西郷は、七三年の夏―秋には征韓の即時決行を期してはおらず、その真意は、西郷が一〇月一五日の閣議に提出した「始末書」に述べられているとしています。始末書は、これまでの経緯をまとめたもので、朝鮮とは「是非交誼を厚く成される御趣

◉維新政府の「征韓論」

木戸孝允は、維新政府の中でも早くから征韓を唱えていた。政府が対馬藩に命じて、王政復古の国書を提出させた当時の木戸の日記(明治元年一二月一四日)には、岩倉具視に「大なる事件」を言上したとあり、続けて「速やかに天下の方向を一定し」、使節を朝鮮に派遣し、「彼の無礼を問い、彼もし服せざるときは罪を鳴らして攻撃、大に神州の威を伸張せんことを願う」と記していた。この記述はよく引用され、明治政府における「征韓論」の始まりとされている。その後、日本国内では、朝鮮が国書を受理しないのは皇国を辱めるものだとして、強い征韓の主張が出ていた。木戸らもまた征韓計画を持ち続けていたようで、岩倉使節団の出発直前の明治四年一一月の木戸日記には、西郷らと「朝鮮との交際成否を決し」、「朝鮮への着手の順序を論ず」といった表現があり、これらは国交を求める大使派遣の議論が行われていたことを示すのではないかという見方がある。

意を貫徹いたすようありたく」などと記されており、西郷はあくまで交渉による朝鮮との修好を求めていたというわけです。

少し話はそれますが、後年、「西郷は征韓論者にあらず」と主張した政治家がいました。幕末の江戸無血開城交渉で、西郷のカウンターパートだった勝海舟です。勝は、その根拠として、七五年、日本が朝鮮に軍艦を送って挑発し、砲撃を誘って報復攻撃に出た江華島（カンファド）事件の際、「向こうが撃ってきたから撃ち返したでは、天理において恥ずべき行動だ」と、道理を尽くさない武力行使に西郷が憤慨していた事実を挙げていました。

維新のやり直し

西郷が「朝鮮使節」を急に言い出したのは、いくつかの要因がありました。

その一つにロシア問題★が指摘されています。西郷は、南下を続けるロシアとは、いずれ戦争になるとみて、それに備える意味でも朝鮮問題の早期解決を考えていたというのです。

さらに、大きな理由として挙げられるのが士族対策です。西郷は、板垣への八月一七日の手紙の中で、「内乱を冀う心を外に移して、国を興すの遠略（遠大な謀りごと）」という言葉を使っています。これは、征韓論問題のキーワードといえ、内乱の可能性もある中、士族たちの不満を外にそらし、あわせて国威を海外に発揚することと解釈できます。

●軍人姿の山県有朋の銅像（山口県萩市観光協会提供）

確かに、留守政府の責任者だった西郷は七二年、陸軍大輔・山県有朋が進める兵制改革に薩摩出身の近衛兵が反発する中、自分は「破裂弾中に昼寝」★だと、外遊中の大久保に伝えていました。陸軍元帥兼参議兼近衛都督の西郷は、近衛兵の暴発を懸念し、相当な緊張を強いられていたようです。

しかし、征韓論が単なる不平士族らのガス抜きのためというのは短見に過ぎます。七〇年八月、旧薩摩藩士の横山安武（森有礼の実兄）が、「新政府大官の侈靡驕奢（おごりぜいたくすること）」などを厳しく批判する建白書を提出、太政官の門前で割腹する

◉「破裂弾中に昼寝」

薩摩出身の近衛兵らが一八七二年七月、近衛都督・陸軍卿の山県有朋が進める兵制改革に反対して、山県の排斥運動を起こした。長州人の山県に対する藩閥意識からの反発もあったが、原因は、山県がフランス式の階級制を軍隊に導入しようとしたためだった。加えて、山県絡みの山城屋和助事件の陸軍省公金流用疑惑が山県排斥の動きに拍車をかけていた。明治天皇の西国巡幸に同行していた西郷は、急きょ、東京に戻り、騒ぎの鎮静化を図った。大久保宛ての書簡で、「当分破裂弾中に昼寝いたし居り申し候」と書いたのは、ちょうどこの時。山県は近衛都督を辞職し、西郷がその職を兼務した。

◉ロシアの脅威

山県有朋が一八七一年の兵部大輔の時、兵部少輔の川村純義、西郷従道とともに政府に軍備意見書を提出した。日本の軍備を国内の秩序維持から外国への備えに改めるべきだとし、特にロシアはクリミア戦争に敗れて南進政策を阻止された後も、「益々南進せんとす」と指摘。今、軍事力の整備は、「是れ必要の大事止めんと欲して止むべからず。備へざらんと欲すとも、一日も備へざるべからざるものなり。今日四海万国皆、然らざるなし。況んや北門の強敵、日に迫らんとするの秋に於て、豈之れが大計を建ざる可けんや」と書き、ロシアの南下の脅威にさらされている日本の軍備強化を求めた。

事件がありました。西郷はその志を大いに称えて顕彰碑に揮毫しています。

歴史家の萩原延壽は、この西郷のキーワードに関して、その『内乱を糞う心』の持ち主は、だれよりもまず、他ならぬ西郷自身ではなかったろうか」と指摘し、「朝鮮問題こそ、皮相な『文明開化★』に充足する日本人に覚醒の機会をあたえ、再度の革命の引き金になろうと、西郷の夢想はふくらんでいったようである」（『遠い崖』）と書いています。

西郷は自らの朝鮮行きを「第一憤発の種蒔き」と表現していました。朝鮮問題を機に、西郷はもう一度、明治維新をやり直そうと考えていたとみられるのです。

「大義ある死」切望

西郷は、「守旧派」の島津久光の執拗な要求にも辟易していました。加えて、深刻な健康問題が大きな影を落としていました。

西郷は七三年八月三日の板垣への手紙に、「（三条）公へ参殿すると申し上げておきましたが、数十度の瀉し方にて、はなはだ疲労いたしましたので、（建言書を）別紙のとおり認ましたので……」と、体調不全を訴えています。西郷は同年五月ごろから、五尺九寸余、二九貫＝約一八〇センチ、一〇〇キロ超の肥満体に異常をきたしていました。政治家の健康状態が、政治決断に多大な影響をもたらすことは、古今東西の歴史が教えるところで、西郷も例外ではなかったようです。

西郷の板垣への手紙（八月二三日付）には「死を見ることは帰する如く」「死を急ぎ

●若い頃の板垣退助

侯義は致さず」「死する前日迄は」など〈死〉の文字が頻発しています。板垣への最初の手紙にあった「死する位の事はできる」――をはじめとした西郷の言葉から、西郷は朝鮮特使の任務で「大義ある戦死」を切望していたという見方は少なくありません。そして、西郷の言う「暴殺」とは、朝鮮側に殺されるのではなく、西郷の「自決」であるとする研究者もいます。当時、西郷は「尋常ではない精神状態」にあったようです。

こうしてみてくると、「征韓」を口にしてこなかった西郷が、突如、朝鮮使節を望んだのは、朝鮮開国やロシア問題、士族対策、健康状態と「死」への渇望、維新をやり直す「第二の維新」など、実にさまざまな要因があったことがわかります。

さて、西郷は果たして「非征韓論者」だったのでしょうか。

その説の論拠とされた始末書に関して、歴史学者の猪飼隆明は、長州勢が京都に攻めのぼった「蛤御門の変」（一八六四年）のとき、薩摩兵を陣頭指揮して戦った西郷がこれと「瓜二つ」の戦術（長州兵の引き揚げを命じ、それを聞かなければ罪状を明記して追討する）をとったことを挙げ、使節派遣は朝鮮派兵のための正当性と大義名分づくりだったとしています（猪飼隆明『西郷隆盛』）。

●京都御苑の蛤御門。門柱などには弾痕が残る（京都市上京区）

◉西郷と文明開化

西郷隆盛は明治六年九月、「文明開化」の風潮について、「西洋の風は日々盛に相行われ候えども、皆皮膚の間のみにて脳髄に至らず、口には文明を唱え候えども、所業は完く懶惰にて歎息の次第にござ候。人気は漸く弱く相成り、此末如何成行候ものやと帰するところを知らず」と書簡にしたためている（井上清『西郷隆盛（下）』）。

また、幕末維新史が専門の家近良樹は、近著『西郷隆盛』で、次のような趣旨を述べています。

西郷が、征韓を決行することにより、維新遂行上不可欠の「戦いの精神」を復活させようと目論んだとしても不思議ではなかった。もっとも、西郷が征韓論的な言を吐いたとしても、それは後年の軍国主義者が唱えた征韓論などとは、かなり様相を異にするものであった。朝鮮を植民地として確保し、同地を足掛かりに大陸への進出を図るといったレベル（侵略主義そのもの）の構想はとうてい持ちえていなかった。

これは、朝鮮使節を志願した時点の西郷は、征韓論者だったと判断せざるを得ないが、後年の軍国主義者と同一視できないということなのでしょう。

大久保、参議に就任

ともあれ、西郷の征韓論は、岩倉使節団帰国後の政局に大波乱を巻き起こします。七三年九月一三日、米欧回覧から横浜に帰り着いた岩倉は、三条と会談し、留守中に山積した懸案解決のため、大久保利通の参議起用で一致します。同じく帰国組の伊藤博文は、三条、岩倉、木戸、大久保の結束固めのため、関西旅行から東京に戻った大久保への働きかけを強めます。

同月下旬、西郷をはじめ副島種臣らが、朝鮮使節問題の閣議開催を三条と岩倉に強く要求します。これに対して、木戸や伊藤らが西郷の使節派遣を阻止する動きを活発化させます。征韓問題がまさに政局の焦点に浮上し、大久保の参議起用とも絡みます。

大久保は一〇月八日、西郷との衝突を避けるために拒み続けてきた参議就任を引き受けます。内治を優先させる以上、西郷はじめ対外強硬派を排除しなければならない。そのためには、西郷との全面対決も辞さない覚悟を決めたのです。

参議受諾にあたり、大久保は、西郷の使節派遣の延期方針について、三条と岩倉が中途で変説しないよう、念押しの約定書をとりました。また、西郷と決裂すれば、不平士族らの反感を呼び、自ら命を落とすこともあるとみた大久保は、息子たちに「遺書」をしたためます。

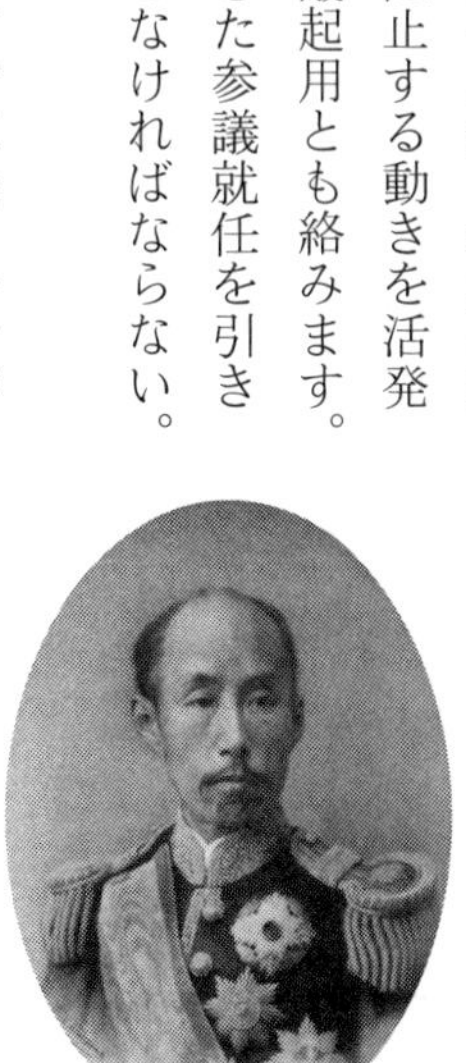

●三条実美

西郷と対決へ

大久保は、西郷の遣使問題を次のように整理していました。

・西郷の主張は、国家運営に必要な深謀遠慮を欠いている。維新以来なお日も浅く、政府の基礎はいまだ確立していない。戦争が勃発すれば、士族・農民の反乱を誘発し、軍事費もかさんで一層の財政赤字と輸入超過をもたらす。

・無用の戦争は、幾多の生命を損ない、政府創造の事業（富国強兵・殖産興業）を道半ばで廃絶させることになる。

・対外的に最も警戒すべきはロシアであり、朝鮮との戦争はロシアに漁夫の利を与えてしまう。イギリスへの負債返済が困難になれば、これを口実にしたイギリスの内政干渉を招く。

・日本は欧米各国との不平等条約下にあり、イギリス、フランスの軍隊が日本に駐屯している。日本は属地のようであり、早く条約を改正し、独立国の体裁を全うするのが先決である。

大久保は、以上の内容を七か条にまとめます（毛利敏彦『大久保利通』）。そして「今国家の安危を顧みず、人民の利害を計らず、好みて事変を起こす」西郷使節派遣に強く反対します。

3 「大久保政権」の成立

西郷が押し切る

一八七三（明治六）年一〇月一一日、西郷隆盛は、太政大臣・三条実美に手紙を出します。もし自らの朝鮮派遣が中止されれば、それは「勅命軽視」にあたり、自分は「死を以て国友（鹿児島士族ら）へ謝」するしかないと、自殺をほのめかしていました。三条は、この書面に相当な風圧を感じたはずです。

その三日後の一四日、朝鮮使節派遣が閣議にかけられました。出席者は、三条、右大臣の岩倉具視、参議の西郷、板垣退助、大隈重信、後藤象二郎、江藤新平、大木喬任、新たに参議に任命された大久保利通と副島種臣の計一〇人でした。木戸孝允は病気欠席でした。

閣議では、西郷が八月一七日の閣議決定（自らの朝鮮派遣）の再確認を求めます。これに対して、三条と岩倉は、「樺太での紛争解決が先だ」「戦争準備が不足している」などとして反対し、遣使の延期を求めました。

大久保は、西郷の派遣が開戦に直結し、日本の財政や内政、外交上の困難をもたら

●西海騒揺起原征韓論之図＝右部分

すとして同じく「延期」を主張しました。こうして議論は「延期」で収束しそうでしたが、西郷がひとり「即時派遣」を力説して抵抗をみせ、その日は結論を持ち越しました。

一〇月一五日に再開された閣議では、副島と板垣が西郷の派遣を決定するよう断固要求します。参議の中では、大久保だけが派遣延期を訴えて孤立し、最後は三条と岩倉に一任されます。西郷は、この日の閣議は欠席していたようです。

三条と岩倉が話し合い、三条は、西郷の派遣賛成に回ります。大久保との「約定」(約束)に反して変説したのです。西郷の派遣が延期されれば、西郷の進退問題につながり、近衛兵など陸軍が暴走することを恐れたためといわれます。大久保もこれ以上、異議を唱えず、結果的に全会一致で西郷の「即時派遣」が決定されます。

一七日早朝、大久保は三条邸を訪問して参議の辞表を提出しました。三条は、大久保の憤怒と、岩倉が辞意を表明して大久保側についたことに大きなショックを受け、にわかに昏倒、人事不省に陥ります。しかし、この三条の「発病」が閣議決定の上奏(天皇に申し上げること)を遅らせ、大久保らによる「どんでん返し」を可能にすることになります。

大久保のどんでん返し

大久保は一九日の日記に、形勢挽回のための「只一ノ秘策アリ」と記しています。大久保は同日、その秘策を腹心の開拓次官・黒田清隆に与え、逆襲へ大きな賭けに出ます。

それは、宮中工作によって、閣議で正式に決まった西郷派遣を阻止する策謀でした。職制上、太政大臣が欠席する場合は、左・右大臣が職務を代行するのがルールです。当時は、左大臣が欠員のため、右大臣・岩倉が太政大臣代理に就くことになり、その人事が同日の閣議で決まります。これにより、天皇に上奏するのは、三条から岩倉に替わりました。そこで大久保と岩倉は、閣議決定の即時派遣論と、岩倉自らの見解として延期論を併せて上奏し、「天皇に対立意見を判断させる形式をとって閣議決定を葬り去る」という策を練り上げます（勝田政治『〈政事家〉大久保利通』）。

このため、黒田が同じ薩摩出身の宮内少輔（しょうゆう）・吉井友実（よしいともざね）★（一八二七―九一年）を通じて、宮内卿の徳大寺実則（とくだいじさねつね）★（一八三九―一九一九年）に根回しし、徳大寺は二〇日、延期論が

●西海騒揺起原征韓論之図＝中央部分

◉徳大寺実則

右大臣の徳大寺公純の長男として生まれた。西園寺公望は弟。一八六二年に権中納言、次いで国事御用掛から議奏（常に天皇に近侍して勅宣を公卿に伝達したりする役職）に進んだ。尊攘派として活動したため、六三年の「八月一八日の政変」で議奏を罷免された。王政復古後の六八年、新政府の参与から議定となり、さらに権大納言に任じられた。七一年、宮内省に転じて侍従長に就き、その後、一時期を除いて、明治天皇の厚い信頼のもと、側近として、崩御に至るまで侍従長を務めた。

◉吉井友実

鹿児島城下に生まれ、西郷隆盛や大久保利通らと親しく交わった。大坂薩摩藩邸の留守居となり、諸藩の志士らと交流。島津久光に従って上洛し、勅使の護衛隊として江戸に赴いた。岩倉具視、西郷、大久保らとともに王政復古の計画に参画。鳥羽・伏見の戦いでは薩摩藩兵を指揮し、東北各地を転戦した。宮内少輔などを経て元老院議官。のち、宮内大輔となり、さらに宮内次官のまま枢密顧問官に任ぜられ、憲法草案審議にも加わった。この間、日本鉄道会社の社長も務めた。

裁可されるべく、明治天皇に「秘密上奏」をしたとされます。

二二日、岩倉邸で西郷、板垣、副島、江藤の四参議は、岩倉に対して西郷即時派遣の閣議決定の早急な上奏を求めましたが、岩倉は「即時派遣」と「延期」の両論を上奏するとして、これを突っぱねました。

岩倉は二三日、明治天皇に上奏し、裁断を仰ぎました。天皇は即答を避け、翌二四日、西郷派遣延期論を受け入れる勅書を出します。岩倉、大久保らは、無法・違法な手続きによって「明治六年政変」を制したのです。

明治政府の大分裂

大久保らの策略によって朝鮮使節を阻止された西郷は、一〇月二三日、天皇裁可の結果を待たずに、病気を理由に陸軍大将近衛都督兼参議の辞表を提出しました。明治天皇に直訴することもしませんでした。

翌二四日、西郷は、「陸軍大将」の職を除いて解任されます。同じ日、板垣退助、後藤象二郎、江藤新平、副島種臣の各参議も辞表を提出し、二五日、受理されました。明治政府は、閣僚の半数がいっせいに追放されるという大分裂に至ったのです。

陸軍少将の桐野利秋（きりのとしあき）、同じく少将で近衛局長官・篠原国幹（しのはらくにもと）ら西郷系の武官・文官六〇〇余人があとを追って辞職し、西郷とともに鹿児島へ帰ります。

明治六年政変とは

この明治六年政変を「維新史の山」と評したのは、著作家の徳富蘇峰でした。蘇峰は、その発端を米欧回覧の岩倉使節団にみていました。

「若し岩倉、木戸、大久保、伊藤（博文）の明治四年末より、明治六年の秋まで米欧諸国の巡回が無かったならば、征韓論の破裂を見るに至らなかったかも知れない。或は対立や、衝突はありえても、何とか交譲（互いに譲り合うこと）、妥協の地を見出したであろう」（『近世日本国民史』）と書いています。

これに対して、『征韓論政変』の著者である姜範錫・元駐日韓国公使は、使節団派遣それ自体ではなく、大久保と伊藤が、政治的野心に燃え、予定外の条約改正交渉を試みようと、全権委任状をとりに一時帰国、本隊を四か月もアメリカに足止めさせたことが政変の誘因だとしています。それがなければ、使節団は当初計画通り、明治五年初秋には帰国し、留守政府は、使節団側と交わしていた「約定」違反の行動には出なかったろうというわけです。

岩倉使節団の外遊中、留守政府と使節団のメンバーの双方に、さまざまな齟齬（ゆきちがい）が生じていました。使節団からみると、留守政府の開化策は、財政事情を顧慮しない、あまりに急進的なものだという不満がありました。

一方、留守政府の首脳陣は、中央集権体制の確立や軍事力の整備に向け、廃藩置県のフォローアップや徴兵令などを遂行。それに伴う士族たちの不満を背景に、「国威」

●徳富蘇峰

を海外に広げようとする征韓論がクローズアップされてきたのです。

これに対して、外遊で日本と米欧各国との国力の差を痛感してきた岩倉使節団の主要メンバーが、征韓論について「今はその時ではない。国政を整え民力を養成することこそ、最優先の課題だ」と主張したのも、当然のことでした。

外交政策が、純粋にそれのみで争われることは、古今、まれです。外政は内政の延長であり、征韓論をめぐる対決も、国内政策をめぐる対立が絡んでいました。同時に、外交問題は、政治家たちの権力闘争の具にされがちです。明治六年政変も、その例外ではありませんでした。

「征韓論政変」とも言われるように、この政争は、西郷の「征韓論」を契機に、岩倉使節団チームが、留守政府のチームから政権運営の主導権を奪回しようとした権力闘争にほかなりませんでした。三条、岩倉、大久保、木戸らが、「政見」を異にした西郷、板垣、江藤、副島、後藤らを政権から追い出したのです。

この熾烈(しれつ)な権力ドラマで注目すべきは、司法卿・江藤の失脚でした。これで江藤による汚職摘発に苦しんでいた長州閥が大いに助けられました。この政争のひとつの性格をここに読み取ることができます。

両雄の決別

両チームの頭目の大久保と西郷は、七三年五月、大久保が米欧回覧から帰国した当初こそ、往来がありましたが、次第に距離が生じました。

●「西海騒揺起原征韓論之図」（左部分）

岩倉使節団で条約改正に失敗した大久保は、失意の底にあったともいわれます。しかし彼は、米欧体験を踏まえて、政府主導の殖産興業によって日本に資本主義を導入するための、国家富強プランをあたためていました。その「内治優先」論に真っ向からぶつかるのが、西郷の「征韓論」でした。

西郷にはもちろん、欧米の歴史や地理の知識はありました。ただ、「欧米諸国は道ならずして人の国を奪う」などと、鋭い欧米批判を隠そうとしませんでした。これに対して、大久保は、帰国後、日常の起居まですっかり欧米流に染まっていきます。両人には、西洋趣味や文明観で大きな違いがあったのかもしれません。

西郷と同じ鹿児島出身で、明治三四年生まれの作家・海音寺潮五郎（かいおんじちょうごろう）の小説に『西郷と大久保』（一九六五年一〇月―六六年六月まで『読売新聞』で連載）があります。その終わりのほうで、西郷が岩倉邸を訪ね、西郷派遣の閣議決定の上奏を迫って決裂し、屋敷の門を出る（一八七三年一〇月二二日）、こんなシーンがあります。

> 西郷は一同をふりかえった。微笑して言った。
> 「（岩倉）右大臣な、ようふんばりもしたなァ。あっぱれでごわした」
> かくして、征韓派の惨敗で、征韓論は決裂した。
> この日帰途、西郷は途（みち）をまげて大久保の邸（やしき）を訪れた。大久保は来合せていた伊藤博文と碁を打っていた。
> 西郷は通されてその座敷に来るなり、「（大久保）一蔵どん、今日これこれで、わしは負けた。いずれ国に帰るから、後のことはおはんに頼むぞ」

●一九六五年一〇月一六日付『読売新聞』朝刊紙面より

するとよ、大久保はむっとした顔になり、「わしが一人でどう出来るものでごわすか。大事な時には、いつも国にもどってしもうて。わしは知らんぞ」

西郷は巨きな眼をしずめて、大久保を凝視した後、「お邪魔でごわした。伊藤さんもごめん」と言って、立去った。

政治家や革命家同士の関係は、権力欲や嫉妬心、利害対立、路線選択、時流や世論によって離合を繰り返すものです。西郷・大久保についても、確かに「竹馬の友」「盟友」「同志」であったことは間違いありません。しかし、二人はやがて「ライバル」的な存在になり、ともに国家中枢の責任ある立場に置かれました。やはり決別は免れなかったようです。

この小説に描かれた西郷と大久保の場面は、史実ではこの日でなかったようですが、これが二人にとって最後の顔合わせになりました。

「内務省」を新設

征韓派参議の辞任を受け、大久保は、七三年一〇月二五日、参議自ら国政の実務を担う参議・省卿の兼任制を打ち出します。後任人事はこれに則って行われました。伊藤博文、勝海舟、寺島宗則が新たに参議に就任し、伊藤は工部卿、勝は海軍卿、寺島は外務卿をそれぞれ兼務します。伊藤は、今回の政変の舞台裏で、岩倉、木戸、大久保との間を走り回り、非征韓派の結束に努めたことが評価されました。

●寺島宗則

大隈重信は参議兼大蔵卿、大木喬任は参議兼司法卿に就きます。参議の大久保は一一月に、内務卿を兼任。七四年一月には、木戸参議が文部卿を兼ねます。

大久保は、七三年一〇月二五日、大隈、伊藤と会談し、大久保を中心にして大隈と伊藤が両脇を固める新体制づくりで一致しました。大久保の上には、三条太政大臣や岩倉右大臣がいましたが、最終判断は、大久保に委ねられることが多く、ここに事実上の「大久保政権」が成立しました★。

大久保は一一月一〇日、「国内の安寧、人民保障の事務を管理する」として内務省

◉「大久保政権」の人事

一連の刷新人事により、参議の構成は大きく変わった。岩倉使節団の帰国前は、薩摩一（西郷）、長州一（木戸）、土佐二（板垣、後藤）、肥前三（大隈、大木、江藤）だった。それが薩摩二（大久保、寺島）、長州二（木戸、伊藤）、その他三（大隈、大木、勝）に変わった。土佐出身は消え、政変で大久保側に密着した大隈、大木は、新薩長連合（西郷一派を除く薩派と長派の連合）に組み込まれたかたちだった（『征韓論政変』）。

◉国家の中枢機関、内務省

一八七三（明治六）年一一月一〇日、太政官布告をもって設置された。初代内務卿は大久保利通。一般民衆向けの行政と殖産興業政策を推進し、政府の実質的な中枢機関となった。勧業・警保・戸籍・駅逓・土木・地理の六寮と測量司とで構成された。八一年の農商務省の独立により、殖産興業政策はそこに移管された。八五年の内閣制度発足に伴い、内閣の一省となり、地方事務を専管する県治局と、警察行政を司る警保局を中心に土木・衛生・戸籍・社寺など九局体制になった。初代内務大臣は山県有朋。その後、鉄道庁（のちの鉄道省）、北海道局・台湾事務局などを一時管轄。九八年に県治局は地方局に改組され、一九二八年、警保局に保安課が設置され、全国的な特別高等警察網が作られた。一九四七年一二月、内務省全体が廃止された（竹内理三ほか編『日本近現代史小辞典』）。

を設置しました★。同省の任務は、殖産興業の育成と全国警察権の掌握でした。新しい警察制度は、川路利良（かわじとしよし）★（一八三四―七九年）らがヨーロッパをモデルにして導入にあたり、七四年一月、内務省直轄の警視庁が東京に設置されます。初代内務卿の大久保は、同省を拠点に、日本の早急な産業化をはかるための諸政策を展開します。

なお、内務省は一九四七年に廃止されるまで、警察・地方行政・選挙など内政を管轄する、国の中枢官庁として長らく存続することになります。

●明治一〇年（一八七七年）頃の内務省

◉川路利良

薩摩藩出身。警察制度の創設者として知られる。鳥羽・伏見で戦功を立て、彰義隊の鎮圧にあたった。一八七二年、邏卒（らそつ）（警察官のこと）総長になり、渡欧して各国の警察制度を視察した。帰国後、司法と警察を分離するため、警保寮を司法省から内務省に移管。七四年、東京警視庁が設置されると、その長官（大警視）に就き、警察の制度改革にあたった。大久保利通の腹心で、西南戦争では警視隊を率いて出征した。

4　士族の反乱、武家の解体

岩倉襲撃事件

大久保利通政権は、「明治六年政変」で野に下った〝野党〟（反政府派）の反撃にさらされます。その一つは士族たちによるテロと武力反乱であり、もう一つは、民権派の国会開設要求でした。

一八七四（明治七）年一月一四日夜、右大臣の岩倉具視が東京・赤坂の仮皇居から馬車での帰途、喰違坂で、数人の刺客に襲撃されます。明治時代の実話を集めた『明治百話』（篠田鉱造著）の中にある「岩倉卿を背負った話」によりますと、遭難劇は以下のようでした。

> 当時、岩倉公と申したら、天下無双の喧しやで、世間からも狙われる人物でしたから、警戒も殊の外厳重でした。刺客は、一刀を抜くや馬車馬の脚を斬って馬車を停め、車内に斬り込んだので、卿は暗殺されたに違いない、という知らせです。御所の宿直だった私たちが駆けつけると、肝腎の卿の胴体がない。提灯を振っ

●岩倉具視（五百円紙幣から）

て土堤の上から水際を照らすと、卿が九死を免れて水中に隠れておられた。羽織袴の博多の帯が刃に深く斬り込まれていて、これがまったくお身代りでした。卿が土手からズルズルと御濠にはまったところに、運良く岩があってそれが卿を助けたのも、浦島（太郎）の亀の甲みたいで不思議な因縁でした。

犯人は、高知県士族の武市熊吉らで、征韓の閣議決定を葬った岩倉らに憤激して犯行に及んだといわれます。

このテロ事件は、政府首脳らを震撼させます。政府は、警視庁の川路利良・大警視に犯人検挙を厳命しました。犯人九人が逮捕され、七月には早くも、ことごとく斬罪に処せられました。

佐賀の乱

当時、鹿児島、山口、高知、佐賀などでは不平士族が不穏な動きをみせていました。前参議・江藤新平の地元佐賀では、政変後の七三年一二月、征韓論の貫徹と第二の維新を唱える「征韓党」が結成されます。

同党幹部が東京に江藤と副島種臣を訪ね、郷党の指導にあたってほしいと求めます。二人とも反乱を鎮めるため帰省しようとしますが、板垣退助が押しとどめ、結局、江藤だけが、民撰議院設立建白書への署名をすませた直後、佐賀へと旅立ちます。

他方、薩摩の島津久光を盟主と仰ぐ「憂国党」という士族集団もありました。彼ら

●佐賀城鯱の門（佐賀県武雄市提供）

は、北海道開拓判官、侍従、秋田県権令などを歴任した島義勇（一八二二―七四年）をトップに担ぎました。七四年二月一日、憂国党の士族が、家禄（給与）の遅配に苛立って、公金を扱っていた小野組の支店を襲うと、政府は熊本鎮台に佐賀への出兵を命じます。

これに対して一六日、江藤の征韓党と島の憂国党がともに決起し、約二五〇〇の大軍をもって佐賀城を攻めとり、大久保が任命したばかりの佐賀県権令・岩村高俊を敗走させました。大久保は一九日、佐賀鎮圧の全権を帯びて九州・博多入りし、ここに本営を置きます。同日、佐賀県下に暴徒征討令が布告され、翌二〇日、政府軍が出撃します。

政府軍の攻勢に江藤は、征韓党軍を解散して脱出。島はその後も抗戦の指揮をとり、政府軍と激戦を続けました。三月一日、佐賀城は平定されます。

江藤は退去後、鹿児島に西郷を訪ねて助力を求めましたが、西郷は応じませんでした。江藤は諦めて四国・宇和島にわたり、高知に潜行します。しかし、同月二八日、土佐・阿波（徳島）の国境で逮捕されました。

江藤、「悲運の末路」

江藤は、佐賀に護送され、裁判に付されます。権大判事・河野敏鎌は、江藤に対し、十分審理を尽くさず、四月一三日、「除族（華族・士族の除籍）の上、梟首（さらし首）」という惨刑を言い渡しました。大久保は、江藤逮捕の報に「じつに雀躍に堪えず」、その死刑判決・処刑の日には「江藤、醜体（態）、笑止なり」と、それぞれ日記に書

●佐賀の乱を伝える錦絵「大蘇芳年作 皇国一新見聞誌 佐賀の事件」（佐賀県武雄市提供）

●江藤新平銅像（佐賀市観光協会提供）

いています。政治家・大久保の非情な一面をうかがわせます。島義勇も、同罪に処せられました。この佐賀の乱の反乱士族は一万人を超え、戦死一七三人、有罪四一〇人と伝えられています。

佐賀出身の大隈重信（一八三八―一九二二年）は後年、『大隈伯昔日譚』で、征韓論派参議の心境や思惑について、「一種の私情」と「陰（隠）密の意志」に駆られたものと回想しています。その中で大隈は、西郷について、必ずしも征韓論の主唱者ではなく、「旧君（久光）の難責や群小不満の徒の政府攻撃で、失望落胆の極みに沈み、北海道への隠遁すら考えるなか、むしろ対韓問題を自らの悲境を切り開く一血路とみなして、使節たらんことを要望した」とみています。

とくに同郷人で、刑死した江藤については、「不満不平の徒に擁せられて、むしろその本性というべき実務家・立法家より、一変して武人、将帥となり、軍を率い、一敗地にまみれ、自ら定めたる新律綱領（刑法典）★によって刑せられ、悲運の末路を見るに至りしは、惜しみてもなお惜しむべしの至りなり」と述べています。

政府はその後も、西郷らによる西南戦争まで、各地で士族の武力反乱に苦しめられることになります。

民撰議院設立建白書

岩倉が襲撃される二日前の七四年一月一二日、板垣を中心に「愛国公党」★が結成されました。同党のメンバーは同月一七日、建白を受理する機関である左院に、「民撰

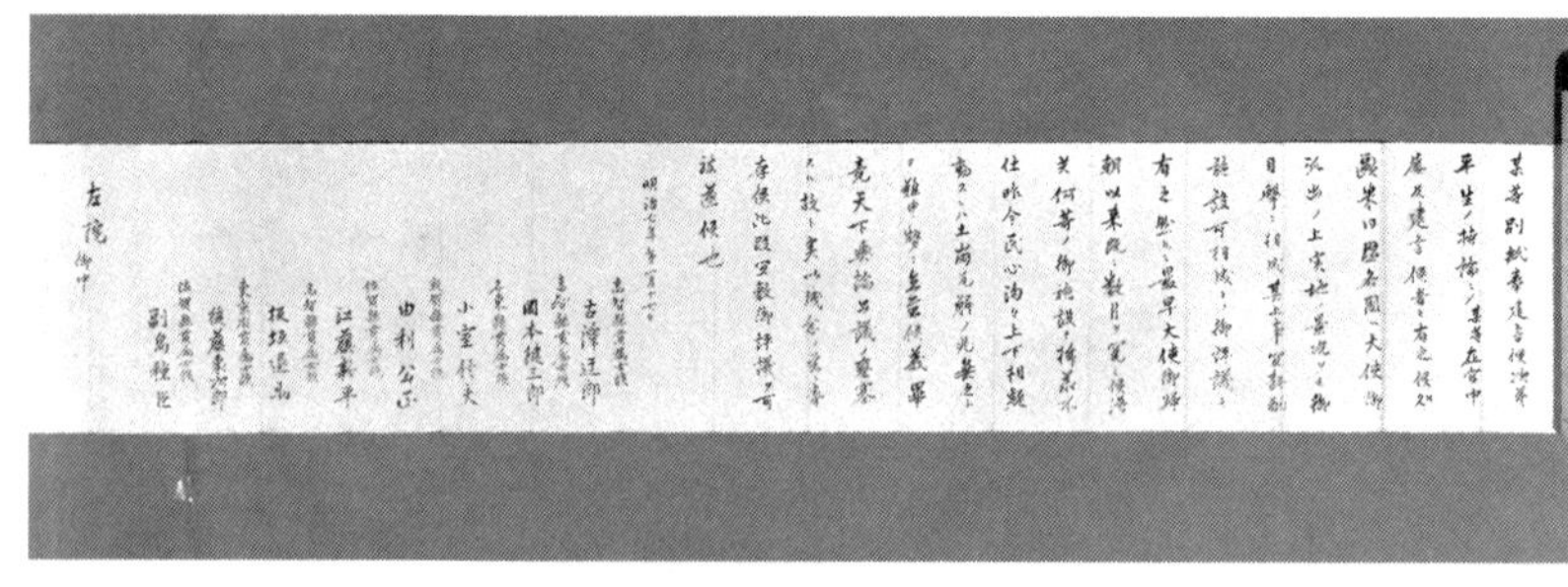

●民撰議院設立建白書（国立国会図書館デジタルコレクションより）

議院設立建白書」を提出します。建白書には、副島、後藤、板垣、江藤の下野参議四人と、「五箇条の御誓文」の原案の起案者である由利公正（前東京府知事）、イギリスで立憲制度を視察した小室信夫（徳島県士族）、坂本龍馬に従い国事に奔走した岡本健三郎（前大蔵大丞）、古沢迂郎（滋）（高知県士族）が署名しました。イギリス留学帰りの古沢が起草しました。

建白書は、多くのメッセージを発しています。その冒頭で、「方今政権の帰する所を察するに、上帝室に在らず、下人民に在らず、而も独り有司に帰す」と述べ、現政権が天皇のもとにも人民のもとにもなく、ただ「有司（官吏）」にあるのみだとして、大久保政治の「有司専制」ぶりを批判しています。

●民撰議院設立建白書を報じる『日新真事誌』（国立国会図書館デジタルコレクションより）

◉新律綱領

一八七〇年、太政官布告として制定された最初の刑法典。中国の明清律を手本とするとともに、江戸幕府の公事方御定書（八代将軍吉宗が裁判・行政の準拠として編纂させた内規集）も参考にし、刑部大輔佐々木高行のもと、法制官僚らによって起草された。六巻・一九二箇条からなり、正刑として笞・杖・徒・流・死の五刑の制をとっていた。僧侶や華・士族などには正刑より寛大な「閏刑」が定められていた。綱領は、八二年の旧刑法の施行により廃止された。

◉愛国公党

最初の自由民権派の結社で、前参議・副島種臣の東京の自宅で結成された。発足にあたり「本誓」（綱領）を決定した。そこには、「天ノコノ民ヲ生ズルヤ、之ニ付与スルニ一定動カスベカラザルノ通義権理ヲ以テス。コノ通義権理ナルモノハ、天ノ均シク以テ人民ニ賜ウ所ノモノニシテ、人力ノ以テ移奪スルヲ得ザルモノナリ」と、天賦人権論に立ち、そのうえで、この通義権理を主張し保全することが「君ヲ愛シ国ヲ愛スルノ道」として「愛国」を強調した（井上清『明治維新』）。

そのうえで、「朝出（令）暮改、政刑情実に成り、言路壅蔽（言論がふさがれていること）」の現状では、「国家土崩」の危機を招来する。これを救う道は、「天下の公議」を反映させるしかなく、そのためには民撰議院（国会）を設立しなくてはならないと強調していました。

また、建白書は、「夫人民、政府に対して租税を払うの義務ある者は、乃ち其政府の事を与知可否するの権理を有す」という注目すべき見解を示していました。政府が租税を課すには国民の同意が必要であり、ここに民撰議院設立の根拠を求めていたわけです。

公議輿論の尊重

民権派は、少数者による専決は避け、幅広く議論を重ねる「公議輿論」の尊重を掲げていました。公議輿論は、そもそも幕末・維新期の重要な政治理念でした。はじめは有力諸侯による「参預会議」などの合議体制として具体化します。

明治維新の「五箇条の御誓文」（一八六八年）では、「万機公論に決すべし」として諸藩代表（貢士）の参加をもとめました。廃藩置県の後は、次第に個々人からなる「世論」を重視する考え方も生まれてきます。当時の有識者らは、福沢諭吉の『西洋事情』や、中村正直（敬宇）がミルの『自由論』を翻訳した『自由之理』などを通じて、すでにヨーロッパの議会政治に関して、一定の知識をもっていました。

しかし、板垣らの建白は、すぐには受け入れられませんでした。ただ、建白書は、

『日新真事誌』（イギリス人ブラックが七二年、東京で創刊した日本語の新聞）に掲載され、論争を巻き起こします。

とくに議院尚早論の立場から反対したのが、宮内省四等出仕の加藤弘之★（一八三六—一九一六年）でした。加藤は、国民に政治的知識も自覚も乏しい中で、民撰議院を開けば「愚論の府」となり、国家に大きな害を及ぼしかねないと主張。「人民蔑視だ」と反発する愛国公党などとの間で論戦を展開しました。

その後、板垣は高知に帰郷し、士族の政治結社「立志社」を組織し、七五年には同社の社員が中心になって全国的な規模の自由民権結社「愛国社」を大阪で設立します。板垣らの民撰議院設立建白書は、士族らを中心にして明治一〇年代に本格化する自由民権運動の出発点になるのです。

●加藤弘之（兵庫県豊岡市ウェブサイトから）

◉加藤弘之

但馬国（兵庫県）出石藩の兵学師範の子に生まれる。藩校・弘道館で学んだ後、江戸に出て佐久間象山の門に入り、蘭学を修めた。蕃書調所に入り幕臣となる。ドイツ語を習得して立憲思想を日本に初めて紹介し、議会の必要性を説いた。また、一八七三年、森有礼らと「明六社」を作り、天賦人権論などを唱えた。ただ、七四年の板垣らの民撰議院設立の建白については「時期尚早」として反対。のちに社会進化論の立場から民権思想を批判した。この間、七七年から東京大学初代綜理、帝国大学総長、貴族院議員、枢密顧問官などを歴任した。

家禄に新税

七三（明治六）年一二月、大久保政権は、士族や華族に支給していた給与のコメ＝禄米＝家禄に、新税の「禄税」をかけることを決めます。禄高六万五〇〇〇石―五石までを三三五段階に分け、累進税率（最高三五・五％―最低二％）をかけたものです。これに対して、参議の木戸孝允が、「二一―三〇〇万人の衣食を奪い、士族だけが有する愛国の恒心を消滅させる」として新税創設に反対しますが、聞き入れられませんでした。

加えて一二月には、「家禄奉還制」も導入します。これは、家禄を政府に返還した士族に対して、事業資金などとして現金と公債を支給するものです。世襲の家禄である永世禄の場合は六か年分、一代限りの終身禄では四か年分が、半額は現金で、残りは八分利子付きの「秩禄公債」でそれぞれ支払われました。

これらにより、国家歳出中の家禄支出の約三五％が減少したといわれます。その費用は、イギリスで募った一〇〇〇余万円の外債が充てられました。

「士族の商法」

家禄を廃止する「秩禄処分」は、政府にとって重要な政治課題でした。

華士族は、当時の人口の五％に過ぎませんでした。彼らは失職したにもかかわらず、国家財政の三―四割を占める多額の禄を得ていました。厳しい批判が出るのは当然で、政府には、殖産興業推進の有力な財源として秩禄カットが欠かせませんでした。政府が六九年の版籍奉還の際、諸藩に命じた「禄制改革」で、旧家臣団の家禄は約四割削減されたといわれます。そして士族たちを農民、商人に復帰させる帰農商政策を進めました。

七一年の廃藩置県によって、藩がつぶれると、武士の家禄もその根拠を失いました。★七三年一月、士族・平民の別なく兵役に服させる徴兵令が公布されると、武士は完全に職を失います。徴兵告諭は、士族を「世襲座食（働かないで食う）」と決めつけていました。生活難に陥った士族の約三分の一が家禄を奉還し、資金を元手に転身を図りました。しかし、農業は重労働ですし、商売はまったく未知の世界でした。天ぷら屋

●秩禄公債証書見本（三百円）

◉サムライの潔い出処進退

士族が没落に向かい、波乱の政局がつづく中、それとは距離を置き、一切の公職を断ち、潔い出処進退をみせたサムライもいた。上野国（群馬県）高崎藩で勘定奉行をつとめていた深井景忠がその一人。五男の英五（元日銀総裁）が自伝の中で、父のことを以下のように回顧している。「明治四年の廃藩置県により、旧来の武士階級は一斉に禄と職とを失った。父は其時五十三歳であったが、爾後、全く世間から退隠して細き生計を立て、前代の遺民として固く自ら持した。愚痴も言わず、時事も論ぜず、只至尊（天皇）の下、四民平等の世の中になったのだからと云って、従来の所謂百姓町人に対して直に態度を改め、対等の礼を以て接すると同時に、新時代の顕官貴人に対して、故なく礼を厚くすることを屑としなかった。又藩政の下に於ては、渉外関係に注意して居たにも拘らず、退隠後は西洋嫌いで押し通し、出来るだけ洋風の新式品の使用を避けた」（佐伯彰一『近代日本の自伝』）。

や茶漬け屋などをやっても、利益は上がりませんでした。慣れない商いに手を出して失敗することを「士族（武士）の商法」と呼ぶのは、ここに始まります。

また、家禄奉還によって得た、多額の現金に目がくらんで蕩尽（とうじん）し、一家離散といった悲劇も起きたそうです。もちろん、士族から官吏や軍人、警察官、教師、新聞記者などに転職する人もいました。資金難を乗り越えて開墾や養蚕事業に成功した例も残っています。

結局、家禄奉還制は、所期の成果を上げられずに打ち切られ、政府は七六年、家禄・賞典禄を全面的に廃止し、代わりに金禄公債証書を交付することを決めます。こうして旧武士層は解体されることになるのです。

5　台湾出兵と北京交渉

一転して外征へ

征韓論に端を発する大政変（一八七三年一〇月）の後、台湾問題が再び浮上します。

一八七四（明治七）年一月、内務卿・大久保利通と大蔵卿・大隈重信は、台湾出兵の方針を固め、二月六日の閣議に「台湾蕃地（先住民が住む未開の地）処分要略」を提案しました。要略は、出兵について、七一年に台湾に漂着した琉球人が原住民の「生蕃」に殺害されたことに報復するのは「政府の義務」であり、先に訪中した副島種臣・外務卿に対して、清朝側が台湾蕃地を「化外の地」としたことからも、ここは国際法上、「無主の地」とみなすべきだ、としていました。

日本政府は、これを理由とした台湾出兵により、日清両属だった琉球（沖縄）を日本の主権下に置くことをねらっていました。日本近代で初めての海外派兵は、こうして同日の閣議で正式決定されます。

日本国内では、すでに述べたように、この直前の一月には、岩倉具視襲撃事件や、板垣退助らによる「民撰議院設立建白書」の提出、二月に入ると江藤新平らの「佐賀

●大久保利通

の乱」の勃発など、反政府運動が活発化し、大久保政権を激しく揺さぶっていました。

それにしても、征韓論に徹底的に反対した大久保が、一転して台湾出兵を推進したのは、なぜだったのでしょうか。

一つには、各地の不平士族らの反政府的機運をこれ以上、放置できなかったことがあります。二つには、出兵に伴う清国や列強の軍事介入のリスクが、征韓に比べると小さいとみられたこと、などが指摘されています。大久保にしても、鹿児島士族をはじめとする外征論者らの圧力は如何(いかん)ともしがたく、士族階級の不平不満のはけ口を台湾出兵に求めたものとみられます。

英・米は「反対」

一八七四年四月四日、陸軍大輔(りくぐんたいふ)(次官)の西郷従道★(一八四三―一九〇二年)が、陸軍中将に昇進し、台湾蕃地事務都督(じむととく)(遠征軍総司令官)に任命されます。西郷が組織する征台軍は約三六〇〇人、その主力には鹿児島兵八〇〇人が含まれていました。また、台湾蕃地事務局長官には大隈が就任します。

政府は四月二日、外務省顧問ルジャンドル★(一八三〇―九九年)らの提言を受け、従来の問罪のための派兵から、台湾の植民地化まで図る新方針を閣議決定します。しかし、この西郷従道ら旧薩摩派が主導した拡大路線に、木戸孝允ら旧長州派が強く反発し、木戸は参議を辞任しました。

当時、大久保は、「佐賀の乱」の鎮圧のため、現地にあって不在でした。木戸は、

●西郷従道

日本の国力、財力では戦争に耐えられないとみていました。征韓論にともに反対した大久保の「変身」も許せなかったものとみられます。

台湾出兵に対しては、列強からも強いクレームが出されます。欧米諸国は、日清衝突の事態が、貿易・経済活動に多大な悪影響をもたらすことを懸念していました。

イギリス公使のパークスは、日本の出兵を清朝側が自国領土への侵略行為と見なす場合は、英国人や英国船を従事させることはできないと日本側に警告しました。「台湾全土が清国領土」という立場のアメリカ公使・ビンガムは、日本の台湾遠征は清国への敵対行為だとして、日本が米国人・船を使うことを拒否しました。

●木戸孝允

◉西郷従道

西郷隆盛の実弟。薩英戦争や戊辰戦争に従軍した。六九年、山県有朋とともにヨーロッパ諸国を一年間歴訪し、西欧諸国の兵制を研究した。帰国後、陸軍大輔などを経て台湾蕃地事務都督になり、台湾征討を指揮。七七年の西南戦争では兄の隆盛側にはつかず、その後、文部卿や陸軍卿などを経て、伊藤、黒田、山県の三内閣でそれぞれ海軍相を務めた。第一次松方内閣では内務相に就任。九八年に元帥府（軍事問題に関する天皇の最高顧問）が設置されると、小松宮彰仁親王、山県、大山巌とともに日本最初の元帥になった。

◉チャールズ・ルジャンドル

一八三〇年、フランス生まれ。五四年に米人女性と結婚してアメリカに移住した。南北戦争に従軍したが、負傷して退役し、六六年から清国厦門(アモイ)駐在領事に就いた。中国の事情に通じ、「李仙（善）得」という漢字名も用いた。七二年に来日した。その間、難破した米商船が台湾に漂着し、船長以下一四人が先住民に殺害された事件で現地に赴き、先住民の大首長と交渉し、台湾通として知られるようになった。ルジャンドルは、日本の戦略上の要地として、朝鮮と台湾・澎湖島を挙げ、台湾を「抛有」するよう促す覚書を外務卿に提出した（毛利敏彦『台湾出兵』）。

「延期」のち「決行」

英米の干渉を受けて、日本政府は四月一九日、いったん台湾出兵の延期を決めます。しかし、西郷従道は、「姑息の策は、かえって士気を鬱屈させ、その禍は、佐賀の乱の比ではない」として、延期決定を拒否。四月二七日と五月二日に計約一二〇〇人の先遣部隊を台湾に向けて出航させてしまいます。

佐賀から帰京したばかりの大久保は、急ぎ長崎に入り、五月四日、大隈と西郷従道と協議します。結論は、出兵という「既成事実」を容認し、「出兵延期」を撤回します。大久保は、その際、ルジャンドルの帰京とアメリカ人士官の解雇、対清交渉に向けての柳原前光公使の清朝派遣などを指示しました。

西郷従道は一七日、約一八〇〇人の本隊を率いて「高砂丸」で長崎を出港します。日本政府は一九日になってようやく、正式に「台湾蕃地処分の布告」を出しました。西郷は五月二二日に台湾南部に上陸。六月一日から五日にかけて総攻撃をかけ、琉球人を殺害した原住民らの拠点である牡丹社を陥落させました。

遠征軍の戦死者は一二人、負傷一七人。このほか全軍三六五八人のうち、伝染病や風土病とくにマラリアなどによる病死者が五六一人に上りました（毛利敏彦『台湾出兵』）。現地兵士は、伝染病に苦しみ、悲惨な状況にあったのです。

緊迫の日清関係

清朝は、日本にどう対応したのでしょうか。

清朝皇帝は六月二四日、日本の即時撤兵を要求せよ、との勅命をくだし、強硬な態度に出ます。七月には、総理衙門（清朝外務省）が、駐清公使の柳原に対し、台湾出兵について正式に抗議しました。清朝は、台湾出兵は日清修好条規違反としていました。同条規第一条は、「両国所属の邦土」への「侵越」を禁じており、日本が清朝の邦土である台湾に武力侵攻したことは許されないというわけです。日清両国間の対立が深まります。

日本政府内では、台湾から撤兵するか、清国と開戦するか、で意見が分かれます。大隈は開戦を強く主張しました。伊藤は撤兵論だったようです。陸軍卿の山県有朋は、早期撤兵・日清戦争回避の立場で、陸軍内の将官の多数が開戦は不可としていました。

政府は七月八日の閣議で、対清国交渉では「和親」保持に努めるのはもちろんだが、もしも、清国が戦端を開くならば、「交戦已むを得ざるべし」（『明治天皇紀（第三）』）と決しました。ただ、交渉にあたる柳原駐清公使への訓令には、占領地を譲与する代わりに償金を獲得して、撤兵するとしていました。

交渉が妥結しない場合は開戦も辞せず、という方針のもと、政府は八月一日、大久保を全権弁理大臣として清国に派遣することを決定します。大久保には、交渉で「和戦いずれかを決する」権限が与えられました。台湾出兵という、自らまいた種を刈る形になった大久保の交渉に臨む姿勢は、「あくまで避戦であった」（勝田政治『〈政事家〉大久保利通』）ということです。

大久保、北京入り

大久保は七四年九月一〇日、北京入りしました。お雇い外国人であるフランスの法学者ボアソナード（一八二五―一九一〇年）が顧問として同行しました。★日清交渉は、日本側から大久保、柳原ら、清朝側から恭親王（一八三三―九八年）、文祥らがそれぞれ出席して一四日からスタートしました。が、案の定、難航します。

日本側は、国際法の基準に照らせば、台湾の原住民の「生蕃」には、清朝の統治が及んでおらず、出兵は日本の「義挙」であると主張します。これに対して、清朝側は、台湾が中国に属するのは内外に周知のことであり、生蕃は、清朝流のやり方で治めている。清国領である同地への出兵は、日清修好条規に違反していると反論します。

結局、国際法（万国公法）を盾にする日本側と、日清二国間条約を根拠とする清朝側との議論は、交わることがありませんでした。交渉は暗礁に乗り上げ、一〇月二五日、大久保は清朝側に帰国を通告します。しかし、この前後、イギリスの駐清公使・ウェード（一八一八―九五年）が仲介に入ります。ウェードによる精力的な斡旋の結果、日清双方は、「談判破裂」を乗り越え、二七日、調停案を受け入れました。

三一日に調印された「互換条款（協定）」等には、日本の出兵は「保民義挙」のためであり、清国は「蕃地」での遭難者と遺族に「撫恤（いつくしみあわれむという意味）銀」

●北京会談の模様

一〇万両★を即時払いすること、日本軍が「蕃地」に設営した道路・建物は四〇万両で清国が譲り受けることが盛り込まれました。日本軍は一二月二〇日までに撤兵することも決められました。

とくに注目すべきは、協定に「台湾の生蕃、かつて日本国属民等に対し、妄(みだ)りに害を加えたるをもって」という表現が使われことです。これは、清国側が「琉球人は日本国民である」という日本の主張を間接的に認めたことを意味していました。

●ボアソナード

◉大久保、賠償金返却を希望

清国から得た賠償金に関して、大久保は、計五〇万両のうち一〇万両は、死傷者及び功労に酬いる費用とし、残る四〇万両は、清朝皇帝に「謝却」(返却)しようと考えていた。参議・黒田清隆あての手紙に、大久保は、返却金は原住民の開化と航行の安全のために充てることを希望するとし、文明各国ではいまだ前例のない措置によって、清国の疑心を取り、我が国の盛名を世界に輝かすことができると書いていた。ただ、これは実行されずに終わった(清沢洌『外政家としての大久保利通』)。

◉ボアソナードの貢献

大久保の北京交渉に随行したボアソナードは、一八七三年に来日した司法省お雇い外国人。大久保と何回か会ううち、万国公法理論を評価され、大久保全権弁理大臣の顧問として北京行きが決まった。出発前日には明治天皇に拝謁した。交渉では、ボアソナードの国際法の知識が生かされ、日本政府は、その功績をたたえて勲二等旭日重光章と金二五〇〇円を贈った。以来、一介の「お雇い」に過ぎなかったボアソナードはにわかに注目され、多くの官庁から引っ張りだこになった(大久保泰甫『ボアソナアド』)。

日本外交の勝利

北京交渉で大久保は、清朝側から大幅な譲歩を勝ち取り、戦争を回避して外交的な勝利を収めました。伊藤は、木戸宛ての書簡で、「此上（このうえ）なき国家の大幸」であり、それも大久保の「大功」であると高く評価しました。台湾出兵問題で閣外に去っていた木戸も、「雀躍（じゃくやく）に堪えず」と、その功績を称（たた）える手紙を大久保に書き送りました。

もちろん、日清開戦や台湾領有にまでエスカレートしていた強硬派は、この決着に不満を示しました。また、賠償金をはるかに上回る戦費を要したことへの批判もくすぶり、大久保は「ウェード公使の助力によってなんとか政治生命を保てた」という歴史家の評価もあります。さらに、台湾出兵が、その後の「日・清対決」に道を開いたことも事実です。

一一月二七日、大久保らが横浜港に帰着すると、国旗を掲げた「内外人民群（じんみんむれ）を成す」（大久保日記）ほどの歓迎陣が、一行を迎えました。当時の英米の新聞も、大久保の交渉手腕を高く評価する記事を掲載しました。

大久保は、協定署名の一〇月三一日の日記に、「是迄（これまで）の焦思（しょうし）苦心、言語の尽くす所にあらず。生涯又如此（またかくのごとき）事あらざるべし」、北京を発った一一月一日の日記には、「自ら心中快を覚ゆ」と記し、難しい交渉を仕上げた大久保の深い安堵（あんど）が伝わってきます。結果的に大久保の声価は、一気に高まり、自らの権力基盤を固めることになるのです。

●イギリスの駐清公使ウェード

6　琉球王国の歴史に幕

清朝が受けた衝撃

清朝は、その周辺に、自治的統治を認めた「藩部」と呼ばれる地域と、朝貢・冊封関係にある「属国」をもっていました。

藩部は、モンゴルやチベット、新疆などをさしており、属国は、朝鮮や琉球（沖縄）、ベトナム、シャム（タイ）、ビルマ（ミャンマー）などです。ただ、属国といっても、清朝は、一般的にその国の内政や外交に直接、干渉することはなかったようです。これに対して、交易・商取引関係にある国々は「互市」と呼ばれ、日本や西洋の国々がこれにあたります。

こんな中国中心の東アジアの国際秩序の下、日本による台湾出兵（一八七四年）は、清朝に大きな衝撃を与えました。それは小国にすぎない隣国の軍事侵攻を未然に防ぐことができなかったからです。

日清の北京交渉で、調停案を受け入れざるをえなかった総署大臣・恭親王★は、上奏文で「わが海疆の武備が恃むに足るものであったら、決裂を虞れることもなかったろ

●恭親王（一八六〇年一一月撮影、Getty's Open Content Program）

う」と述べています。海洋防備をおろそかにしたため、「不法」の日本に譲歩せざるをえなかった、というわけです。

清朝は、これを教訓に海防強化を本格化させ、直隷（現在の河北省）総督・李鴻章（一八二三―一九〇一年）をトップに北洋海軍の建設に着手します。一八七四年に海防増強計画が策定されると、翌七五年から留学生をイギリスとフランスに派遣して海軍術を学ばせます。鉄甲艦なども輸入し、旅順、威海衛に軍港を建設します。こうして編成されることになる北洋艦隊は、のちの日清戦争（一八九四―九五年）で日本艦隊と雌雄を決することになるのです。

藩属体制の危機

北京交渉で七一年の日清修好条規が役に立たなかったことは、それを締結した李鴻章にとって容易ならざる事態でした。同条規第一条の「両国所属の邦土への不可侵」の規定は、中国沿岸や朝鮮など「属国」を含めた広範な「邦土」への不可侵を、日本に義務づけようとしたものでした（岡本隆司『清朝の興亡と中華のゆくえ』）。ところが、日本側は、そんな解釈にはお構いなく、台湾南部は「無主の地」だとして派兵してきました。清朝は、こうして日清修好条規が通用せず、明治維新以降、富国強兵を進める日本を新たな「脅威」とみなすことになるのです。

このころ、清朝は、中央アジアにおけるロシアの勢力拡大とイスラム教徒の反乱に苦慮していました。

●李鴻章（Getty's Open Content Program）

日清修好条規が締結された七一年には、ロシアが、新疆で発生したイスラム教徒の反乱に乗じてイリ地方を占領します。清朝は、陝甘総督の左宗棠（一八一二―八五年）にイスラム教徒の鎮圧を命じます。彼は、太平天国の乱で、義勇軍の「楚軍」を率い、曾国藩の「湘軍」、李鴻章の「淮軍」とともに反乱軍と戦い、勝利した人物です。

左宗棠は、中国北西部の陝西省から甘粛省へと軍を進め、七三年には平定します。さらに新疆まで兵を進めようとした時、日本の台湾出兵が起きました。その際、李鴻章は、海防の強化に力を注ぐため、ロシアとイギリスの進出が著しい新疆は放棄すべきだと提案しましたが、却下されました。

●左宗棠

琉球の日本専属化

このあと、清朝は、日清両属の琉球の日本専属化を図る、日本政府の攻勢に直面します。北京交渉で日清間が結んだ協定には、「琉球人は日本国民」と解釈できる表現が使われていました。日本政府は、これを論拠に「琉球は日本の版図」だとして帰属

◉恭親王

清の道光帝の第六子で、咸豊帝の異母弟。第二次アヘン戦争時、咸豊帝が英仏連合軍の進撃をみて熱河の離宮に逃げ込んだ際、欽差全権大臣として講和にあたり、北京条約を結んだ。次いで外交を統括する総理衙門（外務省）の首班大臣、議政王大臣、軍機大臣に就任して摂政政府を助け、また内政にも関与して洋務運動を推進した。しかし、新帝の生母・西太后が権力を強めるにつれて疎んじられ、軟弱外交を指弾され、免職された。

問題の決着を急いだのです。

台湾出兵中の七四年七月、日本政府はまず、琉球案件の所管を外務省から内務省へと移しました。さらに同一二月、北京から帰国した内務卿・大久保利通は、日清協定を踏まえて「清国との関係を一掃」する措置――すなわち、琉球を日本の領土に完全に組み込むことを建議し、承認されます。

次いで大久保は、内務大丞・松田道之（一八三九―八二年）を処分官として那覇に派遣。七五年七月一四日、松田は首里城を訪問し、琉球藩王代理の今帰仁王子（一八四七―一九一五年）に会い、政府の命令を伝えました。それは、清朝への朝貢使・慶賀使の派遣禁止、清朝による冊封★の廃止を厳命していました。そのほか、琉球藩内ではすべて明治の年号を奉じることや、日本への謝恩のために藩王が上京すること、日本の刑法の施行、軍の鎮台分営の設置なども求めていました。

琉球側は、これまで、琉球藩の設置（一八七二年）の時も、琉球漂流民殺害事件をめぐる対清交渉（七三年）の際も、これらが琉球処分への布石であるとは受け止めず、政府側の説明をうのみにして、のんきにかまえていたようです。ですから、この清国との関係を一切断つよう命じた松田処分官の言葉に、琉球側は驚愕します。それでも、琉球当局は、刑法施行や分営設置など一部の要求は受け入れましたが、朝貢や冊封の禁止などは、「清朝との国際的信義上、出来るものではない」と拒絶しました。とくに清国に近い、藩内の「親清派」（頑固党）の人々は強く抵抗しました。

結局、琉球当局による東京での直接の陳情が許され、七五年九月には特使が派遣されます。彼らは、清朝との断絶や琉球の国体・政体の変更は望まないことを繰り返し

●大久保利通から太政大臣・三条実美にあてた建議

●今帰仁王子

陳情しますが、日本政府は受け付けませんでした。

日本政府は七六年五月、内務少丞・木梨精一郎に琉球藩在勤を命じ、同藩がもっていた司法権を内務省出張所に接収します。これに伴い、清国への渡航は同出張所の許可がなければ不可能になります。

●尚泰

琉球、清朝に密使

琉球藩王・尚泰★は、同年一二月、清国・福州に密使として幸地親方らを派遣します。

◉冊封体制

中国の歴代王朝が東アジアの国際秩序を形成するためにとった対外政策。中国皇帝が周辺諸国の君主に官号、爵位などを与えて君臣関係を結び、その統治を認める（冊封）。宗主国と藩属国という宗属関係の具体的表現が「朝貢」であり、藩属国の使節が皇帝に朝見して土産物を献上し、君臣の礼を尽くす。これに対して、皇帝は「回賜」として多くの返礼品を与え、皇帝の威徳を示した。日中間では室町幕府の時代、足利義満が明の皇帝に宛てた国書には「日本国王臣源表」とあり、皇帝から金印を与えられ日本国王に封ぜられたことで、日中の冊封関係が成立した一時期があった（『国史大辞典』）。

◉尚泰

琉球王国最後の国王。一八四三年、尚育王の子として首里城下に生まれた。四八年、六歳で琉球国中山王を継承し、六六年、清国より冊封を受けた。この間、外国船の来航が相次ぎ、とくに五三年から翌年にかけ、米提督ペリーは延べ五回にわたって琉球を訪問、首里城に乗り込んだ。明治維新後の七二年、琉球王国は「琉球藩」とされ、尚泰は「琉球藩王」となり、華族に列せられた。七九年、首里城明け渡しを迫られ、城を出たことで王国は崩壊し、その後は政府の命令で東京に住んだ。一九〇一年死去。

幸地らは翌七七年二月、藩王の密書を清朝側に提出するとともに、これまでの経緯を報告し、救援を求めました。

一方、東京駐在の琉球藩の役人は、日本に赴任してきた清国初代駐日公使・何如璋（一八三八―九一年）と連絡をとり、アメリカ、イギリス・オランダの駐日公使にも支援を要請、問題の国際化を図ろうとします。清国の何公使は、外交交渉と同時に、琉球に軍艦を派遣して日本政府の譲歩を迫る強硬策を建議しています。

同年一〇月、何公使は、寺島宗則外務卿に対し、日本の措置は「隣交に背き、弱国を欺く」行為だと非難しました。寺島は「暴言だ」と反発し、交渉は停滞します。なお、日本国内ではこの年の二月、西郷隆盛を首領とする士族の大反乱（西南戦争）が起き、政府は半年間、その鎮圧に追われていました。

琉球処分

七八年五月、琉球処分を指揮してきた内務卿・大久保利通が暗殺され、伊藤博文が後任に就きます。伊藤は、国際問題化を避けるため、駐日の各国大使に調停を求めていた琉球藩の役人を東京から退去させる一方、琉球処分官の松田を再び琉球に派遣しました。

七九年一月、松田は那覇入りします。七五年六月の初訪問から三年半の月日が経過していました。松田は到着後、直ちに首里城を訪ね、藩王代理の今帰仁王子に対し、密航や外国公使への働きかけを非難したうえで、日本政府の命令に従うよう、最後通

●松田道之（那覇市歴史博物館所蔵）

告ともいうべき「督責（ただしせめること）書」を手渡しました。

これに対し、琉球側は、「遵奉（したがい、固く守ること）書」を提出しませんでした。松田は帰京すると、琉球処分の早期断行を上申し、政府は、軍隊の派遣と、松田に三回目の出張を命じました。

松田は七九年三月二五日、内務省の官吏三〇余人、警察官一六〇余人、熊本鎮台分遣隊四〇〇人を率いて那覇に上陸しました。松田は二七日には首里城に乗り込み、今帰仁王子に対し、「廃藩置県」（琉球藩の廃止と沖縄県設置）の太政大臣達書を自ら朗読しました。

四月四日、琉球藩を廃し、沖縄県を置くことが全国に布告されます（琉球処分）。県名を沖縄にしたのは、中国からあたえられた琉球をさけ、沖縄人自身の呼び名にもとづいたからです（宮城栄昌『沖縄の歴史』）。

旧藩王尚泰は明治政府の命により、沖縄を離れ、六月、上京しました。一五世紀に成立し、四〇〇年に及んだ琉球王国★は、ここに歴史の幕を閉じます。

属国ドミノ現象

毛利敏彦『台湾出兵』によれば、清国公使の何如璋は、日本の琉球併合を阻止すべきだと本国に警鐘を乱打していました。琉球の喪失を黙認すれば、それは決して「一琉球」にとどまらず、朝貢国・朝鮮の喪失へと連動し、〈ドミノ現象〉のあげく、朝貢国体制が総崩れになることを恐れていたというのです。

●首里城正殿

ドミノ現象とは、ある出来事が起きると、次々とドミノ（将棋）倒しのように、連鎖的によく似た事件が起こることをいいます。日本にすれば、近代国民国家として存立するには、国家主権の及ぶ範囲（国境）の画定が必要で、琉球処分は避けて通れませんでした。ところが、その日本の行動は、大清帝国を支える華夷秩序への挑戦を意味していました。そしてこの〈ドミノ現象〉は清朝の杞憂で終わらず、朝鮮やベトナムにおいて現実化していくことになります。

◉琉球王国

一二世紀前後から按司と呼ばれる首長層が台頭し、三つの勢力が形成されたが、一四二九年に統一され、首里城を拠点とする「琉球王国」が成立した。明・清両朝に朝貢して冊封関係を結び、海の交易路の中心にあって、中国、日本、朝鮮、ジャワ、マラッカなどと壮大な海外貿易を展開した。一四五八年の刻銘がある梵鐘「万国津梁の鐘」の以下の銘文（現代語訳）は、琉球のそうした気概を示している。

「琉球国は南海のすばらしいところで、三韓（朝鮮）の秀（すぐれたもの）を集め、大明（中国）をもって輔車（重要な関係）となし、日域（日本）をもって唇歯（密接な関係）となす。この二国（中国と日本）の中間に湧き出でた蓬萊嶋（理想の島）である。舟楫をもって（舟をかよわせて）万国の津梁（架け橋）となし、異産至宝（外国の宝）は十方刹（いたるところ）に満ちあふれている」（高校教科書『歴史総合　わたしたちの歴史　日本から世界へ』）

その後、尚真王が積極的に中央集権策をとり、琉球全島にわたる王国の基礎を築いた。一六〇九年、薩摩藩が武力侵攻し、実質的に支配下に置かれた。以後、「江戸上り」と称される慶賀使・恩謝を徳川将軍のもとに派遣した。その一方で、清の冊封国としての関係も継続した。

7 「砲艦外交」で朝鮮開国

朝鮮でも政変

李朝（一三九二―一九一〇年）後期の朝鮮外交は、宗主国である清国との関係を基軸とし、徳川幕府の日本とは対等な隣国同士の交際をしていました。

明治維新後の日朝関係は、日本の王政復古を知らせる外交文書の文言を巡ってこじれ、日本政府は一八七二（明治五）年九月、朝鮮・釜山に置いた対馬藩の「草梁倭館」を接収し、大日本公館としました。翌七三年一〇月には、朝鮮に開国を迫る特使の派遣をめぐって、日本政府の内部で大政変（征韓論政変）が起こりました。

この日本の政変と時をほぼ同じくして、朝鮮でも政変がありました。同年一二月、即位して一〇年を迎える国王・高宗（コジョン）が親政を宣言し、最高権力者だった実父の大院君（テウォングン）が摂政の座から降ろされました。高宗の妻である閔妃（ミンビ）は、大院君夫人の実家にあたる閔氏から迎えられた女性でした。ところが、国王の権限を利用して、閔氏一族一門を政権の中枢・要職に就かせて急速に力をつけました。

こうして大院君を隠棲させ、政権を掌握した閔氏一族は、ここに新たな「勢道政治」

（国王が認めた特定の個人や集団が権勢をふるう政治）を開始します。新政権は、大院君の施策のほとんどを廃棄し、外交でも鎖国攘夷論の大院君の下で対日強硬策を貫いてきた当局者らを罷免します。対日政策も変更される可能性が出てきました。

江華島事件

日本政府は七四（明治七）年四月、改めて朝鮮との国交回復をめざし、外務省官員の森山茂を釜山に派遣します。だが、交渉は再び難航します。

翌七五年、森山は、副官である広津弘信（ひろつひろのぶ）を通じて、寺島宗則・外務卿に対し、測量を名目に、軍艦一、二隻を朝鮮に派遣するよう提案しました。朝鮮の鎖国攘夷派が追われたこの時期に、軍事的示威を加えて、交渉の進展を図ろうとしたのです。

日本政府は七五年五月末から六月初めにかけ、艦長・井上良馨（よしか）★（一八四五—一九二九年）少佐が率いる小砲艦「雲揚（うんよう）」号（排水量二四五トン）など二隻を釜山に派遣し、砲撃演習をして朝鮮側を脅かしました。

同年九月二〇日、おなじ「雲揚」号が、今度は航路測定を名目に朝鮮の西海岸を北上し、首都ソウルへの表玄関である「江華島（こうかとう）」（カンファド）に接近します。艦長の井上少佐がボートをおろして草芝鎮（チョジジン）に近づこうとしたところ、砲台から攻撃を受けました。翌二一日、「雲揚」号は、草芝鎮に報復攻撃して砲台を焼き払い、二二日には南下して小島である永宗島（ヨンジョンド）の要塞を急襲して将兵が上陸。朝鮮の軍人・民間人ら三五人を殺害し、銃砲などの兵器を奪って引き揚げました。

●「雲揚」号

井上からの事件報告を受けて政府は二九日、居留民保護の名のもと、軍艦の派遣を決め、大型快速艦「春日」（排水量一二六九トン）が釜山港に入りました。日本側は、「雲揚」号は「飲料水を求めていた」と説明しましたが、「許可を求めることもなしに、国交のない異国船が内国河川に侵入し、しかも要塞に接近することは歴然たる挑発行為」（海野福寿『韓国併合』）でした。

●江華島事件要図

日朝修好条規締結

日本政府は、この江華島事件を口実として、日朝修好条規の締結を朝鮮に迫ることになります。

政府はまず一一月、朝鮮の宗主国・清国に森有礼（もりありのり）を公使として派遣し、朝鮮が対日交渉のテーブルにつくよう協力を求めます。これに対して清朝側は、「朝鮮の国事には干渉しない」と答えました。これを受けて日本政府は、朝鮮と交渉を進めることとし、特命全権大使に黒田清隆（きよたか）（一八四〇—一九〇〇年）、副全権に井上馨（かおる）（一八三六—一九

◉井上良馨

鹿児島生まれ。薩英戦争の際、イギリス軍艦の砲弾を受け、脚に大けがをした。軍楽隊にあこがれて海軍に入り、戊辰戦争にも従軍した。江華島事件の後、一八七八年、日本の軍艦に乗って初めてヨーロッパへの航海に成功。八六年に少将となり、海軍省軍務局長、常備艦隊司令長官などを歴任。その後、中将に昇り、佐世保・横須賀各鎮守府司令長官を務め、一九〇一年、大将に。日清・日露戦争に出陣しなかったものの、一一年には元帥にのぼりつめた。

一五年）を任命しました。

黒田は七六年一月、軍艦六隻に総員八〇〇余人を乗せて出発。同時に政府は、陸軍卿・山県有朋を下関に急派し、有事に備えて朝鮮遠征軍を編成し待機させました。黒田らは二月一〇日、江華島に上陸して一一日から交渉を開始します。停泊艦はいっせいに「紀元節(きげんせつ)」（七三年、神武天皇即位の日をもって定められた祝日）の礼砲を放って示威行動を行います。

朝鮮国内は、開国派と攘夷派に分かれていました。下野した後も影響力を残していた大院君は、開国派と政府の軟弱外交を強く批判します。しかし、朝鮮政府は、日本の強圧的な外交に反発しながらも、「開国はやむをえない」と判断し、日本案を修正のうえ、二月二六日には日朝修好条規が調印されます。

ただ、交渉にあたった朝鮮側の正使も副使も、「万国公法」に対して何ら知識を有せず、条約の何たるかも知らなかったということです（趙景達『近代朝鮮と日本』）。

修好条規は、十二款(かん)（条）からなり、第一款は「朝鮮国は自主の邦にして日本国と平等の権を保有せり」と明記されました。日本側は、これによって朝鮮に対する清国の宗主権を退け、その影響力を排除しようと考えていました。このほか、倭館が置かれていた釜山以外の二港の開港、日本の朝鮮沿岸の自由測量、日本の領事裁判権の規定も盛り込まれました。さらに、日本貨幣の流通を認め、輸出入品の関税が免除されるなど、朝鮮側にとって極めて不平等な内容でした。

駐日アメリカ公使のビンガムは、副全権の井上に『ペリーの日本遠征小史』を送っていました。日本の対朝鮮開国外交は、ペリー提督が日本に対してみせた「ガンボー

●黒田清隆

●幕末に日本の木版画で描かれたペリー（米国議会図書館蔵）

ト・ディプロマシー」（砲艦外交）によって、欧米流の不平等条約を朝鮮側に押しつけるものでした。ただ、朝鮮側には、日本と条約を結んでも、開国したという意識はなく、徳川幕府との「旧信」の回復と考えていました（金重明『物語　朝鮮王朝の滅亡』）。このため、日本との復交後も、米欧列強からの開国要求を拒み続けます。しかし、清朝の李鴻章が、朝鮮に代わってアメリカとの間で条約交渉を進め、八二年五月には朝米修好通商条約が調印されました。

日露で樺太・千島交換条約

日本政府は、明治維新後、新しい官庁として開拓使★を設置し、「蝦夷地」を改称した北海道と樺太を管轄させ、開拓を進めました。それに伴い、そこに居住していたアイヌ★の人々も日本に編入しました。

日本とロシアの国境は、日露和親条約（一八五五年）によって、千島列島の択捉島と

◉開拓使

北海道（樺太を含む）の開拓・経営を主な任務として、一八六九年に設置された行政機関。七〇年、黒田清隆が開拓次官（のち長官）に就いてからは、黒田が中心になって開拓政策を進め、開拓使顧問として当時の米農務局長ケプロンを招聘した。顧問団の指導のもと、札幌農学校の整備、開拓技術者の養成、洋式農法の導入、新道の開設、ビールなど食品加工工場の設立などが進められた。また、黒田が建議した「北海道経営一〇か年計画」に基づいて農業兼務の兵団である「屯田兵」や移民が奨励された。開拓使は八二年に廃止された。

得撫島の間と決められました。しかし、樺太については、全島領有を要求するロシア側と、北緯五〇度での分割を主張する日本側とが対立して決着がつきませんでした。

その結果、日露混住の地とされた樺太では、両国人の紛争が絶えず、開拓次官の黒田清隆は、樺太経営の「不利益」を唱え、政府内では、樺太放棄論も出始めます。

「国権外交」を進めた副島種臣・外務卿が樺太の買収・売却案を示して交渉にあたりましたが、ロシア側の拒絶にあって実らなかったことはすでに触れました。

明治六年政変のあと、大久保政権は樺太放棄論に傾きます。七四年一月、黒田の推薦により、榎本武揚（一八三六―一九〇八年）が駐露公使に起用され、難交渉にあたります。榎本は、旧幕府の海軍副総裁で、戊辰戦争の箱館五稜郭の攻防戦では、新政府軍参謀だった黒田の敵将でした。

江華島事件が起きた七五（明治八）年の五月七日、日露両政府は、ロシアのペテルブルクで、樺太・千島交換条約に調印しました。その結果、ロシアが樺太全島の権利を得て、日露の境界は宗谷海峡と定められました。代わりに日本は、得撫島以北の千島列島（クリル諸島）の一八島の権利を得、カムチャツカ半島のラパッカ岬と占守島間が国境となりました。

しかし、ここでようやく定まった日露の国境問題は、その後、紆余曲折を経ます。★

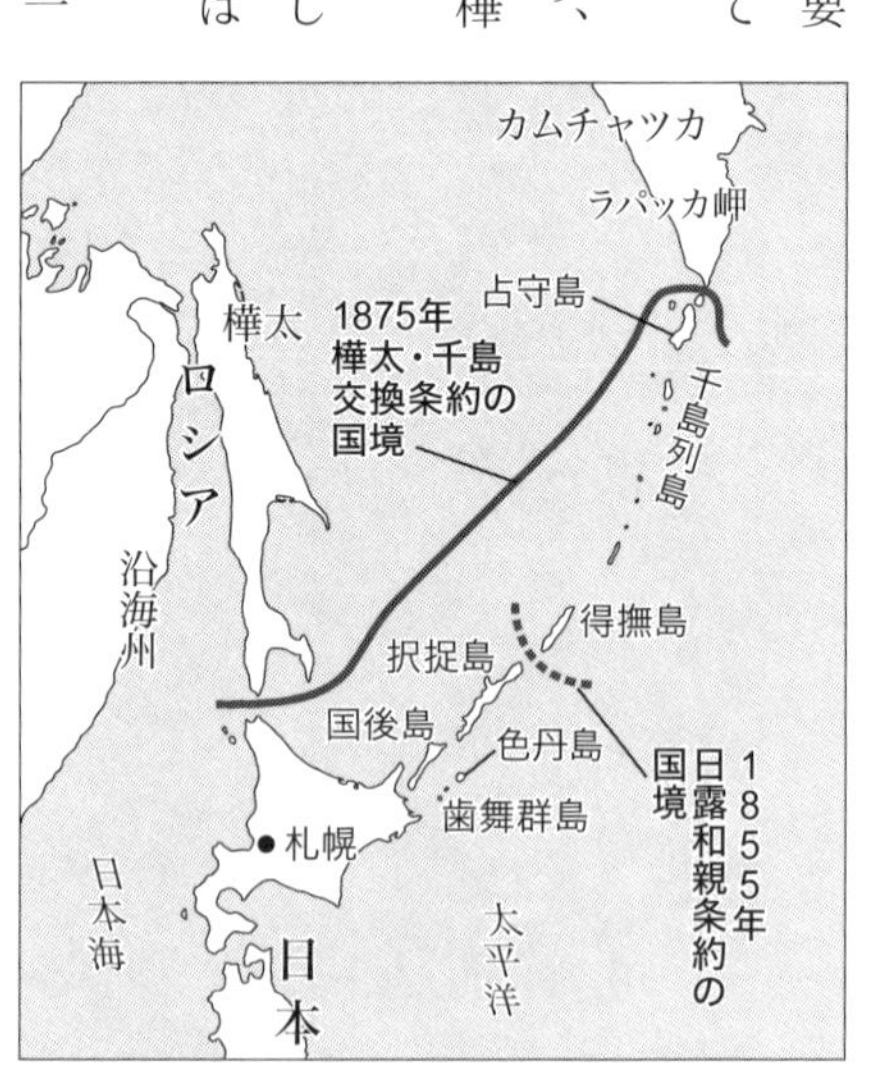

●幕末～明治初期の国境線

●榎本武揚

◉アイヌ民族

アイヌは蝦夷地（明治以前、北海道・千島・樺太の総称）の先住民族。アイヌと和人（日本人）の交渉は、鎌倉時代から徐々にあらわれ、蠣崎氏（松前氏）が本拠地を松前に置いた一六世紀前半以降、活発化したという。しかし、取引をめぐって争いが起き、一七世紀後半、アイヌの首長シャクシャインが松前藩に対して蜂起したが、鎮圧・殺害された。開拓使は、アイヌの伝統的な習俗の禁止、日本語の習得や日本式姓名への改名などの同化政策を進め、アイヌの重要な収入源であった漁業や狩猟も禁止した。政府は、アイヌを「旧土人」と呼ぶようになり、同化の強制や抑圧は、一八九九年の北海道旧土人保護法によって固定化された（高校教科書『歴史総合　わたしたちの歴史　日本から世界へ』）。二〇世紀も後半になると、世界的に先住民族の権利を認める運動が高まり、一九九七年には「アイヌ文化の振興並びにアイヌの伝統等に関する知識の普及及び啓発に関する法律」（略称・アイヌ文化振興法）が制定され、北海道旧土人保護法は廃止された。二〇一九年には、アイヌ文化振興法を発展させ、アイヌを初めて先住民族と明記し、差別の禁止を盛り込んだ「アイヌ施策推進法」が施行された。

◉日露国境問題の紆余曲折

樺太・千島交換条約で日本は千島列島をロシアから譲り受けるかわりに、ロシアに対し樺太全島を放棄したが、日本が勝利した日露戦争後のポーツマス条約（一九〇五年）で、日本はロシアから樺太全島のうち南樺太（北緯五〇度以南）を獲得した。その後、太平洋戦争終結直前の一九四五年八月九日、ソ連は日ソ中立条約を破って対日参戦。日本がポツダム宣言を受諾して降伏した後も、戦闘を継続して南樺太や千島列島を制圧し、八月末から九月はじめ、根室市の沖合に連なる国後、択捉、歯舞、色丹の「北方四島」も占領した。日本政府は、五一年のサンフランシスコ講和条約で千島列島と南樺太に対するすべての権利を放棄した。しかし、日露和親条約で択捉島と得撫島の間に国境が決められて以降、北方四島は一度も他国の領土になっていない日本の固有の領土であり、講和条約で放棄した千島列島の中に「北方四島」は含まれないとして、全四島の返還を要求してきた。これに対し、ロシアは、「第二次大戦の結果、ロシア領になった」と、今も不法占拠している。日本政府は北方四島の帰属の問題を解決して日露平和条約を締結する方針のもと交渉を続けている。

小笠原諸島を領有

日本政府は一八七六年、小笠原諸島の日本帰属を宣言しました。東京から南方約一〇〇〇キロの太平洋上に散在する同諸島は、父島や母島、南鳥島、沖ノ鳥島などからなります。

徳川幕府が一六七五年、同諸島へ調査船を派遣したという記録があり、その後、一八二七年にイギリス艦の船長が島を探検し、イギリス領を示す銅板などを残したといわれます。しかし、いずれにしても定住者はなく、長い間無人島でした。

最初の入植者は欧米人やハワイ人の男女二五人からなる移民団で、一八三〇年に父島に入って生活を始めました。五三年六月、アメリカのペリー提督が浦賀に向かう前に、小笠原に寄港しました。ペリーは、父島を太平洋航路の停泊地や捕鯨船の避難港にしようと考え、四日間滞在して島を踏査しました。ペリーは、蒸気船の波止場や、石炭倉庫の建設地を選定し、そのための土地の所有権も得ました。

ペリーには、この島に植民地を建設する計画があったようで、移民のアメリカ人を「行政長官」に任命しました。ただ、ペリーは、同諸島の主権に関しては「疑いなく、一番古い占有者である日本に属する」と認めています。これに対して、江戸幕府は六二年、外国奉行の水野忠徳らを「咸臨丸」で島に派遣し、まず開拓のために、八丈島の農民や職人ら三八人が入植。七六年、寺島外務卿が各国に同諸島の日本領有を正式通告し、これにイギリスもアメリカも異議は唱えませんでした。

●ペリー寄港当時の小笠原を描いた（大英図書館蔵）

8　「西南戦争」への序曲

鹿児島に「私学校」

明治六年政変で下野した西郷隆盛は、一八七三（明治六）年一一月、鹿児島に帰郷した後、農作業に精を出す一方、愛犬を伴って狩猟や湯治に出かける日々を送ります。また、自分に付き従って帰郷した大勢の地元将兵らの面倒をみようと、七四年六月には「私学校」を設立。その目標は、「道義においては一身を顧みず」、「王を尊び、民を憐れむ」心で、ひたすら難にあたることのできる士官の育成でした。

元近衛局長官・篠原国幹の下に銃隊学校を設置し、元宮内大丞・村田新八には砲隊学校を任せました。そこでは軍事訓練や漢学講義などを実施、県内各地に数多くの分校を置きました。戊辰戦争の賞典禄をもとに、戦没者子弟のための「賞典学校」も設立し、旧下士官への授産に役立てるため、「吉野開墾社」も作りました。

私学校は次第に軍事・政治組織化します。

鹿児島県令の大山綱良★（一八二五—七七年）は幕末期、西郷らの指揮下、倒幕工作に従事し、戊辰戦争では軍事参謀として転戦、軍功を上げました。地元出身でありなが

●私学校跡。石垣に弾痕が残っている

ら県令に就くというのは異例の措置で、鹿児島県庁では役人も県外の人を採用しませんでした。そこへ私学校のメンバーが浸透し、各行政組織や警察のほとんどのポストを彼らが占めます。この結果、鹿児島は、西郷と私学校が牛耳る「独立国」の観を呈するようになります。

この間、西郷には、明治天皇をはじめ各方面から「再出仕（さいしゅっし）」の打診がありました。西郷は応じません。政府入りした旧薩摩藩主の父・島津久光からの要請に対しても、「唯（ただ）国難に斃（たお）るるのみの覚悟」と断っています。

大阪会議体制

政変で勝ち組の内務卿・大久保利通は、殖産興業―工業化路線を推進するためにも、士族たちの反発を和らげ、政権の安定を図る必要がありました。

大久保は七四年二月に台湾出兵を進め、同四月に島津久光を左大臣に任命します。これらは、外征に息巻く士族たちや不平士族を煽動（せんどう）しかねない久光への宥和（ゆうわ）策でした。ところが、久光は、政府の開化政策をことごとく否定する建言書を太政大臣・三条実美と右大臣・岩倉具視に提出し、大久保の罷免まで要求します。久光を政府内に取り込む策は裏目に出ました。

そこで大久保は、台湾出兵に反対して参議を辞めた木戸孝允の政府復帰を図ります。根回しに動いたのは、伊藤博文でした。

木戸は、岩倉使節団から一足早く帰国した直後の七三年七月、「憲法制定の建言書」

●大山綱良

を太政官に提出、五箇条の御誓文の中身を拡充して「政規」を確立するよう求めていました。大久保も同年一一月、「君民共治」（立憲君主制）を採用して、「君権」と「民権」の範囲を「国憲」（憲法）で定める「立憲政体に関する意見書」をまとめていました。

これらの「立憲政体」論が、両者を接近させます。大久保は七五（明治八）年一月、大阪で木戸と会談して参議への復帰を要請、木戸は憲法制定や地方議会の開設など制度改革を条件に受諾します。

他方、井上馨はこれに先立ち、木戸と、民撰議院設立を唱える板垣退助との会談をセットし、両者は今後の連携を確認しました。二月一一日には、大阪で木戸・大久保・板垣の三者が会談し、政治改革の推進で一致（大阪会議）。三月八日に木戸が、同一二日に板垣がそれぞれ参議に任命され、政府の体制立て直しが図られました。

「漸次立憲政体樹立の詔」

これらを受け、七五（明治八）年四月一四日、「漸次立憲政体樹立の詔」が発せら

◉大山綱良

薩摩藩士。戊辰戦争では、奥羽征討総督の参謀を務めた。初代鹿児島県令。「私学校」を積極的に支持し、経費も旧藩の積立金を用いた。区長や副区長、学校長などには、私学校から多数の者を任命した。西南戦争が起こると、県庁に炊き出し所を設けるとともに、三条実美、岩倉具視に宛てて西郷軍がやむをえず開戦するに至った経緯を記した陳情書を送るなど西郷を援護した。戦争が終わると、政府は大山を召還し、捕縛して斬罪の判決を下した。

れました。

この詔勅には、「漸次に国家立憲の政体を立て、汝衆庶（庶民）と倶に其慶に頼んと欲す」とあります。これは明治天皇による立憲政体導入宣言でした。立法諮問機関としての元老院★（上院）と、司法機関としての大審院（最高裁判所）を新設し、全国の地方官を集めて意見を募る地方官会議を召集するとしていました。ここに欧州の三権分立をモデルとする日本の憲法構想がスタートを切ります。

しかし、もともと急進的な板垣は、元老院の性格に関して、天皇大権を制限するような改正案を提示し、木戸の漸進論と対立します。他方、島津久光が復古的な提言の採用をしつこく要求し、板垣提案の「内閣・省卿分離論」（参議と省の長官職の分離）にも同調して、三条の弾劾（罷免）上奏に及びます。

一〇月二七日、政府は、久光と板垣を更迭し、木戸がリードした大阪会議体制は、あっけなく崩れ去りました。

廃刀令と秩禄処分

政府は七六（明治九）年三月二八日、軍人・警官らを除いて帯刀を禁止し、違反者は刀を取り上げる旨（廃刀令）を布告しました。前年一二月、陸軍卿・山県有朋による「廃刀の上申」では、今も帯刀している者は「頑陋」（頑固でいやしく軽蔑すべきこと）であり、その存在は「陸軍の権威にもかかわる」と述べていました。

他方、「廃刀令」が布告された翌日、大蔵卿・大隈重信は「家禄・賞典禄の処分」

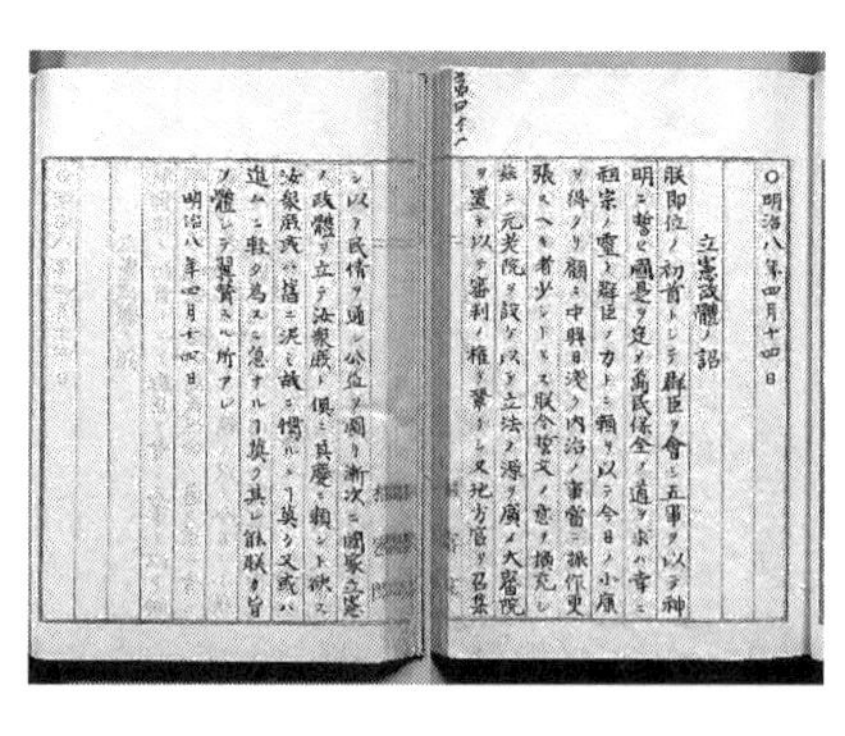

●立憲政体の詔。左側のページに「漸次に国家立憲の…」と記されている（国立公文書館蔵）

に着手し、七六年八月五日、「金禄公債証書」発行条例を公布し、禄制の廃止を宣言しました（秩禄処分）。

例えば、永世録の場合、禄高（金禄）に応じて五か年分―一四か年分に相当する額の五分―七分利付の公債証書を交付しました。禄高二〇石の下級家臣団が受給者全体（約三一万三千人）の八四％を占め、その受け取った公債額は全体額の六二％、一人平均で四一五円、年間利子収入は二九円余にとどまりました（日本近代思想大系『経済構想』解説）。

このため、政府は困窮する士族たちの授産事業を急がなければなりませんでした。ところが全国士族の一三％を占めていたという鹿児島県士族については、条例の「最大七分」を上回る「一割」の利息が支給される優遇措置がとられました。大山鹿児島県令の強腕の成果とされますが、木戸はこれを「不公平だ」と厳しく批判します（落合弘樹『秩禄処分』）。

一方、全体の〇・二％に過ぎなかった旧大名・家老・公卿層は、全体額の一八％、一人平均六万円以上の公債を取得し、年間利子収入は三〇二六円に達しました。高額の公債を得た華族たちは、これを元手に銀行を設立したりします。

◉元老院

立憲政体漸次樹立の詔によって、太政官左院の後身として、欧米の上院をモデルに設立した立法機関。議長、副議長、幹事、議官から構成された。「元老院の否決した法律案は成立しない」などと権限の強化を図ろうとしたが、政府側は反対し、法律議定権は大きく制限された。それでも、多数の国会開設建白書を受理したり、日本初の官選憲法草案を完成させたりした（廃案）。九〇年、帝国議会の開設によって廃止された。

廃刀令や秩禄処分は、士族の特権を剝奪し、世襲による支配身分であった武士層の完全解体を意味しました。それだけに不平士族らの憤懣をいやがうえにも高め、大規模な反乱を頻発させることになります。

神風連・秋月・萩の乱

七六年一〇月二四日―二五日、九州・熊本で、太田黒伴雄らが率いる「神風連」（敬神党）が、反乱を起こしました。彼らは、政府の欧化政策を批判し、帯刀の禁止は「神代固有の勇武を摩滅し、国勢を削弱」させると糾弾。約二〇〇人が熊本鎮台を急襲するなどして、鎮台司令官・種田政明少将、県令・安岡良亮らを殺害しました。鎮台は大混乱に陥りますが、死傷を免れた残余の鎮台兵が反撃し、間もなく鎮定されました。

次いで一〇月二七日、神風連に呼応する形で、福岡県の旧秋月藩士族・宮崎車之助らが二四〇余人の同志とともに挙兵しました。彼らは、国権の拡張と征韓要求を掲げ、旧小倉藩の豊津士族の決起を促しましたが協力を得られず、六日後、小倉鎮台兵に鎮圧されます（秋月の乱）。

一〇月二七日、山口県の萩でも、元政府高官の前原一誠★（一八三四―七六年）が、旧長州藩の同志一五〇余人とともに挙兵を決めます。前原らは、山口への進撃が不利とみると、県北部の須佐から漁船に分乗して海路島根をめざしますが、強風で断念。萩に引き返し、政府軍と衝突し、一一月八日には壊滅します（萩の乱）。前原は、島根県下で捕らえられ、斬首刑に処せられました。

●神風連による種田少将襲撃を描いた錦絵

●前原一誠

「天下驚くべきの事」

七四年の佐賀の乱、七六年の熊本神風連の乱、福岡秋月の乱、山口萩の乱と、隣接した地方で勃発した士族反乱は、政府軍によって次々と制圧されました。これら反乱士族の間には、西郷が立つことへの期待がありましたが、西郷の側に呼応する気はなく、西郷は自重を貫きました。

しかし、政府、反政府勢力のいずれもが、この先の西郷の出方を注視していました。西郷と深い親交のあった人物に桂久武（かつらひさたけ）★（一八三〇―七七年）がいます。その桂に七六年

◉前原一誠

松下村塾で吉田松陰に師事し、高杉晋作、久坂玄瑞らとともに志士としてならし、三条実美らの七卿落ちの際は御用掛をつとめた。戊辰戦争では長岡城攻略で奮闘した。六八年、大久保利通や副島種臣、広沢真臣らとともに新政府の参議に任命されたあと、兵部大輔に就任した。しかし、新政府の政策と合わないことが重なって同郷の木戸とも不和となり、七〇年九月、官職を辞して帰郷。出仕の要請を断り続け、次第に山口県の反政府士族の領袖と目され、最後は挙兵して鎮圧された。

◉桂久武

鹿児島藩士。西郷隆盛が私淑していた薩摩藩重臣・赤山靭負（ゆきえ）の実弟。赤山は、島津斉彬を次期藩主に担ぎ、お由羅騒動で切腹を命じられた。西郷と桂は親しく交わり、西郷にとって桂は、最も心を許す友だった。桂は、明治以降も藩政にあずかり、執務役の西郷を権大参事の一人として支えた。西郷は、「下血」による病状の悪化や、「廃藩」に同意した心の内まで、桂への書状にしたためていた。西南戦争が始まると、桂は西郷軍に加わり、兵站（へいたん）部の指揮にあたり、七七年、城山落城の際、戦死した。

一一月初旬、西郷は以下のような手紙を出しています。

手紙は萩の乱に関連して、「両三日珍しく愉快の報」があったと、前原の蜂起拡大を待望しつつ、こう綴っています。

「此の方の挙動は人に見せ申さず、今日に至り候ては、尚更の事に御座候。一度相動き候わば、天下驚くべきの事をなし候わんと、相含み罷り在り申し候」

つまり、ひとたび動けば、天下おどろくべきことをなすつもり——と、決起を示唆していたのです。

この頃、士族反乱だけでなく、農民の間でも、地租改正への不満から一揆が続発していました。政府が七七年一月に地租の減額措置をとらざるをえなくなるのはそのためです。大久保政権は対外的な危機を乗り切ったとはいえ、国内的には多くのリスクに直面していました。西郷は桂への手紙の三か月後、実際に立ち上がることになるのです。

●桂久武（鹿児島県立図書館蔵）

9 西郷軍vs政府軍

讒謗律・新聞紙条例

明治期の新聞は、一八七〇年に日本初の日刊紙『横浜毎日新聞』が発刊されると、七二年に『東京日日新聞』『日新真事誌（にっしんしんじし）』『郵便報知新聞』、七四年に『読売新聞』『朝野新聞（ちょうやしんぶん）』などが次々と創刊されました。政治、経済を扱う硬派の新聞では、『東京日日』が政府寄りで、他紙はおおむね反政府・民権の論陣をはっていました。特に『日新真事誌』に民撰議院設立建白書が公表されて以来、政治評論が活発化します。

政府は、新聞・雑誌による「圧政批判」を封じるため、七五年六月二八日、讒謗律（ざんぼうりつ）および新聞紙条例を定め、言論規制に乗り出しました。同条例は、新聞紙の発行を許可制とする一方、「政府を変壊し国家を転覆する」記事・論説の掲載などを禁止し、厳しい罰則を設けました。九月には、出版条例も改正し、出版前に事前に検閲を受けるよう義務づけました★。

讒謗律の「讒謗」とは、「讒毀（ざんき）」と「誹謗（ひぼう）」の二語をつづめた言葉です。讒謗律の第一条をみると、事実を示すことなく、「人の栄誉を害する」行為を讒毀、「人の悪名

●一八七四年（明治七年）一一月二日付の『読売新聞』創刊号

を公布する」ことを誹謗と定義。天皇や皇族のほか、とくに官吏に対する批判を許さないとし、違反者は禁獄や罰金刑に処するとしていました。

当時の新聞界では、元幕臣で岩倉米欧回覧使節団に同行した福地桜痴（源一郎、一八四一―一九〇六年）が、七四年に『東京日日』入りしたのをはじめ、『報知』には栗本鋤雲、『朝野』には成島柳北（一八三七―八四年）、末広鉄腸（一八四九―九六年）らがそれぞれ在籍して、健筆をふるいます。★

過激な『評論新聞』

この間、政府による言論規制は強化され、新聞・雑誌の発行停止・禁止、記者の逮捕・収監が相次ぎました。

『朝野』に入る前に『東京曙新聞』の編集長だった末広鉄腸は、この条例を批判したかどで、禁獄二か月、罰金二〇円の罪に処せられました。同条例による摘発第一号とされます。鉄腸は『朝野』でも筆禍にあっています。

七五年三月に創刊された政論誌『評論新聞』は、急進的な開化政策や有司専制を排撃し、岩倉具視や大久保利通らの暗殺を主張する記事を掲載していました。七六年一月には、編集長の小松原英太郎★（一八五二―一九一九年）が、大久保政権を批判する「圧制政府転覆すべきの論」を発表して二年間投獄されます。同年七月、『評論新聞』は発行禁止処分を受けます。

さて、『評論新聞』を主宰する海老原穆は、鹿児島県士族で、元陸軍少将の桐野利

●小松原英太郎

●桐野利秋

秋（一八三八―七七年）や篠原国幹★（一八三六―七七年）と同郷でした。幕末期、「人斬り半次郎」という異名で知られた桐野は、明治六年の政変後、西郷隆盛とともに鹿児島

◉言論弾圧と新聞・出版界

「漸次立憲政体樹立の詔」から二か月後の新聞紙条例の公布は、新聞界にとって大事件だった。条例に言う「成法誹毀」（法律について悪口を言う）などをめぐり、どこまでがそれに該当するのか、誰もわからなかったからである。これを受けて、福沢諭吉らの『明六雑誌』は、「筆も曲げず罪人にもならず、その中間にあってあいまいの態度をとることは許されないのだから」として廃刊を決めた（小山文雄『明治の異才　福地桜痴』）。

◉西南戦争の現地報道

一八七七年に西南戦争が始まると、『東京日日』の社長・福地桜痴は、さっそく現地・熊本に飛んだ。参謀として本営にいた山県有朋に頼み込み、軍の「記録係」として従軍した。三月二三日から同紙で「戦報採録」の連載を開始、達意の筆で事実を伝えた。『東京日日』が売り上げを増やしたことから他社も追随し、『報知』は矢野竜渓、次に若手の犬養毅（のちの首相）を、『朝野』は成島柳北を派遣したが、現地入りできたのは犬養だけだったという（同前）。

◉小松原英太郎

慶應義塾を中退。『評論新聞』の編集に携わったあと、一八八〇年、外務省出仕になり、官界に転じた。ベルリン駐在から帰国後、埼玉・静岡・長崎県各知事を経て内務次官になった。貴族院議員、大阪毎日新聞社長、一九〇八年には第二次桂太郎内閣の文相に就任。そののち、枢密院顧問官や拓殖大学学長なども歴任した。

◉篠原国幹

鹿児島城下に生まれる。寺田屋事件に連座して謹慎。薩英戦争、戊辰戦争に従軍し、転戦して会津若松城攻囲戦に参加して賞典録を受けた。御親兵設置に伴い大隊長として鹿児島から東上し、政府入り。兵部省に出仕して陸軍大佐、一八七二年には陸軍少将になった。明治六年政変で西郷を追って下野、鹿児島に帰り、桐野利秋、村田新八とともに私学校を設立し、総監督として軍事教練や山野の開墾に従事した。西南戦争での熊本城攻囲戦で銃弾を受け、戦死した。

に私学校を創設した、西郷派士族の中心人物です。

私学校の士族たちは、征韓論を展開するなど薩摩の主張を代弁する『評論新聞』を愛読し、反政府熱をあおられます。西郷も同誌を読んでいたそうです。海老原は七七年一月、桐野に対して「積年の憤懣を流血の中に晴らし」たいと決起を求めました（小川原正道『西南戦争』）。

村田新八の選択

元宮内大丞の村田新八（一八三六―七七年）は、米欧回覧使節団のメンバーとして米欧を視察した優秀な士族でした。しかし、征韓論政変後に帰国した村田は、大久保と西郷のどちらにつくべきか、去就に迷います。

勝田孫弥『大久保利通伝』によりますと、村田は大久保と面会し、政変の顚末を聞くと、大久保の話は「いちいち尤」なことばかり、「道理において毫も間然する所なし」――つまり、いささかも非難するところがなかったというのです。そのあと、鹿児島へ帰郷して西郷の意見を聞いてみると、こちらは「心事において間然する所なし」。村田は幼少時から西郷に兄事し、西郷遠島の時は、自らも連座し、苦汁をなめました。

西郷か、大久保か――村田は結局、「容易ならざる恩誼」と「離るべからざる情義」のため、西郷方に投じ、西郷の最期まで付き添うことになります。私学校の砲隊学校を監督していた村田は、七六年一二月、「今やウドサァー（巨人のこと。西郷を指す）の力にても、これ（私学校党の形勢）を如何ともすること能わず。現状は、あたか

●村田新八

も四斗樽に水を盛り、腐縄をもってこれを纏いたるがごとし」と、もはや樽が破裂するのは必至との情勢認識を示していました。

薩摩は不穏な空気が充満していました。鹿児島に潜入した政府の密偵たちも「暴発出京」情報を頻々と、東京にもたらします。

火薬庫襲撃と西郷暗殺計画

七六年暮れ、警視庁二等警部の中原尚雄をはじめ、鹿児島県出身の警部・巡査ら約二〇人が、大警視の川路利良（鹿児島県出身）から、帰郷して私学校党の情報収集と説得にあたるよう指示されます。翌七七年一月、鹿児島県の陸軍火薬庫の弾薬が私学校党の手に渡ることを恐れた政府は、これをひそかに大阪に移送しようとします。

これに対して私学校党のメンバーは、同月二九日夜から二月はじめにかけ、陸軍火薬庫だけでなく、海軍造船所付属の火薬庫を相次いで襲い、大量の小銃や弾薬を奪いました。襲撃には約一〇〇〇人もが参加しており、事実上「反乱勃発」の一報に西郷は、「しまった」とつぶやいたと伝えられます。

二月上旬、政府が視察のため派遣した中原らが、現地で私学校党のメンバーに逮捕され、拷問の末、西郷暗殺計画を「自供」します。中原らの口供（供述）書によれば、川路は、挙兵を止められなければ、「西郷と刺し違えるよりほかはない」旨を語ったとされ、中原自身も、同様の話を鹿児島入り後、旧知に語っていました。さらに、大久保の命を受けて帰県したという別の人物が自首して、大久保の関与を裏付ける証言

●川路利良（鹿児島県立図書館蔵）

をしたといわれます。

しかし、中原らは、のちに供述内容を否定します。拷問によるものだとすれば、その信憑性は乏しくなります。政府内では、中原らの「視察団」を「刺殺団」と取り違えたのではないか、ということが真面目に論じられていました。

本当に暗殺計画があったのかどうか、真相は未だ不明です。

政府側が、供述書は拷問によって捏造されたものと決めつければ、私学校側は暗殺計画の実在を信じていました。そして鹿児島県内では、「憎むべき奸賊は、大久保と川路」といった世論が沸騰します。西郷自身は、火薬庫襲撃では私学校生を叱責しましたが、さすがに自分の暗殺計画について聞かされると態度を改めます。

「政府へ尋問の筋有之」

二月五日、西郷と私学校党幹部らとの協議で、「暗殺」問題について大久保と川路に「尋問」するため、「率兵上京（兵隊とともに東京に向かうこと）」が決まります。作戦会議では、船を使う海路案は否定され、全軍が陸路で熊本を経由して東上することで一致しました。

政府は、旧薩摩藩士の海軍大輔・川村純義（一八三六―一九〇四年）を鹿児島に派遣します。川村は九日になって鹿児島湾に到着しますが、不穏な情勢のなか上陸できず、鹿児島県令の大山綱良と船上で会います。西郷―川村会談が一応セットされますが、時すでに遅く、桐野らの反対や妨害もあって会談は実現しませんでした。

●川村純義

西郷、桐野、篠原は一二日、大山県令に対して連名で率兵上京の届けを出しました。それには、「今般、陸軍大将・西郷隆盛ほか二名、政府へ尋問の筋有之、旧兵隊等随行……」と、行軍の目的を明記し、中原らの口供書が添えられていました。届出書は大山によって各府県や各鎮台に通知されます。

西郷軍（薩軍）は出兵準備を急ぎます。総勢は一万五〇〇〇人で、各二〇〇〇人からなる七つの大隊が編成されました。一番大隊長・篠原国幹、二番大隊長・村田新八、三番大隊長・永山弥一郎、四番大隊長・桐野利秋と、西郷側近たちが軍の指揮にあたることになります。

一四日、閲兵式のあと、まず、六番・七番連合大隊長の別府晋介（一八四七―七七年）らが先行し、翌一五日から、五〇年来なかったという大雪をついて、薩軍の本隊が行軍を開始★。当面の目標は政府軍の拠点・熊本城（熊本鎮台）の陥落です。

◉西南戦争の出陣

私学校の「出陣いろは歌」は、「今も昔も神国なるに／ロシヤ、アメリカ、ヨーロッパ／馬鹿な威風に目はくらみ／日本の乱れはかえりみず／法を異国に立てかえて」に始まる。続けて「大名つぶしたその時に／昔にかえるという たのも／うそと今こそ知られけり」「逆らう心の末いかに／毛唐人らに国を売り／武具も刀も捨てよとは／古今聞かざる布告なり」と歌い、最後に「もはやこのうえ／忍ばれず／せめてはつくすもののふの／数万の民を救わんと／今日を限りの死出の旅」と結ばれる。私学校の生徒の間には強烈な攘夷の意識が渦巻いていた。出陣の際、西郷、桐野、篠原などは未だ官職を辞しておらず、敵の政府軍と同じ軍服を着ていた。村田新八は、洋行帰りらしく、燕尾服に山高帽という姿で馬に乗っていた（ドナルド・キーン『明治天皇（二）』）。

大久保は「不幸中の幸い」

弾薬庫襲撃事件を受けて、陸軍卿の山県有朋は二月四日、神戸に軍参謀部を置きました。九日、各鎮台司令長官に非常事態宣言を発します。さらに一二日、薩軍に対する「作戦意見書」を太政大臣に提出しました。それには、戦力を一つに結集して、終局は「桜島湾に突入、鹿児島城の滅却を期す」としていました。山県は、熊本鎮台司令長官・谷干城(たにたてき)に対し、「攻守よろしきに従い、ただ万死を期して熊本城を保つべし」と指令しました(川道麟太郎『西郷隆盛』)。

一四日、新橋―横浜間の鉄道が、西南戦争に赴く兵士の輸送を開始しました。軍隊の鉄道輸送は初めてのことでした。また、郵便汽船三菱会社が、西南戦争の軍事輸送にあたり、船舶不足に陥ることを懸念した政府は、同社に対し、汽船八隻の購入費として洋銀八〇万ドルを貸与しました。

では、このころ、大久保は何を考えていたのでしょうか。

二月七日の伊藤博文への手紙によれば、大久保は、私学校の暴発は桐野が主導したもので、西郷はこんな「無名の軽挙」はしないと信じていました。こうした見方は、大久保だけでなく、岩倉具視や木戸孝允にも共通していました。

しかし、大久保はその手紙で、これで戦争になれば、相手は「名もなく義もなく、天下に言い訳もたたないので、その罪をならして討てばよい」との冷徹な見方を示し、「この節、これが起きたことは、朝廷不幸(中)の幸いとひそかに心中には笑いが生

●錦絵「鹿児島暴徒出陣図」(鹿児島県立図書館蔵)

じているくらいです」とも書いています。大久保は、戦争に勝利すれば、これまで中央の支配に何かと抗ってきた鹿児島県を痛打し、その中核の私学校勢力を駆逐できる、それこそが「不幸中の幸い」とみていたようです。

一方で、大久保は、西郷に会えれば説得できると考えていたとも言われますが、その機会はついに訪れませんでした。また、病をおして執務していた木戸孝允は、「隆盛の所業固より悪むべし、然れども政府亦反省せざるべからず」と語っていました。

二月一九日、明治天皇は「鹿児島県暴徒」に対する征討令を布告します。有栖川宮熾仁親王（一八三五―九五年）を征討総督とし、征討参軍（幕僚長）に陸軍中将・山県有朋、海軍中将・川村純義をそれぞれ任命して陸・海軍の指揮官としました。ただ、西郷に親愛の情を寄せてきた天皇は、西郷との対決を回避したいあまり、御学問所に姿を見せないなど反抗的な態度をみせていました。

10 史上最後の内戦、西郷「戦死」

熊本城の攻防

一八七七（明治一〇）年二月、西郷軍（薩軍）北上の報を受けた熊本鎮台司令長官・谷干城★（一八三七―一九一一年）は、熊本城に籠城する作戦をとります。この戦略拠点を鎮台兵で持ちこたえ、政府軍主力の来援を待とうというのです。

熊本城攻防戦開始直前の二月一九日、城から突如、火が出ました。強風にあおられて天守閣は炎上し、城内の多くの建造物や糧食の大半が焼失しました。放火説もありましたが、後年、谷は「失火」だったと回顧しています。

二一日、城下に侵入してきた薩軍に対して鎮台兵が反撃します。谷の開戦報告を受けて、征討総督・有栖川宮は、「一撃して賊を破る可し。天下人心の向背は、此一挙に在り」と打電しました。二二日から薩軍は、熊本城を強襲して城を包囲します。しかし、徴兵制にもとづく鎮台兵が必死に防御し、籠城は長期戦に入ります。

●谷干城

九州諸隊が決起

西郷決起の知らせに九州各地の士族たちが呼応します。熊本からは、熊本隊、協同隊、人吉隊、大分からは中津隊などが参戦しました。熊本隊は、池辺吉十郎（一八三八―七七年）率いる熊本士族ら一五〇〇余人で、二月二三日に薩軍に加わります。協同隊は士族結社「民権党」のグループで、平川惟一、宮崎八郎★（一八五一―七七年）らをリーダーに、政府打倒を期して総勢三〇〇人が参加しま

◉谷干城

土佐（高知）の人。土佐勤王党の首領・武市瑞山や、二歳上の坂本龍馬、一つ下の後藤象二郎ら開明派の影響を受けて、討幕運動に奔走した。戊辰戦争に従軍したあと、七三年、陸軍少将として熊本鎮台司令長官に就任、翌七四年には佐賀の乱の鎮定に出動し、台湾にも出兵した。熊本では籠城五〇余日、城を守り抜き、その後、陸軍士官学校長、学習院長を歴任。第一次伊藤内閣では農商務相に就いたが、井上馨外相の条約改正案に反対して辞任。立憲政治の確立を訴え、日清・日露戦争では非戦論を唱えるなど、明治政界に独自の地歩を築いた。

◉宮崎八郎

肥後国荒尾村の郷士の家に生まれた。藩校の時習館から東京に遊学し、西周らの塾で学んだ。七四年、岩倉具視襲撃事件に連座し投獄。台湾出兵の際は、平川惟一らと熊本で五〇人余の義勇隊を組織して参戦した。七五年の愛国社結成大会に参加後、「植木学校」を設立し、『日本外史』や『史記』などのほか、モンテスキューやミルなどを講じた。とくに、中江兆民がルソーの『社会契約論』を抄訳した『民約論』をテキストに自由民権教育にあたった。革命的アジア主義者として孫文の革命運動を強く支援した宮崎滔天の兄。

した。
宮崎（日向）では、延岡、高鍋、福島、佐土原、飫肥、都城の各隊が兵をあげます。ほとんどが士族だった熊本諸隊に対して、日向諸隊は約半数が農兵で占められていました（小川原正道『西南戦争』）。

こうしてみると、西郷を追って旗揚げした諸隊には、民権家やインテリ士族、農民らが自主的に参加していたのです。西南戦争は、単に反動派士族の抵抗とみられがちですが、民主的権利の拡大要求を掲げる諸隊の参加からして、ある種の「革新」性を帯びていたとの評価があります。

高知県には、全国各地から民権家が集結していました。板垣退助主宰の自由民権結社「立志社★」内では、薩軍の決起を受けて挙兵計画が練られました。これに対し、陸軍卿代理として軍政の要職にあった西郷従道は、九州以外への戦火拡大を防ぐため、立志社をはじめ四国の動静に細心の注意を払っていました。ただ、薩軍不利の戦況が明らかになると、立志社の計画は尻つぼみになります。

田原坂の戦い

〈雨は降る降る　人馬（陣羽）は濡れる　越すに越されぬ　田原坂〉

こう歌われた「田原坂」（熊本市北区植木町）は、熊本へと南下を図る政府軍主力と、これを防ごうとする薩軍との死闘が演じられた地です。

七七年三月四日から激戦が始まりました。政府軍では、連射可能な最新式スナイド

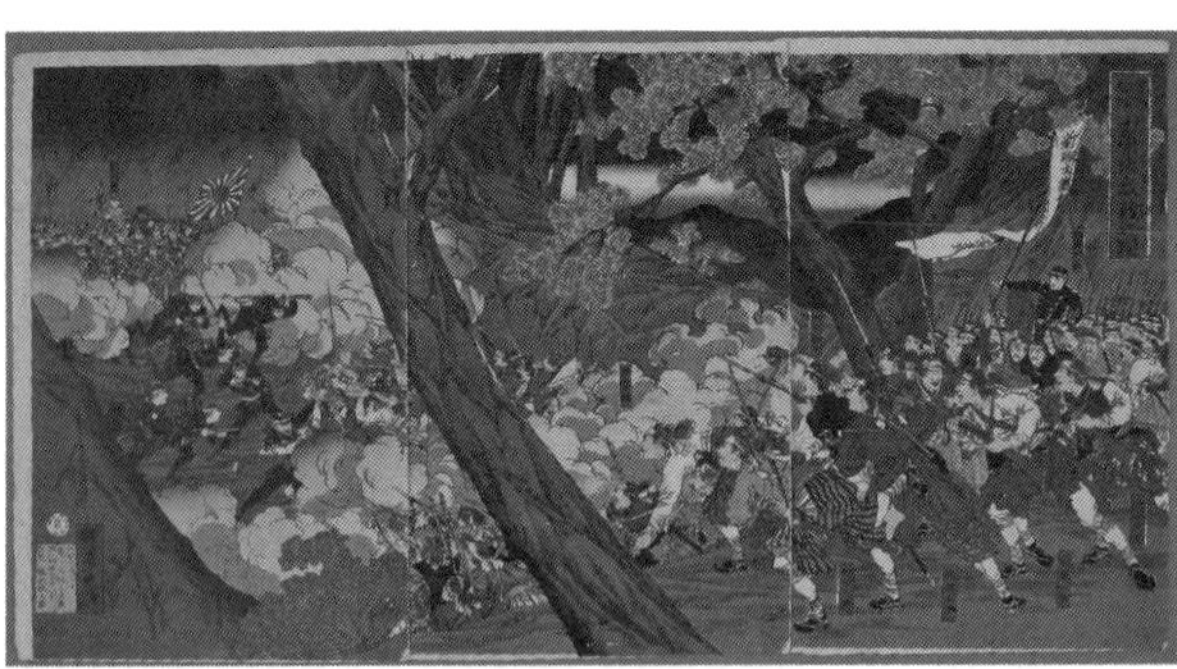

●錦絵「鹿児島新報田原坂激戦之図」（鹿児島県立図書館蔵）

ル銃（後装ライフル銃）が威力を発揮。また、薩軍の白刃攻撃に対抗するため、鹿児島出身の巡査を主力に「抜刀隊」を組織しました。ここに「薩摩の人をもって薩摩の賊を討つ」、つまり友達や親族同士が接近戦で殺し合う悲劇が相次ぎます。

一方、政府の警視隊には旧会津藩士が多数参加していました。彼らには、戊辰戦争での薩摩藩など「官軍」による会津攻撃の無惨な記憶が蘇ります。当時二二歳、『郵便報知』の従軍記者・犬養毅は、その田原坂戦場ルポで、隊員が戦闘中、大声で「戊辰の復讐」と叫んでいたと伝えています。

三月一九日、政府軍の別働隊が熊本県中部の日奈久・八代方面に上陸します。熊本城攻囲中の薩軍を背後から突こうとする作戦でした。二〇日には政府軍が田原坂を突破しました。参軍・黒田清隆は四月一二日、政府軍の総力を挙げて熊本城進撃を開始します。会津藩出身の陸軍中佐・山川浩の一隊が一四日、薩軍の堡塁を突破、熊本城の包囲網が解かれました。

●犬養毅

◉立志社

板垣退助が一八七四年、高知で結成した自由民権運動の結社。イギリス留学帰りの片岡健吉を社長として、立志学舎と法律研究所を経営し、青年たちを教育するとともに、士族救済の事業を行った。天賦人権思想に基づき、各人が真に自主独立の人民となるよう修養すること、人民の手で「天下の民会」を設立して国家の安定を図ることを目ざした。民権活動家を多数輩出し、立志社の呼びかけにより七五年、各地の同志が大阪に集合、全国的な政治結社として「愛国社」を設立した。七七年には国会開設の建白書を出し、その後も国会開設運動の中核的存在となる。

戦時下の民衆

明治元年に生まれ、のちに陸軍軍人として諜報活動に従事した石光真清（一八六八―一九四二年）は少年時代、故郷の熊本で西南戦争を経験しました。

その手記『城下の人』によれば、七七年四月、熊本城の包囲が解け、久方ぶりに平和がやってきました。見渡す限り一面焼け野原の中、「城下には、家を焼かれ、財を失い、着のみ着のままで、鍋釜の類を少しばかり手に提げて、一家一団となって焼跡へ戻って来る人が続いた。誰を見ても衣服は汚れ、帯は縄のようになり、下駄は草履のように履き減らしたのを大切そうに履いている」とあります。

それから一世紀。字の読めない「無文字」の庶民が西南の役を発端とする近代日本の百年をどのようにみてきたか――そんな問題意識から、作家の石牟礼道子（一九二七―二〇一八年）は、西南戦争を知る一〇〇歳以上の古老から聞き書きをしました。石牟礼は熊本県生まれ、水俣病を描いた文学作品『苦海浄土』の筆者です。

その著である『西南役伝説』には、薩軍と政府軍との斬り合いをみたという一人の老女のこんな語りが出てきます。

「刀のいくさはな、芝居のように、品の良うはいかん。侍さんでもな、死のうごつはなかろもん。田んぼの藁小積みば間にしてな、両方とも斬られんごつぐるぐる廻ってなあ、おめき合うたり、突っこけたりして、勝負のつくまではそらもう大事。……殺す方も殺される方も泥まみれになって、何のわけで殺し合いばしなはるだろうか。

●西南戦争当時の熊本城

……踏んで踏み固めてなあ、畠も田も使いもんにならんようにしてしもて。いくさの通った跡は、百姓がどのくらい大事か。迷惑なこつ、ほんなこて」

戦場となった九州各地は、政府軍も薩軍も、ともに市街や村々を焼き払ったことから、農民は耕作ができなくなったり、人夫や食糧の供出を迫られたりして、多大な犠牲を払わされました。

乃木希典の痛恨事

熊本鎮台歩兵第一四連隊長心得・陸軍少佐の乃木希典（一八四九―一九一二年、のち陸軍大将、学習院院長）は、一八七七年四月一七日付で、「待罪書」を参軍・山県有朋中将あてに提出しました。

乃木は二月二二日夜、熊本城をめざして進軍中、薩軍と遭遇。抜刀隊の夜襲攻撃を受けて退却する間、旗手が戦死し、連隊旗を奪われていたのです。

山県は軍紀を正すため、乃木を極刑に処すべきだと主張しました。これに対して、第一旅団司令長官・野津鎮雄少将が、乃木の戦功をほめ、ここは罪を許して他日の奮励を待つべきだ、と論じました。乃木は処罰を免れました（大濱徹也『乃木希典』）。

乃木は、天皇から授けられた、「大元帥」（陸海軍の統帥者としての天皇）の象徴である軍旗を喪失したことをずっと忘れませんでした。明治天皇の大喪当日（一九一二年九月一三日）、自刃して「殉死」した乃木がしたためた遺書には、西南戦争時の軍旗喪失以降、「死処」を求めていたが、機会を得られなかった。今ここに覚悟を決めた――と

●少佐時代の乃木希典（一八七三年撮影）

ありました。

西郷の最期

参軍の山県は一八七七年四月二三日、西郷にあてて手紙を書いています。

交戦以来、「両軍の死傷、日に数百。朋友相殺し、骨肉相食む」状況は、過去に例がなく、「願わくは、君早く自ら謀り、一つはこの挙が君の素志にあらざるを証し、今一つは、彼我の死傷を明日に救うの計を成せよ」と、情理を尽くして訴えました。

幕末以来、山県と西郷は、薩長提携や戊辰戦争、軍制改革でも協力しあいました。山県は西郷に敬意をいだいており、それだけに懊悩していたといわれます。

熊本城落城に失敗し、守勢に回った薩軍は、本営を鹿児島県に接する人吉に移します。薩軍は、武器も弾薬も食糧も欠乏し、敗色は濃厚となってきました。四月二七日には、参軍・川村純義率いる汽船が鹿児島港に入って兵士を上陸させ、五月七日には、鹿児島県令になった岩村通俊が西郷に投降を呼び掛けました。

七月下旬には都城、宮崎が相次いで政府軍の手に帰します。追いつめられた西郷は、延岡北方の可愛嶽の絶壁をよじのぼって脱出を図り、薩軍は九月一日、鹿児島に突入、焦土と化した城下を支配下に置きます。出発してから一九九日ぶりの帰還で、一万五〇〇〇人とされた薩軍の兵士の数は、四〇〇人を切っていました。

薩軍は城山に立てこもります。九月二四日、政府軍の総攻撃が開始され、西郷は、流れ弾を肩より股にかけて受けます。「シンドン、シンドン、もう、ここでよかろう」

●鹿児島市の南洲墓地にある西郷隆盛の墓

と膝を折った西郷に、腹心の別府晋介（桐野利秋の従弟）が「ごめんなったもんし」と語りかけ、介錯したということです★。

弾雨の中、別府や桐野利秋、村田新八、桂久武、辺見十郎太、池上四郎らも力尽きて戦死しました。

西南戦争で政府軍の戦死者は六八〇〇余人、戦傷者は九二〇〇余人。薩軍の戦死者は約五〇〇〇人、戦傷者は約一万人でした。ただ、兵士一〇〇〇人あたりの戦死者数は政府軍一二六に対して薩軍は二〇八で、薩軍が大きく上回っていました。戦争終結後、鹿児島県令だった大山綱良ら二二人の斬罪を含め二七六四人が処罰されました（『国史大辞典』）。

西郷の敗因

薩軍の敗因について、多くの史家がそろって挙げているのが、西郷が挙兵の理由を

◉「もう、ここでよかろう」

西郷は死の前日の夜、諸将らと訣別の宴を催し、飲み、かつ謡い、にぎやかに最後の夜を過ごした。西郷の首級は政府軍によって回収され、山県有朋の検死を受けた。山県は城山陥落の日、「山もさけ、海もあせんとみし空の、なこりやいつら、秋の夜の月」の一首を詠んだ（小田原正道『西郷隆盛』）。歴史家の家近良樹は、自著『西郷隆盛』の中で、「西郷の漢詩に、『盛名終りを令くするは少（な）く、功遂げて竟に淪亡（＝しずみほろびる）す』との一句があるが、まさにこれを地で行く人生の終わり方であった」と書いている。

自らの暗殺計画への「尋問」に絞ったことです。このため、それは「私憤」と受け止められ、「大義名分」に欠けたというものです。仮に、大久保政権の有司専制批判や民衆救済策を掲げていたならば、より広範な支持と連帯を得ることができたというのです。

戦費や艦船・装備、動員兵力のいずれの面でも政府軍に劣っていたこと、熊本城攻撃にこだわりすぎた戦略上の問題なども敗北の原因とされています。

また、薩軍は、メディアの時代が到来する中で「情報戦」に敗れたとの指摘も重要です。当時、福沢諭吉（一八三五―一九〇一年）は、西郷側の敗因として「電信郵便の便はなく、蒸気船の備えもなく、また印刷を利用して自家の主義を公布する方法を知らなかった」ことを挙げ、政府軍がこれと対照的に、「文明の利器」をフル活用して薩軍を圧倒したとみていました。

11　三傑の死　維新に区切り

木戸の病没

西郷隆盛（一八二七―七七年）、大久保利通（一八三〇―七八年）、木戸孝允（一八三三―七七年）の三人は、明治維新の「三傑（三人のすぐれた人物）」と呼ばれます。

もちろん、この三人によって維新革命がすべて成就されたわけではありません。彼らに匹敵するような人物が他にも存在したからこそ、「御一新」は成り立ちました。三傑といっても、この時代の変革を牽引した代表的な三人、というふうに受け止めた方がいいかもしれません。

西郷は大久保の三歳年長、大久保が木戸の三歳年長でした。その三人がほぼ同時期にこの世を去ります。鹿児島の城山で西郷が「戦死」したのは一八七七（明治一〇）年九月二四日。木戸は、戦争中の同年五月二六日、京都の病床で「西郷、また大抵にせんか」とうわごとを言いながら死去しました。

政府軍の戦争勝利は、大久保の声望を高めました。大久保は、西南戦争最中の八月二一日から、東京の上野公園で、第一回内国勧業博覧会★を開催しました。農工業の奨

●明治維新の「三傑」。上から時計回りに、西郷隆盛、大久保利通、木戸孝允

励と貿易の発展を期す、大久保肝いりの博覧会でした。出品者は一万六一七二人、出品点数は八万四三五三点。大久保は、戦争が続いていても中止しませんでした。一一月三〇日まで、一〇二日間の会期中、四五万人が入場しました。

戦争が終わると、西郷と木戸はすでになく、参議兼内務卿・大久保にとって、まさに独擅場でした。武力による政府転覆の時代は過ぎ去り、次代のリーダーと目された伊藤博文、大隈重信らの政治指導力は、まだ大久保に及ばないとみられていました。

大久保の遭難

しかし、大久保の運命はここで大きく暗転します。

七八年五月一四日午前八時すぎ、大久保は、太政官に出勤するため、自宅を馬車で出ました。東京（千代田区）紀尾井町の清水谷にさしかかったところで、石川県士族・島田一良ら六人の襲撃にあい、斬殺されます（紀尾井坂の変）。

島田は、戊辰戦争に従軍したのち、陸軍大尉にまで進みましたが、帰郷して民権結社を設立。西南戦争では、西郷軍に呼応し、同志と挙兵計画を立てましたが、実行に至らず、「権臣要撃」に転換しました。島田らが用意した「斬奸状」には、「公議を杜絶し、民権を抑圧し、以て政事を私する」など五つの「罪」が列挙されていました。

大久保は、暗殺の日の朝、自宅を訪ねた福島県権令・山吉盛典に、「兵馬騒擾」が、ようやく平らげられた今こそ、「勉めて維新の盛意を貫徹せんとす」と語っていました。

大久保は、維新には三〇年を要するとし、明治元年―一〇年までの第一期は「兵事

●東京・上野で開かれた第一回内国勧業博覧会の全体像を描いた錦絵

多くして則ち創業時間なり」、一一年より二〇年の第二期が「最も肝要なる時間にして、内治を整え民産を殖するは此時」にあるので、「利通不肖といえども、十分に内務の職を尽くさん事を決心せり」と続けました。そして二一年より三〇年に至る第三期の「守成」においては、「後進賢者の継承修飾するを待つ」と付け加えました。第二期の「一〇年」に向け、維新の完成に強い意欲を燃やしていた大久保は、凶刃により無念の最期を遂げたのです。

三者三様

ほぼ時期を同じくした三傑の死は、維新史の大きな区切りとなります。

明治のジャーナリスト・徳富蘇峰（一八六三―一九五七年）は、著書『近世日本国民史★　明治三傑』で三人を論じています。

それによれば、大久保は、「最善を得ざれば次善を取り、次善を得ざれば三善を取る」、いわば「徹頭徹尾現実的政治家」でした。ただ、「人間味の分量」を比較すると、大

●徳富蘇峰

◉内国勧業博覧会

明治政府は、ウイーン万国博（一八七三年）に参加した経験を生かし、一八七七年、殖産興業政策の一環として「第一回内国勧業博覧会」を開催した。これ以降、第二回（八一年）、第三回（九〇年）は東京・上野公園で、第四回（九五年）は京都市岡崎町、第五回（一九〇三年）は大阪市天王寺でそれぞれ開いた。最後になる第五回は、会期一五三日間、来観者四三五万人余で、内国勧業博覧会史上、最大規模だった。

久保より木戸、木戸よりも西郷の方に多くあり、その点は大久保の弱みでした。

西郷は、その巨体とは裏腹に、何事にも「几帳面」な人でした。ただ、政治家として大久保が「満点」とすれば、西郷は決して「満点」ではなく、その欠点は、名利に淡泊で、仕事をしてしまえば、どこかへ黙って行ってしまう「高踏勇退癖」にあるとしていました。

剣客だった木戸は、彼が最も感化を受けた吉田松陰の言葉の通り「本来武人」です。物事を理路整然と語る「理念的政治家」であり、「立憲政治の大棟梁」というのが、最もふさわしい称号でした。ただ、大久保が自ら「実行者」を任じていたのに対して、木戸は「主張者」を任じており、時に「感傷的になりやすく、往々愚痴を言う癖」があったと付言しています。

同時代人の視線

同時代の政治家だった大隈重信はどうみていたのでしょうか。

木戸については、「正直真面目な人であって、雄弁滔々、奇才縦横であるが、なかなか誠実な人」で、「詩も作れば歌も読む風流才子」と評していました。これに対して、大久保は、「辛抱強い人で喜怒哀楽を顔色に現わさない、寡言沈黙、常に他人の説を聴いている、『宜かろう』と言ったら最後、必ず断行する、決して変更しない、百難を排しても遂行する」と高く評価していました。ただし、「一見、陰気な方で、武骨無意気」でした（『大隈伯百話』）。

また、米欧使節団の留守政府を預かっていた西郷については、「不平不満の徒の言動に欺かれやすく、加えて政治上の経験に乏しく、錯綜せる政務を裁理する能力は有りや無しや疑わしき程」と、極めて厳しい評価をくだしていました（『大隈伯昔日譚』）。

他方、明治初期、新政府に出仕して大蔵権大丞をつとめ、のちに日本実業界のリーダーになる渋沢栄一（一八四〇―一九三一年）は、西郷について「将に将たる君子の趣」などと好意的な評価を示す一方で、大久保については「なんだか厭やな人」などと否定的な見方をしていました。

●渋沢栄一

福沢諭吉「抵抗の精神」

西郷は、当時の知識人からも存在が注目され、敬愛されていました。

その一人、福沢諭吉は、西郷死去の報を受け、『丁丑公論』を一気に書き上げます。

◉『近世日本国民史』

徳富蘇峰は、明治天皇が崩御した際に執筆を思い立ち、一九一八年から五二年にかけ、戦後五年余を除いて書き続けた。全百巻。一五〇字詰め原稿用紙で二三万枚に上ったという。完結したとき、蘇峰は九〇歳になっていた。織田信長の時代から書き起こし、豊臣、徳川時代を経て、幕末・明治維新期を手厚く、西南戦争までを綴った。新聞記者・蘇峰は、「新聞は明日の歴史で、歴史は昨日の新聞である」ので、「新聞記者は歴史家たるべく、歴史家は新聞記者たるべし」と語っていた。また、イギリスの歴史家であるギボンの『ローマ帝国衰亡史』やマコーレーの『英国史』を熟読していた蘇峰は、「面白い歴史を書く」ことを心がけていた（阿部賢一『徳富蘇峰』）。

緒言（まえがき）で福沢は、「政府の専制咎むべからず」といえども、これを「放頓（放置）」すれば際限がなく、これを防ぐの術は「抵抗の精神」あるのみと強調します。そのうえで、西郷の武力行使には賛同できないものの、「その精神に至ては、間然すべきものなし（少しも非難すべき点がない）」と、政府におもねらない抵抗の精神をたたえます。さらに返す刀で、維新の際は「勲功第一等」と持ち上げておきながら、一転して西郷を「古今無類の賊臣」と罵倒している新聞の豹変ぶりを痛烈に批判しました。

福沢は、西郷の決起は「立国の大本たる天下の道徳品行を害したるものにあらず」と重ねて弁護し、政府は、「天下の人物」である西郷を死地に陥れただけでなく、「これを殺したる者というべし」と、激越な調子で締めくくりました。

この論説は、当時の言論弾圧を恐れてか公表がはばかられ、一九〇一年になって『時事新報』★に連載されました。同年五月、痩せ我慢を忘れて新政府に出仕したとして、勝海舟と榎本武揚の出処進退を批判した『痩我慢の説』との合本で刊行されます。

西郷と福沢は面識こそありませんでした。だが、西郷は福沢が著した『文明論之概略』（一八七五年刊）を読み、周辺に勧めていました。西郷は、ドメスティック（国内専門）な守旧派とみられがちですが、実際は、国際情勢や西欧社会にも通じた人だったようです。

「敬天愛人」の思想

西郷は一八七七年二月に挙兵した直後、陸軍大将を解任され、正三位の官位を剥奪

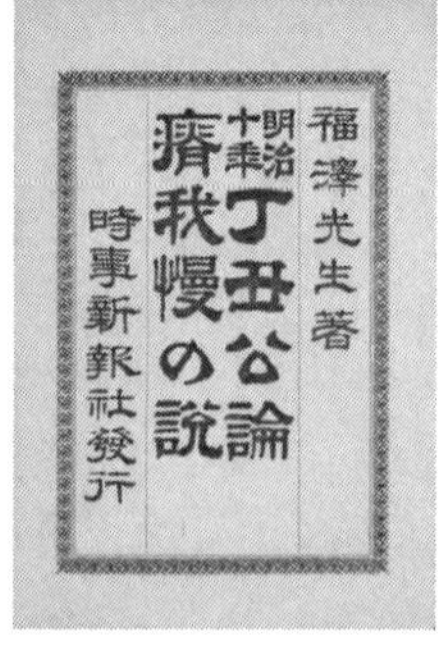
福澤先生著
明治十年 丁丑公論
瘠我慢の説
時事新報社發行

●福澤諭吉著『明治十年丁丑公論・瘠我慢の説』（慶應義塾福澤研究センター蔵）

●山形県酒田市の南洲神社にある「徳の交わり」像

されました。西郷は、八九年の大日本帝国憲法（明治憲法）発布の際の大赦で「賊」の名を除かれ、政府は再び、正三位を追贈します。九三年からは、彫刻家・高村光雲（一八五二―一九三四年）を主任として、上野公園で銅像の制作が始まり、九八年に除幕式が行われました。あの犬を連れた、親しみやすく庶民的な西郷像です。

この西郷の名誉回復を喜んだ旧庄内藩主・酒井忠篤★らによって刊行されたのが『南洲翁遺訓』（南洲は西郷の号）でした。この『遺訓』には、西郷の人間観や文明観、国家観などが詰め込まれています。

中でもよく知られているのが「敬天愛人」の思想です。『南洲翁遺訓』（猪飼隆明訳）

◉『時事新報』

福沢諭吉が一八八二年に創刊した日刊新聞。伊藤博文、井上馨、大隈重信らと福沢との間で交わされた政府系新聞の発行計画が破談になり、福沢自らが、政党政派に偏らない、「独立不羈、官民調和」を掲げて発刊。政党機関紙全盛期にあって中立的な『時事新報』に読者の支持が集まった。福沢は論説を主宰し、その論考は世論や政府の政策に大きな影響を与えた。九二年にはロイター通信社と契約を結び、海外ニュース報道で先行するなど、大正前半まで日本を代表する新聞と目された。

◉庄内藩と西郷隆盛

庄内藩（山形県北西部）は、江戸薩摩藩邸焼き打ち事件（六八年）のため、戊辰戦争で「朝敵」とされた。同藩は、奥羽越列藩同盟の主軸として政府軍に強く抵抗したが、結果は敗北で終わった。ところが、進駐した薩摩軍は、庄内藩の予想に反して寛大な処置をとった。西郷の指示によるものであり、これに感激した旧藩主の酒井忠篤や、側用人だった菅実秀らが、多数の藩士を従えて鹿児島を訪問し、西郷との交流を深めた。その際、西郷が語った言葉を書き残し、それをもとに菅らが『南洲翁遺訓』を編んだ。

から引くと、

道は天地自然の道なるゆゑ（え）、講学の道は敬天愛人を目的とし、身を修するに克己を以て終始せよ

（訳文＝人が踏み行うべき道は、天から与えられた道理であって、上に天があり、下に地があるように、当たり前の道理であるから、学問の道は天を敬い人を愛することを目的として、身を修め、つねに己に克つことに努めなければならぬ）

人を相手にせず、天を相手にせよ。天を相手にして、己れを尽し人を咎めず、我が誠の足らざるを尋ぬ可し

（訳文＝狭量な人間世界にこだわるのではなく、広大無辺の天を相手にしなさい。天の示す道を実現すべく全精力・精神を傾け、人を咎めたりせず、自分に真の心が不足していることを認識すべきなのだ）

この「敬天愛人」の言葉に感応したのが、キリスト教徒の内村鑑三（一八六一―一九三〇年）でした。

高崎藩（群馬）の武士の家に生まれた内村は、西南戦争が起きた七七年、札幌農学校★に入学し、洗礼を受けました。その内村が日本人の持つ長所を世界に知らせようと、九四年、英語で著したのが『日本及び日本人』（のち『代表的日本人』に改題）でした。

内村は『代表的日本人』で、西郷隆盛、上杉鷹山、二宮尊徳、中江藤樹、日蓮上人

●西郷隆盛筆「敬天愛人」

の五人を挙げています。この中で内村は、西郷隆盛について、『敬天愛人』の言葉が西郷の人生観をよく要約しています。それはまさに知の最高極致であり、反対の無知は自己愛であります」『正義のひろく行われること』が西郷の文明の定義でした。西郷にとり『正義』ほど天下に大事なものはありません」――と書いています。内村にとって西郷は「もっとも偉大な人物」であり、「最後のサムライ」でした。

●内村鑑三

西郷星と西郷伝説

西南戦争で薩軍の敗色が濃くなった一八七七年夏、火星が地球に大接近、人々は赤く輝いてみえる火星の中に軍服を着た西郷の姿を認め、「西郷星」と噂(うわさ)し合いました。そのあと、西郷は西南戦争で死なずに生きている、という生存伝説も流れ、九一年にロシア皇太子ニコライ来日の際には、西郷が亡命先のロシアから一緒に帰国するとい

◉札幌農学校とクラーク

札幌農学校は、ケプロン顧問の提案をいれて、北海道の開拓を現地で担う人材づくりを主目的に、一八七六年、開校された。一九〇七年には東北帝国大学の農科大学となり、一八年には、農科大学を中心に北海道帝国大学が創設された。教頭のクラークは一八二六年生まれ。六七年、マサチューセッツ農科大学の学長に就任。黒田清隆・開拓使長官に招かれて来日した。キリスト教に基づく精神教育、実習実験を重んじる実技教育などを重視した。クラークは約八か月の在職だったが、帰国の際、「ボーイズ・ビ・アンビシャス（少年よ　大志を抱け）」と、若者たちを鼓舞する有名な言葉を残した。卒業生には、内村鑑三や新渡戸稲造ら日本を代表するキリスト教思想家がいる。

う噂も立ちました。

西郷はなぜ、民衆にも人気があったのでしょうか。

徳富蘇峰は、「西郷を冬日愛すべしとせば、大久保は夏日畏るべし」と形容しましたが、峻烈な性格の大久保に対して、人間的な温かみを感じさせる西郷の人柄が、人気の源泉の一つでしょう。また、王政復古や廃藩置県を断行した明治維新の英雄でありながら、最後は反逆者として悲運の人生をたどったこと、加えて、江戸城無血開城や朝敵・庄内藩への平和進駐など、心打つエピソードを残していることも、西郷人気を支えています。

復権後の西郷は、征韓論を唱えた人として、国権主義やアジア主義の先覚者として讃えられるようになり、戦後は逆に侵略思想の持ち主として否定的にみられることもありました。西郷に対する評価は今日もなお、揺れ動いているようです。

●当時の錦絵「西郷星出現」(鹿児島県立図書館蔵)

12　維新とは何だったのか（上）

開国決断のとき

明治維新というと、幕府が倒壊し新政府が成立した一八六八（明治元）年をイメージしますが、歴史家の間では、五三年の黒船来航に始まり、幕末―明治二〇年代までの激動期をさすことが多いようです。

この『高校生のための「歴史総合」入門』では、これまでペリー来航から七七年の西南戦争に至る二四年間を追いかけてきました。

日本と米欧との交流史を振り返りますと、西洋人の本格的な来日は一五四九年、ポルトガル系のイエスズ会宣教師、フランシスコ・ザビエル★（一五〇六―五二年）一行の鹿児島上陸に始まります。一五世紀後半から一六世紀にかけ、ヨーロッパ諸国が海外に積極的に進出した「大航海時代」のことです。

その後、日本は一七世紀前半にキリシタン禁教令を出し、「鎖国」政策をとります。それでも、長崎（対オランダ・清国）、対馬（対朝鮮）、薩摩（対琉球）、松前（対アイヌ）と、対外的に四つの窓口が開かれていました。

●国書奉呈のため上陸し、久里浜応接館に向かうペリー提督（中央）（米国議会図書館蔵）

ところが、一八世紀末になると、日本周辺に新たに外国船が出没し始めます。まず、ロシア船が根室と長崎にやって来て通商を求め、一八〇八年にはイギリス軍艦「フェートン」号が長崎港に侵入する事件が起きました。このため、幕府は二五年、異国船打払令を出しますが、三七年、日本人漂流民を送り届けにきたアメリカ商船を撃退するという失態を演じます。

四六年、アメリカ東インド艦隊司令長官ビッドルが浦賀に来航して通商を求めます。幕府は拒絶しますが、アメリカは改めて、同艦隊司令長官ペリーを派遣して幕府との本格交渉に乗り出します。ペリーの最大の目的は、北太平洋横断航路の開設に向け、日本に燃料などの補給港を設けることでした。

アヘン戦争（一八四〇―四二年）での清国敗北を知っていた幕府の老中首座・阿部正弘（在職四五―五五年）は、アメリカの「砲艦外交」を前に五四年、限定的な「開国」（日米和親条約）へとカジを切ります。

アジアでは、イギリスが征服したインドで大反乱（一八五七―五九年）が起き、英仏連合軍が清国を相手に第二次アヘン戦争（一八五六―六〇年）を始めるなど、列強によるアジア支配の風波が高まります。

後継老中で開明派の堀田正睦は、阿部の政策転換を引き継いで国交・通商開始の方針を固め、五八年、大老の井伊直弼が勅許（天皇の許可）を得ないまま、日米修好通商条約の締結（五八年）を断行します。幕府はオランダ、ロシア、イギリス、フランスとも条約を結びます。当時、欧米各国は日本を「半未開国」とみなして対等な扱いをせず、条約は不平等なものになりました。こうして不平等条約★の改正が明治新政府の

●阿部正弘

最重要課題として浮上し、とくに領事裁判権（治外法権）の撤廃と関税自主権の回復が急務となるのです。

富国強兵の始まり

阿部老中は、開国問題をめぐり諸大名や幕臣に意見を求めました。併せて、これま

◉不平等条約

国際法上、一国が有する外国人に対する民事・刑事の裁判権（法権）や、国家が関税について任意に定めることのできる関税自主権などの面で、対等の関係にない条約。欧米列強が開発途上のアジア諸国などに強制し、一九世紀に入ってトルコ、イラン、タイなどの諸国が不平等条約の下に置かれた。中国は、アヘン戦争後の南京条約（一八四二年）で関税自主権を失い、翌年には領事裁判権（外国人が在住国の裁判権に服さず、本国領事による裁判を受ける権利）を欧米各国に許した（『日本近現代史小辞典』）。日本も、日米和親条約や日米修好通商条約などで、最恵国待遇や領事裁判権を認めるとともに、関税自主権を喪失した不平等条約を結んだ。

◉フランシスコ・ザビエル

日本に初めてキリスト教を伝えた。スペインのナバラ地方の出身で、パリに留学して、イグナチウス・ロヨラに知り合い、ロヨラらとともにイエスズ会を創設した。ポルトガル王の要請で、一五四一年、リスボンからインド布教に出発、翌四二年にインド西海岸のゴアに着いた。南インド、マレー半島などに布教し、四七年、マラッカで日本人漂流民アンジロー（ヤジロー）を知り、その案内で四九年に鹿児島に到着、薩摩藩主と会見した。日本滞在二年余のうちに平戸、山口、京都などで布教し、多数の日本人に洗礼を授けた。さらに中国本土での布教を目指し広州港外で入国許可を待つ間に熱病にかかり、死去した。遺体はゴアに葬られた（『ブリタニカ国際大百科事典』）。

で実質的な政治決定の場から外してきた朝廷にも報告をあげます。この異例の措置は、徳川斉昭（水戸）や松平慶永（越前）、島津斉彬（薩摩）らの幕政参加の道を開き、彼らは政治的発言力を強めます。その結果、幕府の政治的権威は損なわれ、逆に朝廷の立場が向上。幕末期、武士や豪農らの間に浸透していた国学の尊皇思想などが、この流れを後押ししました。

他方、外国との通商によって富国強兵を図ろうとする論議が、幕府内部で始まるのもこの時期です。開国によって産業・交易を盛んにして「富国」をつくり、その利益で「強兵」を養おうという構想でした。すでに薩摩藩で反射炉（金属精錬用の炉）や造船所、ガラス製造所が建設されるなど、多くの藩が洋式軍事工業を導入。兵器の製造や輸入にあたり、軍備を整えていました。

幕府も六六年、徳川慶喜が「最後の将軍」の座に就くと、全面的な開国体制へ移行します。フランスから陸軍教官を招いて常備軍を創設し、フランスの資本・技術援助の下、横須賀製鉄所を開設。幕政改革も進めて幕府権力の強化をはかりました。日本政治外交史家の三谷太一郎の著書『日本の近代とは何であったか』によれば、日本の近代は「同時代のフランスのナポレオン三世をモデルとする徳川慶喜政権の近代化路線に発」しており、「文明開化」や「富国強兵」のスローガンは、「当時この路線を方向付けるものとして作られ、福沢諭吉らによって唱えられ」たものでした。

慶喜は政争に敗れて政権を交代するわけですが、結局、「幕末の近代化路線は、ほとんどそのまま明治政府によって継承」されたということです。

日本は、このスローガンに基づいて、半世紀の間、政治的にも経済的にも軍事的に

●フランス皇帝から贈られた軍服姿の将軍・徳川慶喜

も近代化を遂げ、二〇世紀初めには「一等国」入りします。そして大正・昭和戦前期も、この路線は、近代日本を貫くひとつの棒のようなものとして在り続け、これが挫折するのは、一九四五年のアジア・太平洋を舞台とする「昭和戦争」の敗北によってでした。

「ナショナリズムの革命」

幕末期の日本では、さまざまなスローガンのもと、政治運動が展開されました。その一つが「尊皇(そんのう)（王）攘夷(じょうい)」であり、もう一つが「公武(こうぶ)（公家と武家）合体」でした。

尊皇攘夷運動に火をつけたのは、井伊直弼による無勅許の条約調印でした。これは尊皇にもとる行為であり、不平等な条約は破棄されるべきだ、というのがその理由でした。井伊が暗殺されると、幕府と朝廷の融和を図って新しい政治の枠組みをつくろうとする公武合体の動きが出て、薩摩、長州両藩も朝廷との公武合体を試みます。

薩摩の島津久光が勅使を伴い、江戸で幕府の人事改革を実現すると、長州は、将軍に上洛(じょうらく)（京都行き）させて攘夷断行を迫り、六三年には下関海峡を通過中のアメリカ、フランス、オランダ艦に砲撃を加えます。しかし、英仏米蘭四か国の連合艦隊との交戦で惨敗し、薩摩も、生麦事件（イギリス人殺傷事件）の報復に出たイギリス軍艦の砲火を浴びます。列強の軍事力に圧倒された両藩は、ともに「攘夷」を捨てます。

薩摩藩と会津藩の公武合体派は六三年、急進尊攘派の長州藩勢力と公家らを京都から追い出します。長州は逆襲に転じ京都に出兵しますが、会津、薩摩など諸藩兵には

●砲撃の後、長州藩の下関砲台を占拠したイギリス軍（長崎大学附属図書館所蔵）

ねつけられました。しかし六六年、幕府による第二次長州征討を前に、今度は薩摩と長州が同盟関係を結びます。「昨日の敵は今日の友」です。

幕末政局が緊迫する中、慶喜は六七年、大胆にも政権を朝廷に返上（大政奉還）し、武力倒幕をめざす薩長が用意した「討幕の密勅」を無力化させます。慶喜も薩長も、「王政復古」と「公議政体」を実現する点では大きな違いはありませんでした。だが、これを誰の手でどのように実行するかで対立しました。

六八年、幕府、西南雄藩、朝廷による三つ巴（みつどもえ）の権力闘争は、「慶喜排除」で決着し、二六〇年以上にわたる江戸幕府は倒壊、雄藩と朝廷との公武合体的な新政権が生まれました。尊皇攘夷の「攘夷」は、開国後も明治初期まで気分として色濃く残ります。一方、「尊皇」の方は「王政復古」で実を結ぶことになりました。

政治学者の北岡伸一は、著書『日本政治史』で、尊王とは「統一政権」、攘夷とは「対外的独立」とそれぞれ読み替えるべきで、尊王攘夷とはナショナリズムの二つの側面を言い表したスローガンだったと書いています。明治維新はどのような革命だったのかをめぐっては、かつてマルクス主義の歴史観にもとづく論争がありました。北岡は「ある人は絶対主義の確立であるといい、ある人はブルジョワ革命との親近性を指摘している。しかし尊王攘夷の言葉が示すとおり、それはナショナリズムの革命であったのである」としています。

一八六五年、日本の藩は二八三を数えていました。それが結果として統一政権として収束し、日本は主権独立国家体制を築き上げることになるのです。

テロとクーデターと内戦

維新では、政治目的のために非合法に人を殺害するテロリズムや、内戦によって多くの人命が失われました。

一八六〇年、井伊直弼は水戸・薩摩の脱藩浪士に殺され、六二年には公武合体政策をとった老中・安藤信正が水戸脱藩浪士らに襲われ負傷します。六七年には坂本龍馬、中岡慎太郎、明治に入って六九年には政府参与の横井小楠、兵部大輔の大村益次郎、七一年は参議の広沢真臣、七八年には内務卿・大久保利通が、それぞれ襲撃を受けて死亡しました。暗殺未遂では、イギリス公使のパークスや岩倉具視の事件もありました。

武力を背景とする奇襲で政権を奪うクーデターも起きています。長州藩を京都から追放した六三（文久三）年の政変や、六七（慶応三）年の王政復古の大号令のほか、明治新政府による七一年の廃藩置県も、「御親兵」の軍事力を背景としたクーデターでした。

テロやクーデターは、明治、大正期のみならず、五・一五事件や二・二六事件など昭和時代まで連綿と繰り返されることになります。

内戦も勃発しました。新政府発足後の六八年、倒幕派は幕府側を挑発し、新政府軍と旧幕府軍による鳥羽・伏見の戦いに始まる戊辰戦争に突入します。この時の政敵「排除」の論理は、七三（明治六）年の征韓論をめぐる大政変でも貫徹されました。明治六年政変のあと、西郷隆盛らは一斉に下野し、その後の江藤新平による佐賀の乱、前

●西南戦争を描いた錦絵「鹿児島城激戦図」。右端の馬上の人物が西郷隆盛

原一誠の萩の乱、そして日本最大で最後の内戦である西南戦争につながります。

ただ、この革命の犠牲者を他国と比べると、その数は少なく、暴力は比較的抑制されていたとの評価もあります。例えば、「維新時の日本人口は、大革命時のフランス人口の約一・二倍であったが、犠牲者は約三万人、フランスの少なくとも六〇万人以上という数字と比べて、桁違いの低レベルであった」（三谷博『明治維新を考える』）というものです。

「乱世的革命」の底流

もちろん、幕府の瓦解は、政治スローガンや権力闘争、テロ・クーデターだけでは説明できません。とくに人口約三一〇〇万人といわれている当時の、日本経済・社会の変動を見ておかなければなりません。

明治中期の著名な歴史家に竹越与三郎（一八六五―一九五〇年）がいます。彼は著書『新日本史』で、維新について、イギリスに勃発した「復古的の革命」とも、フランスやアメリカのような「理想的の革命」とも違う、「現在の社会の不満や痛苦に堪えずして発した、漠々茫々の（誰もが先のよく見えない）乱世的の革命」と性格づけていました。

竹越によれば、八代将軍・吉宗の享保年間（一七一六年―）以降、士民の奢侈（ぜいたく）を禁ずる倹約令が守られなくなって「幕朝衰亡の機微」が見えます。特に革命の契機になった「社会的結合力の弛緩」は、一藩の領主が江戸、大坂の商人から借金するなど、支配層の武士と被治者の町人・百姓との「優劣」関係の逆転現象に表れた

●竹越与三郎

といいます。

経済面では、一八五九年の横浜・函館・長崎の開港以降、日本国内は猛烈な物価高に襲われます。幕府や各藩は、砲台の建設や軍艦・商船の購入など、海防の負担増もあって一層の財政難に陥っていました。このため、諸藩は藩札を乱発し、幕府は金貨を改鋳（改悪）します。さらに外国と日本の金銀交換比率の違いにつけこまれ、大量の金貨を海外に流出させてしまいました。これらがインフレーションの引き金になります。★

◉**竹越与三郎**

埼玉・本庄の生まれ。号を三叉。慶應義塾に学んだ後、『時事新報』に入社したが、官民調和の論調に不満を抱いて退社。その後、徳富蘇峰の『国民新聞』の発刊に協力し、民友社に入ったが、日清戦争のあと国粋主義化した蘇峰と決別し、西園寺公望のすすめで月刊『世界之日本』の主筆となった。一九〇〇年、衆院選に出馬し五回連続当選（政友会所属）した（『国史大辞典』）。在野の歴史家として『新日本史』『二千五百年史』『日本経済史』などを著した。

◉**インフレーション**

開港後、日本経済は大混乱し、物価は開港以降、年間で二倍、三倍と急テンポで上昇した。貿易の相手国ではイギリスが圧倒的で、急速に輸出が増大すると、輸出に生産が追いつかず、物価が高騰した。幕府は、物価を抑制し、流通業者を守るため、一八六〇年、雑穀、水油、蠟、呉服、生糸の五品は、横浜直送を禁止し、江戸の問屋経由と定めた（五品江戸廻送令）。しかし、横浜の商人たちの抵抗や、自由貿易を妨げる措置だとする列強の抗議にあって効果はあがらなかった。また、金銀の交換比率は、外国では一対一五、日本では一対五。外国人は銀貨を日本に持ち込んで金貨を安く入手し、その差額で巨額の利益を得た。その結果、日本から一〇万両以上の金貨が海外に流出したという。この幕末のインフレーションは、庶民だけでなく、下級武士の生活をも直撃。貿易に対する反感は攘夷の気分をかきたて、外国人殺傷事件が相次ぐ一因になった（『詳説 日本史研究』）。

インフレによる実質賃金の低下は職人たちの生活を苦しめ、貿易の進展は農村で発達していた綿織物業などに打撃を与え、コメの不作は百姓の暮らしを圧迫しました。このため、農民一揆や打ち壊しなどが各地で発生し、治安が悪化します。こうして生じた江戸時代の社会、経済情勢の流動化・不安定化、幕府の失政による人心の離反、庄屋・名主層の反権力姿勢などが、封建制度を動揺させ、竹越のいう「乱世的革命」につながったとみられます。

13 維新とは何だったのか（下）

世襲身分の解体

維新政府は、明治初期のわずか一〇年の間に、版籍奉還、廃藩置県、地租改正を断行し、国内の政治的統一と財政の基礎固めを図りました。また、学制公布と徴兵令で「国民皆学」と「国民皆兵」を実現します。さらに秩禄処分という、士族の特権（俸禄）を奪う施策を遂行しました。「百姓町人」を主体とする軍隊を創設する徴兵制も、士族の職分を奪うものでした。従来、士農工商と称された世襲の身分制度は、ここに解体され、華族・士族・平民という区分に代わり、職業選択も自由になりました。

「門閥制度は親の敵でござる」（『福翁自伝』）と言った福沢諭吉は、著書『文明論之概略』★（一八七五年初刊）で、維新革命は、才能や知恵があっても門閥に妨害されてきた人々の、「門閥を厭ふの心」にその発端があったと書いています。維新は人々を門閥制度のくびきから解放し、原則として実力本位の時代を招来したのです。

福沢のベストセラー『学問のすゝめ』は、学問をすれば誰もが賢人になれると、「一身の独立」を説きました。それは、すべての子供を小学校に入学させる国民皆学体制

●『文明論之概略』

福澤諭吉著
文明論之概略
明治八年四月十九日許可　著者藏版

を促進することになります。

ただ、明治期に教育が広く普及した背景には、江戸時代後期に開設された多様な教育機関の存在がありました。例えば、庶民の子弟に読み・書き・そろばんを教えた寺子屋は、幕末の一八五四―六七年の間、毎年三〇〇校以上が開校されて農山漁村にまで浸透し、その数は三万―四万校にも達したと推測されています（『国史大辞典』）。

ヒトやモノ、組織や思想も、江戸時代に土台が築かれ、明治政府に引き継がれたものが、数多くあります。歴史は「断絶」のみならず、「継続」の側面からも見ていく必要があるといえます。

「西洋」を読み込む

福沢は『文明論之概略』で、ペリー来航のあと、世間の人々は「外国人に接して其(そ)の言を聞き、あるいは洋書を読み、あるいは訳書を見て」視野を広め、人力をもって政府も打倒できることに気付いたと書いています。その意味で、福沢をはじめ、西周、中村正直、森有礼ら「明六社(めいろくしゃ)」に結集した啓蒙思想家は、洋行体験と、西洋の国家・社会・経済制度に関する知見を人々に伝える先駆的役割を果たしました。

「西洋」を知るには外国語を学ばなければなりません。このため、森有礼のように世界で支配的な言語である英語を国語とするよう唱える人も出ました。しかし、政治的にも文化的にも悪影響があるとして退けられ、そこで求められたのが「翻訳書」です。日本は維新前後の数十年間、膨大な量の西洋文献を日本語に翻訳しました。それはなぜ、可能だったのでしょうか。

評論家・加藤周一の分析（「明治初期の翻訳——何故・何を・如何に訳したか」）によれば、一つには日本語の語彙の中に豊富な漢語が含まれていたこと、第二は蘭学者によるオランダ語文献の翻訳経験があったこと、第三は日本の社会と文化に高い「知的感覚的洗練」が認められたからでした。外国文献の翻訳ブームも起こり、日本人のだれもが西洋の知識や技術に触れ、それを取り入れることができるようになりました。

「地球は小さくなった」

七一年一二月、新政府は岩倉具視を全権大使とする米欧使節団を派遣しました。政府指導層の半分近くが、二年近くも米欧一二か国を訪問するという「壮挙」は、いかに彼らが米欧の政治・法律・経済、軍事・教育の仕組み、学術・思想などを渇望していたかの表れです。

◉『文明論之概略』

福沢諭吉によって一八七五年に刊行された、日本近代を代表する重要な著作。全六巻。「議論の本位を定る事」「西洋の文明を目的とする事」「文明の本旨を論ず」「一国人民の智徳を論ず」「西洋文明の由来」「日本文明の由来」「自国の独立を論ず」などの一〇章からなる。この中で福沢は、儒教主義を徹底的に批判しながら、日本の自主独立のためには西洋文明を取り入れることが必要であること、なぜ、これが喫緊の課題なのかと言えば、その目的は国家の独立であり、国民が文明を学ぶのは目的達成の手段である、といったことを縦横に論じた。

使節団は七二年末、米英に次ぐ三番目の訪問国、仏のパリに入りました。その年、SF作家のジュール・ヴェルヌ★（一八二八―一九〇五年）の『八十日間世界一周』が、フランスで出版されました（日本語翻訳版は七八年六月発行）。

この小説は、あるイギリス紳士が八〇日間で世界を一周する「賭け」をします。彼は、ロンドン―スエズ運河―ボンベイ―カルカッタ―香港―横浜―サンフランシスコ―ニューヨーク―ロンドン間を、客船と鉄道を使って見事、一周してみせますが、時間を五分超過してしまいます。しかし、時差による計算違いと分かって賭けに勝利する、というストーリーでした。その中の登場人物のひとりがこう語っています。

「地球は小さくなった。いまや、一〇〇年前の一〇倍以上の速さで、地球を一周することができるのです」

実際、蒸気船と鉄道と電信ケーブル網の発達は、人間の移動や情報伝達の時間を著しく短縮していました。とくに電信は、おおむね一八六〇―七〇年の間に導入され、最小で二日間、最大でも四日間あれば、世界のどこにでも情報が到達するようになりました（玉木俊明『ヨーロッパ繁栄の19世紀史』）。ここに新たなグローバル時代が現出したわけです。

岩倉使節団の地球一周も、『八十日間世界一周』のルートと重なるところがあり、海洋を行き交う定期航路や大陸を横断する鉄道があってこその旅でした。使節団は、行く先々でグローバル化の波と、欧米と日本との軍事・科学技術の落差を実感したはずです。

●ジュール・ヴェルヌ

●当時のアメリカの外航蒸気船（一八五〇年頃、米国議会図書館蔵）

西洋化と伝統文化

一八七〇年一月、東京—横浜間の電信が開通すると、七三年二月には長崎に達し、長崎・上海間の海底電線を通じて欧米と接続されます。一方、七二年一〇月、新橋—横浜間で日本最初の鉄道が開業しました。

翌七三年、米欧回覧から帰国した大久保利通や木戸孝允らは、米欧の機械文明をより積極的に導入しようと考えていました。しかし、留守を預かっていた西郷隆盛は、『南洲翁遺訓』★をみても、無制限な西洋化に疑問を呈していました。★この西郷の考え方と大久保・木戸ら帰国組の考えとは、あきらかに齟齬（そご）（くいちがい）がありました。

歴史学者・福地惇は、著書『明治新政権の権力構造』で、「限定西洋化主義（伝統文化評価）」と「総体西洋化主義（伝統文化軽視）」の座標軸（縦軸）を設定しています。「総体西洋化主義」は、富国強兵に向けた、西洋文明の積極的な受容にあたって、伝統文化を捨て去ることもためらわないのに対して、「限定西洋化主義」は、日本民族の伝

●日本初の鉄道開業時に使用された一号機関車（明治三〇—四〇年代撮影、鉄道博物館所蔵）

◉ジュール・ヴェルヌ

フランスの作家。パリ大学で法律を学ぶが、演劇にひかれ、劇場勤めをしながら劇作を続けた。一八六三年に雑誌に連載した冒険科学小説『五週間の気球旅行』が大評判となり、それ以来、空想的な冒険小説を多数発表。SF作家の始祖として名を成すことになった。代表作として、『地底旅行』、『地球から月へ』『海底二万里』『八十日間世界一周』などがあり、日本でも明治一〇年代から翻訳・紹介され、老若を問わず多くの愛読者を得た。

統文化を損なわないよう、西洋化は慎重にし、軍事・兵器など必要な部分に限るという考え方です。大久保は総体西洋化主義、西郷は限定西洋化主義に位置づけられます。

もうひとつは対外関係です。こちらの座標軸（横軸）は、「現実主義（協調主義的）」と「理念主義（対抗主義的）」です。強大な欧米列強に対して、うまく順応していくリアリズム外交か、あるいは正義の立場から抵抗すべきは抵抗する外交か、の違いです。大久保は現実主義であり、西郷は理念主義です。これらを総合して福地は、「西郷は対抗的民族主義者、限定西洋化論者にして強兵（軍事重視）主義者であり、大久保は、協調的民族主義者、総体西洋化論者にして富国（経済重視）主義者だった」と結論づけています。

この西郷と大久保の対立は、「明治前期の政治対立の在り方を象徴」しており、西南戦争後、西郷タイプは政権内部では衰えますが、在野政治家や思想家の間では影響力を長く持ち続けると指摘しています。

主権国家とアジア

開国によって、日本は否応（いやおう）なく、一九世紀ヨーロッパ主導の国際秩序と、イギリスに有利な自由貿易体制に組み込まれました。それは「万国公法」（国際法）を受け入れることを意味しました。これに伴い、「主権国家」（独立国）として日本は、米欧各国とは不平等条約の改正を、東アジアの諸国とは条約による対等な国家関係の構築をそれぞれ迫られました。

そのためには国境を画定し、一つの領土、国民、主権を備えた国にしなければなりません。政府は、南下するロシアとの間で樺太・千島交換条約を結び、西進するアメリカが着目した小笠原諸島★については日本領有を宣言しました。

ところが、欧米とは異なる、中国中心の国際秩序（華夷秩序）の下に置かれていた朝鮮や琉球をめぐっては、国交や帰属交渉が難航します。隣国の朝鮮は清国を宗主国

◉西郷の近代化批判

西郷は『南洲翁遺訓』の中で、「国に尽し家に励むるの道明らかならば、百般の事業は従て進歩す可し。或は耳目を開発せんとて、電信を懸け、鉄道を敷き、蒸気仕掛けの器械を造立し、人の耳目を聳動すれども、何故電信鉄道の無くて叶はぬぞ欠くべからざるものぞと云う処に目を注がず、猥りに外国の盛大を羨み、利害得失を論ぜず、家屋の構造より玩弄物に至る迄、一一外国を仰ぎ、奢侈の風を長じ、財用を浪費せば、国力疲弊し、人心浮薄に流れ、結局日本身代限りの外有る間敷也」と、当時の日本における際限のない西洋化を批判していた。ただ、西郷に西洋文明への理解が欠けていたわけではなく、ギブソンの漢訳『大英国志』を手に入れるなど、英仏の知識を得ようとしていた（『新版南洲翁遺訓』）。

◉『南洲翁遺訓』

南洲翁は西郷隆盛の尊称。明治憲法が公布されたのを機に、西郷の賊名が除かれた一八九〇年になって出版された。西郷の国家観や文明観、とりわけ為政者の心構えが語られている。その冒頭では「廟堂に立ちて大政を為すは天道を行ふものなれば、些とも私を挟みては済まぬもの也。いかにも心を公平に操り、正道を踏み、広く賢人を選挙し、能く其の職に任ふる人を挙げて政柄（政権）を執らしむるは、即ち天意なり。夫れ故真に賢人と認る以上は（＝賢人と思われる人物がいたなら）、直に我が職を譲る程ならでは叶はぬものぞ。故に何程国家に勲労有るとも、其の職に任へぬ人を官職を以て賞するは善からぬことの第一也」として、心を公平にして天の道理を実践することの大切さを説いている。

としていました。また、琉球（沖縄）は、薩摩藩の支配を受けつつ清国に朝貢を続ける、日清両属の立場にありました。日本政府は清国とは対等の条約を結びますが、それを拒む朝鮮に対しては、七三年、西郷を特使として派遣し開国を迫ることにします。しかし、大久保らが「内治優先」を掲げてこれを中止させました。

ところが、七五年、日本政府は、朝鮮に軍艦を派遣して挑発行動をとり、その反撃を口実に「砲艦外交」によって不平等条約を押しつけました。この条約では朝鮮を中国との朝貢体制から切り離そうと、「朝鮮国は自主の邦」と規定しました。

征韓論を退けたばかりの大久保らは、万国公法を援用して七四年、台湾出兵を決めます。出兵は琉球を日本専属の主権下に置く狙いをもっていました。ところが、日本の出兵に強く反発した清国と「開戦の危機」に直面します。大久保利通が北京で薄氷を踏む交渉の末、イギリスの調停もあって妥結に持ち込み、事実上の賠償金を獲得しました。ただ、台湾出兵では派遣軍の独走を政府が追認したことや、開戦か避戦かをめぐって揺らぐ政府の対応ぶりは、のちの昭和戦争期の満州事変や日米交渉とダブってみえます。

日本の一連の外征策には、国内的には、維新の「革命軍」のエネルギーを発散させる狙いがありました。一方、清国にとっては華夷秩序に対する日本の挑戦と映っていました。日本のアジア外交は、初めからそんな危うさをはらんでスタートしたのです。

●台湾での戦闘を描いた錦絵「台湾蔦石門進撃之図」

公議輿論と「天皇親政」

徳川慶喜の「大政奉還」で「天皇親政」に道が開かれたあと、「王政復古の大号令」によって明治新政府が成立しました。一方、明治天皇が公布した「五箇条の御誓文」は、「広く会議を興し万機公論に決すべし」と、公議輿論の政治を唱えました。この天皇親政と公議政治は「維新政治の二大理念」（笠原英彦『天皇親政』）といわれます。本来なら、矛盾してみえる両者だけに、明治以降、天皇の政治的位置づけをめぐって論議を生むことになります。

公議政体論が登場したきっかけはペリーの黒船でした。前節でも述べたように幕府は諸大名に意見を求め、朝廷にも報告しました。維新後、政府は、新政の柱に公議輿論―政治参加の拡大を掲げ、議事機関の創設を検討しました。

例えば、一八六九年三月に開設された「公議所」では、諸藩の代表による会議が何

●皇居紫宸殿で「五箇条の御誓文」を読み上げる三条実美

◉小笠原諸島のその後

一八八〇年、小笠原諸島は東京府に編入された。太平洋戦争末期の一九四五年二―三月、硫黄島が日本とアメリカの大激戦地となり、日本軍は玉砕。日本敗戦の後、小笠原諸島は、国連の信託統治領として米国の軍政下に置かれた。

このため、日本人は引き揚げる一方、欧米系人が帰島を許され、父島で漁業などに従事した。日本人旧島民の帰島運動を受けて、返還交渉が続けられ、一九六七年一一月、佐藤栄作首相とニクソン米大統領との日米首脳会談で施政権の返還に合意。翌六八年四月に返還協定が調印され、沖縄返還に先立って日本に復帰した。

度も開かれました。同年七月、公議所は集議院と改称され、七一年七月、太政官三院（正院・右院・左院）制の実施に伴って、立法諮問機関である左院に引き継がれます。左院では憲法制定や国会開設構想も論じられました。

これに対し、七四年、板垣退助らが「民撰議院設立建白書」を左院に提出します。自由民権運動の始まりです。政府側は、反政府運動の拡大を懸念しつつも、議会開設は避けて通れないと考えていました。七五年には「漸次立憲政体樹立の詔」が出され、元老院と大審院の創設、地方官会議の開催が決まります。とくに、元老院は、新法制定や法改正を審議する機関と定められ、七六年には憲法草案を起草します。

他方、「天皇親政」は、藩閥・有司専制政治の前に次第に形骸化してしまいます。このため、天皇親政の実質化を図る、巻き返しの運動が起こります。

議会制導入と憲法制定の動きは、明治一〇年代に活発化します。「議会と憲法」がきちんとセットされたことをもって、明治維新は完結するともいえます。

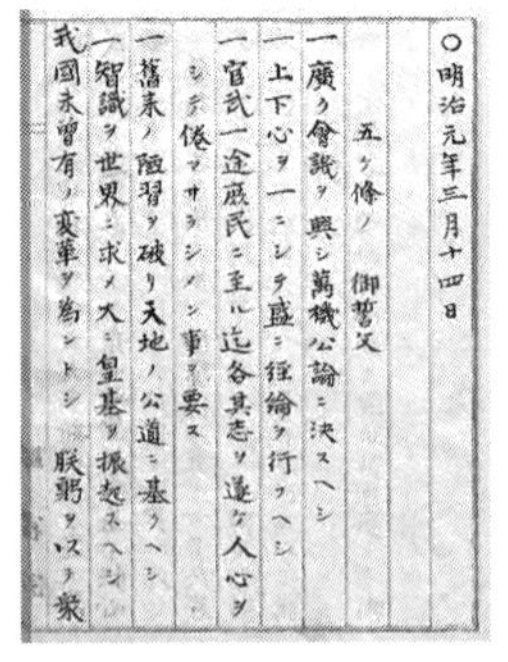
○明治元年三月十四日

五ヶ條ノ御誓文

一廣ク會議ヲ興シ萬機公論ニ決スヘシ
一上下心ヲ一ニシテ盛ニ經綸ヲ行フヘシ
一官武一途庶民ニ至ル迄各其志ヲ遂ケ人心ヲシテ倦マサラシメン事ヲ要ス
一舊來ノ陋習ヲ破リ天地ノ公道ニ基クヘシ
一智識ヲ世界ニ求メ大ニ皇基ヲ振起スヘシ
我國未曾有ノ變革ヲ爲ントシ朕躬ヲ以テ衆

●「五箇条の御誓文」

第2章　国会と憲法をつくろう

第2章関連年表

年	月	事項
1867（慶応3）	2月	明治天皇即位
	11月	徳川慶喜、朝廷に大政奉還
1872（明治5）	6月	天皇、中国・西国巡幸のため、東京出発
	9月	学制を公布
1874	1月	民撰議院設立建白書が左院に提出される
1875（明治8）	4月	漸次立憲政体樹立の詔
	5月	ロシアと樺太・千島交換条約調印
1876（明治9）	2月	日朝修好条規締結
	10月	元老院、「日本国憲按」第一次草稿作成
1877	9月	天皇に侍補を置く。79年10月廃止
1878（明治11）	2月	英国領事裁判所、アヘン密輸の英商人に無罪
	5月	大久保利通、暗殺される
	7月	地方三新法制定
	8月	近衛砲兵大隊が反乱、鎮圧される（竹橋騒動） 山県有朋陸軍卿、「軍人訓誡」を達示
	9月	大阪で「愛国社」再興大会
1879（明治12）	7月	グラント米大統領来日。翌月、明治天皇と会談
	8月	天皇、教学聖旨示す。翌月、伊藤は教育議提出
	9月	学制を廃し、教育令を制定
	12月	岩倉具視、各参議に立憲政体に関する意見書提出を命じる（81年5月まで7参議が提出）
1880（明治13）	3月	国会期成同盟結成。翌月、請願書受理されず
	4月	政府、集会条例発布
	10月	清国との間で琉球分島などに関する条約案作成

年	月	事項
1881（明治14）	1月	大隈重信、伊藤博文、井上馨、黒田清隆の諸参議が熱海で会合
	3月	ハワイのカラカウア国王が来日、天皇と会談 大隈、憲法意見書を左大臣に提出（83年から国会開設、政党内閣制などを主張）
	4月	交詢社、私擬憲法案を発表。この頃から「五日市憲法」作成される
	7月	右大臣岩倉具視、井上毅起草の意見書を自らの案とし、太政大臣・左大臣に提出 黒田開拓使長官、開拓使官有物払い下げを申請。閣議は紛糾の末、払い下げを決定。『東京横浜毎日新聞』が事実を暴露、事件に
	8月	植木枝盛、日本国憲法草案を起草
	10月	御前会議で開拓使官有物払い下げ中止、大隈の参議罷免を決定（明治14年の政変） 明治23年に国会開設する旨の詔書 自由党が結成大会。11月、板垣が総理受諾 松方正義を参議兼大蔵卿に任命（松方財政始動）
1882（明治15）	1月	軍人勅諭が下される 嚶鳴社、「女帝を立るの可否」討論会開催
	3月	伊藤博文、憲法調査のため欧州へ旅立つ
	4月	板垣、岐阜で遊説中、襲われて負傷 立憲改進党結党式で大隈重信を総理に決定
	5月	伊藤、ベルリン大学グナイスト教授と面会。8月からウィーン大学シュタイン教授の講義

1882	6月　日本銀行条例を定める 7月　ソウルで朝鮮兵反乱。武装兵士が日本公使館を襲撃し、軍事教官の堀本少尉らを殺害（壬午軍乱）。花房義質公使は長崎に避難。日本政府、仁川・釜山に軍艦3隻派遣を決定 8月　清国の北洋艦隊司令官丁汝昌、軍艦3隻を率い仁川着。花房公使、2個中隊を率いてソウル入り。清軍、大院君を逮捕し、天津に送る。済物浦条約（犯人処罰と賠償、公使館駐兵権）に調印 11月　板垣、後藤象二郎が欧州に出発。翌年6月帰国 　　地方長官に対して軍備拡張・租税増徴の勅語 　　福島県民数千人、警官と衝突。12月、同県自由党の幹部河野広中ら逮捕（福島事件）
1883（明治16）	7月　右大臣岩倉具視が病死 8月　伊藤、ヨーロッパから帰国 11月　鹿鳴館開館記念の夜会開かれる
1884（明治17）	3月　宮中に制度取調局設置。伊藤を長官に任命。宮内卿も兼務し憲法及び皇室典範の起草に着手 6月　清国とフランスとの戦争始まる 7月　華族令を定める 10月　自由党大会で解党を決議 　　埼玉・秩父の農民数千人が郡役所・高利貸を襲撃。東京鎮台の大隊が鎮圧（秩父事件） 12月　ソウルで独立党、竹添日本公使らが日本軍を率いて王宮占領（甲申政変）。清国軍に撃退され、クーデターは失敗。金玉均らは日本に亡命 　　改進党の総理大隈、副総理河野が脱党
1885（明治18）	1月　特派全権大使井上馨、朝鮮政府と甲申政変の善後処理に関する漢城条約調印 3月　福沢諭吉、『時事新報』に「脱亜論」発表 4月　伊藤博文全権大使、李鴻章と天津条約調印（日清両軍共同撤兵、将来派兵の際の行文知照） 　　イギリス艦隊、朝鮮の巨文島を占拠 9月　海運会社「日本郵船」誕生 11月　朝鮮でのクーデターをめざす計画発覚、大井憲太郎ら逮捕（大阪事件） 12月　内閣制度発足。伊藤内閣総理大臣らを任命。第1次伊藤内閣成立
1886（明治19）	10月　民権派勢力の再結集をはかる全国有志大懇親会。星亨らが大同団結を呼びかける 　　英船「ノルマントン」号、紀州沖で沈没。日本人乗客全員溺死。領事海難審判は、英船長以下に無罪判決（後の再審で船長は禁錮三か月）
1887	12月　保安条例で「皇居三里外」に退去命令
1888（明治21）	4月　伊藤首相、憲法・皇室典範草案脱稿を報告 　　伊藤博文、枢密院議長に就任 　　黒田清隆内閣成立 5月　枢密院開院式 　　皇室典範草案と憲法草案を審議 7月　後藤象二郎、大同団結運動の遊説に出発
1889（明治22）	2月　大日本帝国憲法発布。皇室典範制定 　　森有礼、暗殺される
1890（明治23）	7月　第1回衆議院議員総選挙 11月　第1回帝国議会

1　ペンと弁舌を武器に

自由民権運動の号砲

一八七四（明治七）年の民撰議院設立建白書提出に始まる自由民権運動は、八〇年前後に高揚期を迎えます。国会の開設要求だけでなく、憲法の制定、地租軽減、地方自治実現、条約改正なども目標に掲げられました。

西南戦争が峠を越した七七年六月、板垣退助が主宰する立志社は、片岡健吉★（一八四三―一九〇三年）を総代として国会開設を求める「立志社建白書」を天皇に提出しようとします。

それには「国家独立の基本を培殖（育てて繁殖させること）し、人民の安寧（安泰）を図ろうとするなら、「（選挙で選ばれる）民撰議院を設立し、立憲政体の基礎を確立」すべきで、「人民をして政権に参与せしめ、その天稟（生まれつき）の権利を暢達（伸び育つこと）せしめば、人民自ら奮起して国家の安危に任」ずるだろう、と書かれていました。

政府は建白書を却下しますが、立志社はこれを印刷して全国に配布します。同年八

●立志社の外観（高知市立市民図書館松野尾家資料所蔵）

●立志社建白書写（一部）（国立国会図書館ウェブサイトから）

月、西郷軍敗北後の対処を問われた民権運動のリーダー・板垣は、「腕力をもって大政府に抗するは無益である」と語ります。今後は、武力行使ではなく、言論（ペン）による〝紙爆弾〟で運動を展開していくという意思表示でした。

政治危機の連鎖

西南戦争の西郷隆盛軍の敗北は、国内での武力による大規模反乱にピリオドを打ち、政府をひとまず、安堵（あんど）させます。ところが七八年五月一四日、内閣を事実上率いてきた参議兼内務卿の大久保利通が暗殺されました。この政治危機を受け、政府は「ポスト大久保」体制の構築を急ぎ、翌一五日、参議・工部卿の伊藤博文が内務卿に任命されます。伊藤と大蔵卿の大隈重信を中心とする政権がここにスタート、後任の工部卿は難航の末、七月末になって井上馨が就任します。

八月二三日、この伊藤・大隈体制の足元を大きく揺るがす、兵士らの反乱事件（竹

◉片岡健吉

土佐藩の上級武士の家柄で、戊辰戦争では藩兵を率いて各地に転戦した。軍事研究のため渡欧して帰国後、海軍中佐になったが、征韓論に敗れて下野した板垣退助らに従って辞表を提出し、帰郷した。立志社の創設に参加し、同社の社長に選ばれた。八七年には三大事件建白運動を中心になって展開し、保安条例により東京から退去命令を受けた。しかし、これに従わず、一時投獄された。衆議院議員として当選を重ね、自由党などの領袖として重きをなし、九八年から一九〇三年まで衆議院議長を務めた。キリスト教を信仰し、キリスト教教育にも尽力した。

橋騒動）が起きました。反乱軍の主力は、東京・千代田区の竹橋付近に駐留していた近衛砲兵大隊でした。その砲兵の一部九〇余人が、兵営を脱出して仮皇居（赤坂離宮）に迫りましたが、翌二四日、鎮圧されました。

西南戦争の行賞の不公平、俸給（給与）のカットなどで兵士たちは不満を募らせていました。一部の下士官は自由民権思想の影響を受けていました。この騒動で三六一人が処罰を受け、うち兵卒五三人が一〇月一五日に銃殺され、下士官二人が死刑になりました。反乱の規模に比べて、余りに多い刑死者数は、陸軍卿・山県有朋らが受けた衝撃の大きさを物語っています。

山県は同月一二日、全軍に対し、「忠実、勇敢、服従」を説いた「軍人訓誡（戒）」を発布し、天皇の絶対神聖を説くとともに、軍人の政治的な発言や関与を厳禁しました。これは八二年一月に明治天皇から陸海軍人に与えられた「軍人勅諭★」の先触れでした。

七八年一二月五日には、軍の命令・指揮にあたる「軍令（統帥）」機関として参謀本部が新設されました。

従来の陸軍省は、軍隊の編成・給与など「軍政」の担当となり、軍令と軍政の分離が図られました。こうして軍隊を政治から切り離したことは、自由民権運動に対する予防措置という意味もありました。また、統帥権に政治の関与が及ばないとする「統帥権の独立」の背景には、征韓論争時、政府のトップの座にあって軍の指揮権をも握っていた西郷隆盛のような存在の再現を防止する狙いがありました（戸部良一『逆説の軍隊』）。

初代参謀本部長には山県陸軍卿が横すべりしました。

愛国社の再興

七八（明治一一）年四月、立志社は、自由民権運動を全国的に展開するため、愛国社の再興を図ることにします。愛国社は、民撰議院設立建白書を提出した旧愛国公党の同志らが七五年に創設した結社でした。ところが、板垣が参議に復帰し、政府側から「漸次立憲政体樹立の詔」が出されたため、自然消滅していました。

七八年九月、大阪で一一県の代表四六人が参加して愛国社の第一回大会が開かれました。植木枝盛（えもり）★（一八五七―九二年）らの活動家が、西日本各地を遊説して士族結社などから参加者を募り、ここに愛国社が再興されました。

●植木枝盛（国立国会図書館ウェブサイトから）

◉軍人勅諭

「軍人訓誡」発布後、自由民権運動は一層、活発化し、軍隊でも下士官が運動に直接身を投じていた。このため、山県有朋は、軍人訓誡と同じ理念に基づいて「陸海軍軍人ニ下シ賜ヘル勅諭」（軍人勅諭）を出すことを計画し、一八八二年一月に下賜された。軍人の守るべき徳目として、「忠節」「礼儀」「武勇」「信義」「質素」の五項目を列挙。

この中で、「夫（それ）兵馬の大権は朕（ちん）か統（す）ふるところ」として軍統帥の大権は天皇が掌握することを明らかにし、「朕は汝等（なんじら）の大元帥なるぞ」と強調。さらに「世論に惑はす政治に拘（かかわ）らす」と軍人の政治不関与を説き、「下級の者は上官の命を承ること実は直に朕か命を承る義なり」と、上官の命令は天皇の命令として受け止め服従するよう求めた。この勅諭は、太平洋戦争まで日本軍の精神的支柱とされたが、一方で軍部は政治不介入の掟（おきて）を破っていた。

八〇年三月の愛国社の第四回大会には、二府二二県五九社の代表一一四人が、国会開設を求める八万七千余の署名をもって集まりました。これまでの士族に加えて地方の豪農や豪商、府県議らが顔を見せ、参加者が拡大しました。

郡区町村編制法、府県会規則、地方税規則のいわゆる「地方三新法★」の制定（七八年七月）により、府県・町村議会の開設が全国的に認められるようになりました。府県会の被選挙権は「地租一〇円以上」の納税者に限られたため、議員は地方の「名望家」ばかりでしたが、彼らの中から民権活動家も生まれました。

一方、全国各地で議員や戸長、教師、商工業者、農民たちによる、自発的な「結社」が相次いで作られます。これらは、国会開設をめざす政治結社にとどまらず、相互扶助、農事改良、産業振興、武芸鍛錬、学習活動、娯楽・親睦といった種々雑多な性格をもっていました。その数は二〇〇〇以上に達したとみられています。この形にとらわれない、多様な民衆の結びつきが自由民権運動を盛り上げていくことになります。

国会期成同盟が発足

愛国社の第四回大会で、同社は「国会期成同盟」と改称されます。八〇年四月一七日、同盟を代表して、福島に民権結社「石陽社（せきようしゃ）」を創設した河野広中（こうのひろなか）★（一八四九—一九二三年）と立志社の片岡が、「国会を開設する允可（いんか）（許可）を上願するの書」を太政官に提出、却下されました。二人は後年、いずれも衆議院議長をつとめるなど明治の議会・政党の指導者になります。

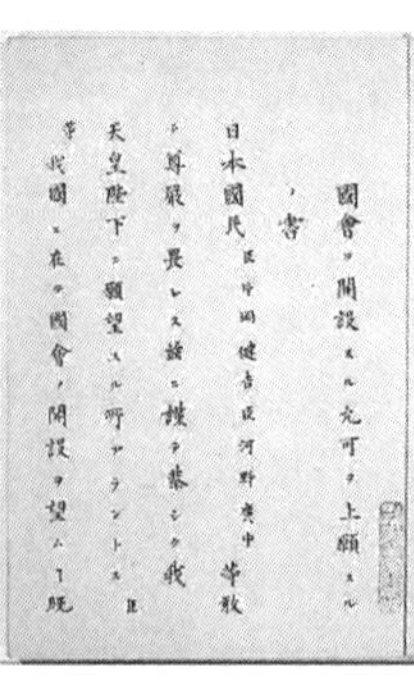

國會ヲ開設スルノ允可ヲ上願スル
ノ書
日本國民 片岡健吉 河野廣中 等敢
テ尊嚴ヲ畏レス謹テ書ヲ奉シテ我
天皇陛下ニ願望スル所アラントス 且
夫我國ニ在テ國會ノ開設ヲ望ムノ既

●国会を開設する允可を上願するの書（国立国会図書館ウェブサイトから）

●片岡健吉（国立国会図書館ウェブサイトから）

上願書では、「人民の自主と愛国心を発せしめ」るとして国会開設や憲法制定を訴え、「民権」が伸張しなければ、「国権」の拡張もできない旨を強調していました（坂本多加雄『明治国家の建設』）。民権運動が国会開設要求に傾いたのは、憲法制定など諸要求を実現するには、まず国会を開かなければならないと考えたためとされます。なお、

◉植木枝盛

土佐藩の下級武士の家に生まれ、東京に遊学し、明六社や三田演説会で近代政治思想を学んだ。一八七七年に帰郷して板垣の立志社に参加、「立志社建白書」を起草した。自由党結成に参画し、板垣のブレーンとなり、私擬憲法「日本国国憲案」を作る。ラジカルな民権思想の理論家の半面、各地を駆けめぐる「行動の人」であり、八〇年の酒税引き上げを機に、酒造業者から減税の請願を受けると、当局の中止要請をかいくぐって酒屋会議を強行し、増税反対の決議をした。ただ、第一回衆議院選挙で当選した後、片岡健吉らとともに藩閥政府と妥協して予算案を通過させ、「土佐派の裏切り」と批判された。

◉地方三新法

日本で初めての地方制度の整備法で、「郡区町村編制法」は、廃藩置県後の画一的な行政区画である大・小区を廃止し、旧来の郡・町・村に戻した。府県会規則は、府県会議会の設置を拡大し、府県会が部分的でも府県予算案を審議できるようにした。地方税規則は、複雑な地方諸税を統一し、府県財政の安定化を図った。これらは、地方に広がり始めた民権要求に応える狙いがあった。

◉河野広中

福島県の三春（みはる）の魚問屋の出身。ミルの『自由之理』（中村正直訳）を読んで民権運動に身を投じ、東北地方の有力なリーダーに。戊辰戦争で三春藩を官軍支持にまとめ、会津攻めに参加し、新政府軍参謀の板垣を知った。自由党結党に参加し、福島県令の三島通庸と衝突して入獄。出獄後の第一回以来、第一四回まで衆議院選挙に連続当選した。一八九七年、自由党を脱党し、憲政本党結成に参加。一九〇三年、衆議院議長。ポーツマス条約に反対し、日比谷焼き打ち事件で入獄した。のち、第二次大隈内閣の農商務相を務めた。

七四年の民撰議院設立建白書から八一年の国会開設の詔勅まで、政府あての建白書・請願書は約一二〇件に上りました。

政談演説会花盛り

都市部での民権運動は、官吏（政府の役人）や教師、ジャーナリストなど知識人によって担われました。その代表的な結社に「交詢社（こうじゅんしゃ）」、「共存同衆（きょうぞんどうしゅう）」、「嚶鳴社（おうめいしゃ）」などがあります。彼らはしばしば政談演説会を開きました。

日本の演説の歴史は、東京・慶應義塾大学の構内に今もある、「三田演説館（みたえんぜつかん）」に始まるとされます。福沢諭吉やその門下生の小泉信吉（こいずみのぶきち）（小泉信三の父）らが、「スピーチ・ディベート（演説・討論）」を日本に根付かせようと、七四年に「三田演説会」を設立、翌七五年にその会堂として演説館が建設されました。

慶應義塾出身者によって八〇年一月に結成されたのが交詢社です。「知識の交換」と「世務の諮詢（しじゅん）」（世の中の問題を相談する）を目的とし、福沢が常議員会長に就任し、創立時の社員は一八〇〇余人に上りました。

共存同衆は七三年、ロンドン留学中の馬場辰猪（ばばたつい）（一八五〇―一八八年）が主唱し、小野梓（おのあずさ）（一八五二―一八六年）の賛同を得たのが始まりです。小野はアメリカ・イギリス留学から七四年に帰国すると、この結社を立ち上げ、その中心人物として活躍。刊行した『共存雑誌』に多くの論文を発表しました。嚶鳴社は、司法省の官吏だった沼間守一（ぬまもりかず）（一八四三―一九〇年）が、同僚の河野敏鎌（こうのとがま）★（一八四四―一九五年）とともに開設しました。

●慶應義塾大学構内にある三田演説館（慶應義塾広報室提供）

集会条例発布

当時の新聞報道によると、東京府下の政談演説団体は、嚶鳴社、交詢社、共存同衆など大中小一七社、社員一万六六七〇余人に達しました（『朝野新聞』八〇年二月七日）。八〇年四月五日、政府は、国会期成同盟などの活動の機先を制する形で「集会条例」を発布します。

条例では、集会は開会三日前に「講談論議の事項」などを警察署に届け出て認可を受けること（第一条）、警察署が「国安（国の平安）に妨害あり」などと認めた時は、集会を認めてはならないこと（第四条）としました。さらに会場に監視役として派遣した警察官が、「公衆の安寧に妨害あり」と認める時、あるいは、退去を命じた者が従わない時は、集会を解散できる（第六条）と定めました。また、軍人・教員・生徒の

●明治会堂演説之図（東京都中央区立京橋図書館所蔵）

◉河野敏鎌

土佐高知城下に生まれる。江戸遊学中知り合った武市瑞山らと土佐勤王党を結成し、帰郷して同志を集めたが、藩論が公武合体に転換したため逮捕、六年間にわたり投獄された。明治維新後に許され、江藤新平の知遇を得て司法大丞兼大検事となる。一八七四年の佐賀の乱では、裁判長としてかつての上司、江藤らを厳しく審理した。八〇年、文部卿として教育令の改正を推進した。翌年に初代農商務卿となったが、「明治一四年の政変」で大隈重信とともに下野した。大隈の立憲改進党結成に参加し副総理に就いたが、党運営に行き詰まり、大隈とともに脱党した。第一次松方内閣で農商務・内務・司法各相、第二次伊藤内閣で文相を務めた。

臨会（参加）を禁止（第七条）しました。違反行為には罰金・禁獄刑を定め、例えば、第一条違反の主催者は、「二円以上二〇円以下の罰金もしくは一一日以上三月以下の禁獄」を科していました。

「弁士！　中止」

政談演説会で、警察官の「弁士！　中止」が繰り返されるようになります。弁士たちは、「国安妨害」の口実を与えないよう気をつけながら、聴衆の喝采を浴びる悲壮な演説をぶったようです。

新聞記者の末広鉄腸★（一八四九―九六年）によると、いかにも「平穏の言論」では「一堂寂寞」として声もなく、「座睡」する者もいました。ところが、「論鋒が政治の得失」に及び、国会開設や政府の「圧制」批判にエスカレートすると、「満堂ほとんど鼎の沸くに異ならない」様相を呈したといいます。

当時の新聞記事をみると、警察の干渉に抵抗しながら演説する〝硬骨漢〟もいました。例えば、ルソーの『民約論』の講義中、警察官が中止命令を出すと、その講師は「政府が許可した書が、国安を妨害するというなら訳者を罰しなければならない」と、食ってかかっています（『朝野新聞』七九年一二月一九日）。また、列車内で、大声で演説していた弁士が、駅員から制止されるや怒り出し、「車中において政談演説を禁じるとは聞いていない。集会条例にも触れていない。我は言論の自由をもって演説し、乗り合わせた人々に聞かせている。理由なき制止は御無用だ」と言い放ち、滔々と演説

●末広鉄腸（国立国会図書館ウェブサイトから）

を続けました（『東京日日新聞』八一年一月二二日）。

人力車を引く「車夫の政談演説会」も開かれています。東京・駿河台から新橋まで、頭に「自由」と記した金紙を貼った奇妙ないで立ちの男が開催をふれまわり、聴衆が会場に続々と集まっています（『朝野新聞』八二年一一月二六日）。身分制社会が壊れて解放された気分の人々が、「もの言う人」になって演説したり、野次馬気分で演説会に押しかけたりする様子がうかがえます。

政談演説会は、集会条例によって打撃を受けますが、演題認可件数をみると、八一年一万二〇一二件、八二年は一万三二一二件を数えるなど、この時期、最盛期を迎えることになります（安丸良夫「民衆運動における『近代』」）。

◉末広鉄腸

『東京曙新聞』や『朝野新聞』の編集長として、新聞紙条例や讒謗律違反で禁錮・罰金刑を受けた。一八八一年に結党された自由党に入党し、同党機関紙の『自由新聞』の社説を担当したが、党首の板垣退助の外遊費問題で衝突して辞職し、自由党も脱党した。八九年には、『朝日新聞』の村山龍平が、星亨から買収して発行した『東京公論』の主筆として迎えられた。その後、立憲改進党から衆議院議員に当選。自由民権運動を広めるという政治目的をもって書かれた「政治小説」でも活躍した。『雪中梅』（八六年）はその代表的作品。

2 明治天皇、表舞台に

「侍補」の設置

西南戦争最中の一八七七（明治一〇）年九月、明治天皇の傍らに政治教育係として「侍補」★が置かれました。儒学者・元田永孚★（一八一八―九一年）が主導して岩倉具視や大久保利通に働きかけた結果でした。

一等侍補には徳大寺実則（宮内卿兼務）、吉井友実、土方久元★（一八三三―一九一八年）が就き、二等侍補には元田と高崎正風★（一八三六―一九一二年）らが就任しました。

明治維新が、「公議輿論」と「天皇親政」を標榜して断行されたことは、これまで何度か述べてきました。天皇は七五年、「漸次立憲政体樹立の詔」を発し、「公議輿論」の機関としての議会の開設に一定の道筋をつけました。その一方で、天皇親政の方は、体制整備こそ図られましたが、親政とは名ばかり、実質を伴っていないという批判がありました。

維新から一〇年を経て、侍補たちは、依然として不安定な政局のもと、「天皇輔導（たすけみちびくこと）」体制を強化し、天皇親政の実を上げようと活動を強めることにな

●明治天皇（以下、本項の写真はすべて国立国会図書館ウェブサイトから）

◉侍補

宮内省改革の一環として、侍補、侍講、侍従、侍医の四局が置かれた。同省職制及び事務章程（一八七七年九月）は、侍補の職務として「常侍規諫闕失ヲ補益スル」と定めた。規諫とは「枠にはまるよういさめる」、闕失とは「あやまち」。儒教の教えに基づき、天皇の側近に陪侍して天皇を補佐するのが役割だった。一等から三等侍補まで計一〇人。七九年に廃止された。

◉元田永孚

熊本藩出身。藩校・時習館で、開明派の横井小楠の強い影響を受け、ともに実学党を結成した。一八七一年に宮内省に出仕し「侍読」となり、明治天皇に『論語』などを進講した。天皇の「君徳培養」実現のため、三条実美や岩倉具視に建言を重ね、侍補に就いて「天皇親政」運動の理論的支柱となった。教学大旨や教育勅語の起草にも深く関与した。条約改正問題にも関心を示し、内地雑居や外国人裁判官の任用に反対した。宮中顧問官、枢密顧問官となり、一貫して天皇の「御手許機密の顧問」として天皇の信任を受けて活動した（『国史大辞典』）。

◉土方久元

土佐藩郷士の子として生まれ、土佐勤王党に加わって上京し、諸藩の志士と交流した。文久三年八月一八日の政変に伴う三条らの「七卿落ち」に随行して長州に下り、三条実美の信を得た。また、中岡慎太郎らとともに薩長連合の実現にも貢献。維新後は新政府に出仕し、東京府判事、一等侍補、内閣書記官長、宮中顧問官などを経て、農商務相、宮内相を務めた。その後、臨時帝室編修局総裁に就任し、『明治天皇紀』の編纂に尽力した。

◉高崎正風

父は薩摩藩の「お由羅騒動」に連座して切腹し、正風は奄美大島に流された。間もなく許され、戊辰戦争では征討軍参謀を務めた。左院少議官、侍従番長を経て、御歌所の所長を長く務めた。明治天皇の歌のほとんどは正風が点したものとされる。正風は、天皇輔導に心を砕き、天皇の御製をめぐる談論の最中ですら、「詠歌の故を以て政を忽諸（おろそか）にしたまふことあらば、是れ国運衰頽の根本たり」などと、諫言してはばからなかったという（笠原英彦『天皇親政』）。

ります。

「幼沖の天子」

明治天皇は一八五二（嘉永五）年一一月三日（旧暦九月二二日）、孝明天皇（一八三一―六七年）の皇子として京都で生まれました。ペリー提督が浦賀に来航した前年にあたり、母は権大納言・中山忠能の娘で、典侍・中山慶子でした。孝明天皇が六七年一月三〇日に急死すると、二月一三日、睦仁親王が践祚（即位）して第一二二代の天皇（明治天皇）となります。数え年一六歳でした。

アメリカの開国要求に苦慮した幕府は、通商条約締結に天皇の同意を求めました。それ以降、天皇・朝廷の権威と政治的位置がせりあがり、天皇は政局の中心に置かれるようになって、「王政復古の大号令」が発せられました。とはいえ、明治新政府の初の会議で、議定の一人が新天皇のことを「幼沖（おさないこと）の天子」と言ったかと思えば、天皇に謁見した外交団のメンバーは、「眉は剃られて額の上により高く描かれ、頬には紅をさし、唇は赤と金に塗られ、歯はお歯黒で染められていた」天皇の姿を目撃していました（ミットフォード『英国外交官の見た幕末維新』）。

天皇は、これまで宮中にこもり、公家や女官らに取り囲まれて生活してきました。しかし、これから先は、「王政復古」に基づいて、天皇が裁断を下す「天皇親政」を目指さなくてはなりません。維新政府の首脳らは、そのためにまず、天皇を公家や女官から切り離し、「君徳培養」の教育を進めることとします。とくに古い風習の京都

●孝明天皇

●明治天皇の生母である中山慶子

から天皇を地方に連れ出し、臣民の暮らしぶりを見てもらう「行幸」を検討します。

「見える天皇」に

政府は、宮中改革に着手し、明治天皇の文武にわたる教育をスタートさせました。一八七一年、宮内大丞に薩摩出身の吉井友実、西郷隆盛の側近として西南戦争で戦死する村田新八、侍従には、後に佐賀の乱を起こして斬罪になる島義勇、元幕臣の山岡鉄舟らが命じられます。いずれも尚武の気風に富んだ士族たちが天皇周辺に置かれたのです。同時に、宮中の女官の多くが罷免となり、後宮は、六九年二月に入内した美子皇后（のちの昭憲皇太后、一八四九―一九一四年）の管轄になりました。皇后は故左大臣・一条忠香の娘でした。

天皇は乗馬をとても好むようになり、軍事演習にも参加し、騎馬で連隊を指揮するなど訓練を重ねます。西洋料理を食べ、髷を切り、服装も洋服に改めて大きくイメージチェンジしました。洋学者の加藤弘之、次いで西周が、天皇に学問を講じる「侍読」として、欧米の政体や英米比較論などを進講しました。その一方で、元田が、大久保の推挙で熊本から宮内省に出仕し、明治天皇に『論語』を進講しました。

天皇は六八年に大坂に「親征」した後、東京へ大行列を従えて「東幸（大巡幸）」します。宮中からほとんど外に出なかった孝明天皇とは対照的に、「民衆の前に現前する天皇」（大久保利通）としてデビューしたのです。政府はこれによって、天皇を国民から「見える」存在にして、権力の交代とその所在を明確にし、天皇が名実ともに君

●美子皇后

●明治九年六月二日奥羽御巡幸萬世橋之真景

主であることを示そうとしました。

その後、明治天皇は、七二年の近畿・中国・九州地方を手始めに、七六年（奥羽）、七八年（北陸・東海道）、八〇年（中央道）、八一年（山形・秋田・北海道）、八五年（山陽道）と、いわゆる「六大巡幸」を行います。明治年間、天皇の地方巡幸は計六〇回を数えることになります。

天皇は、廃藩置県を経ると、文雅（ぶんが）よりも「武を率いる、欧化をまとった、活発な、京都朝廷の君主ではなく国民の君主という像」（西川誠『明治天皇の大日本帝国』）を確かなものにしていきました。

天皇親政運動

維新以降の政治は、薩長など西南雄藩の少数支配が続き、自由民権派から「有司専制」と厳しく批判されるようになります。士族の反乱や農民一揆も相次ぎました。

とくに七七年に発生した西南戦争時、西郷隆盛を信頼していた天皇は、征討には消極的で、一般の政務も滞る事態となりました。元田は、こうした一連の問題を天皇統治の危機ととらえたようです。このため、内閣の重要な会議には天皇が出席するようにして天皇の政治関与を図る一方、新設した侍補らが「内廷夜話（ないていやわ）」と称する催しを開いて、天皇と親しく接するようにしました。一八七八年三月、新たに一等侍補として佐々木高行（たかゆき）★（一八三〇—一九一〇年）が加わります。

笠原英彦『天皇親政』によると、佐々木や元田らの侍補グループは、天皇親政体制

●佐々木高行

を強化するため、天皇輔導に熱心な大久保内務卿を右大臣ないし宮内卿として迎える工作を進めます。そして大久保は宮内卿就任を受諾しました。ところが、七八年五月一四日、大久保が暗殺され、この構想は宙に浮きます。

暗殺犯の斬姦状（ざんかんじょう）は、今の政治は「天皇陛下の聖旨」に出ず、「衆庶人民の公議」によらず、「要路官吏数人の臆断（おくだん）専決」によるものだと、政権を強く批判していました。佐々木、元田ら侍補一同は同一六日、天皇に対し、斬姦状の言う天皇親政の空洞化に触れつつ、「今日より御奮発し、天皇親政の御実行をあげさせ、内外の事情にも十分通じなくては、維新の御大業も水泡画餅（すいほうがべい）に帰す」と、危機感もあらわに上奏しました。翌々日には侍補らの閣議への陪席（天皇に従っての同席）も要求しました。

これを契機に、伊藤博文と侍補との対立が露呈します。陪席要求について伊藤は強硬に反対し、拒絶しました。それは宮中と府中（政府）分離の原則に反し、侍補の政治介入につながるというのがその理由でした。

◉佐々木高行

土佐藩士として貧苦の青年時代、儒学・国学を修得し、藩内勤王派として藩政にもかかわり、後藤象二郎、坂本龍馬と大政奉還の建白について協議した。維新後の七一年、司法大輔に就き、岩倉使節団の一員として米欧各国の司法制度の調査にあたった。征韓論政変では、下野した土佐派の板垣退助らと分かれて政府にとどまり、左院副議長や元老院議官を歴任した。元田らと侍補勢力を結集して天皇親政を推し進め、侍補廃止後は中正党の指導者として天皇親裁体制の確立を目指した。一八八一年に参議兼工部卿、八八年から枢密顧問官をつとめた。

侍補たちの抵抗

侍補らは、大久保死去後の人事で、井上馨の工部卿就任にも反対しました。さらに七八年秋の北陸・東海道巡幸で、民衆の疲弊ぶりを目にした天皇が、「勤倹(きんけん)」を重視するよう岩倉に告げると、侍補らは「勤倹」と「親裁」と「漸次立憲政体の確立」を求める議案を作成し、政府に実現を迫りました。「勤倹」は冗費節約を求めるものであり、殖産興業のために財政支出を拡大している政府を牽制(けんせい)するものでした。

さらに侍輔らは、教育政策についても注文をつけ、政府に抵抗します。

政府はフランスの教育制度にならって七二年に学制を公布しましたが、地方の実情を無視した制度は、多くの弊害を生みました。このため、七九年、学制を廃止し、地方の意向も尊重する「教育令」を新たに公布しようとしました。

一方、明治天皇は、五箇条の御誓文で「智識を世界に求め」と述べたように、教育問題に熱心でした。天皇は七六年七月、巡幸先の青森で小学校を訪問しました。そこでは生徒たちが英語で文章をつづり、カルタゴの名将ハンニバルやアンドリュー・ジャクソン米大統領について英語で器用に演説していました。天皇は『ウェブスター中辞典』を買う代金として生徒一人一人に金五円を与えましたが、この西洋志向の教育を喜んでいませんでした。七八年には元田に、生徒たちが日本に無知なのは、「米国教育法」のせいではないのか、と語り、岩倉に対しては、学校では「本邦固有の道徳を涵養(かんよう)する」ことが緊要との考えを伝えました（ドナルド・キーン『明治天皇（二）』）。

「教学大旨」vs「教育議」

こうした天皇の意見を踏まえ、政府の教育令制定を批判しつつ、元田の手で書かれたのが「教学大旨」でした。『明治天皇紀』によれば、以下のように記されていました。

維新の初めに、西洋の長所を取り入れ、それが功を奏した。とはいえ、一方で仁義忠孝をなおざりにし、洋風を競うばかりでは将来が危ぶまれ、君臣、父子の大義を忘れることになるかもしれない。これは我が教学の本意ではない。今後は、祖宗の訓典に基づき、仁義忠孝を明らかにし、道徳の学は孔子を主とし、誠実品行を尊び、中正な教育学問が行われるならば、我が国独立の精神において天下に恥じることはない。

●元田永孚

元田は儒教による道徳教育の充実を求めていました。これに対して、伊藤は、法制局書記官の井上毅(いのうえこわし)（一八四三―九五年）に「教育議」を執筆させて対抗します。教育議では、道徳の退廃の原因は、開国と封建制の廃止によるものであり、教育の失敗のためではないと反論。そのうえで、古今を折衷し教典を斟酌(しんしゃく)して「国教」を打ち立てるようなことは「賢哲」（賢人と哲人）の仕事であって、政府のなしうるところではないと、政府主導の道徳教育に否定的な見解を示しました。

結局、教育令は七九年九月、原案のまま公布され、伊藤ら政府側が元田らの動きを退けます。

政府は同年一〇月、侍補制度を廃止します。きっかけは侍補の副島種臣（そえじまたねおみ）の免職に侍補らが抵抗したことでした。こうした侍補による人事干渉の裏には、「天皇を擁する侍補の儒教主義と、伊藤を先頭とする政府の欧化主義の相いれない対立」が横たわっており、伊藤と元田との「教育論争は、まさに政府のありかたそのものにかかわっていた」（飛鳥井雅道『明治大帝』）と指摘されています。

なお、後年の九〇（明治二三）年に発布される、「忠君愛国」をうたった「教育勅語」は、元田と井上が協力して起草にあたることになるのです。

3　憲法めぐり百家争鳴

欧米をモデルに

日本で初めての国家（憲法）構想は、坂本龍馬の「船中八策」（一八六七年）とされています。それによれば、議事院は上・下の二院制とし、上院は公卿・諸侯、下院は陪臣・庶民の選挙で選ばれた議員で構成し、憲法を制定すべきだと主張していました。

維新政府は一八六八年、新たな政治組織を定めた「政体書」を公布し、七三年には左院が「国会議院規則」を作成しました。さらに七五年四月には、時日をかけて立憲制への移行を図る「漸次立憲政体樹立の詔」が出されます。七六年九月、元老院議長への勅語で、「我（が）建国の体に基（づ）き、広く海外各国の成法を斟酌し、以て国憲を定めんとす」と、日本の建国以来の国情にふさわしい憲法の制定をめざすことがうたわれました。

元老院は、議官である柳原前光らを国憲取調委員に任じるとともに、オランダ生まれのアメリカ人・フルベッキとフランス人・デュブスケ★（一八三七—八二年）を雇用しました。イギリス、アメリカ、フランス、プロイセン、ベルギー、スペイン、ポルト

朕爰ニ我建國ノ體ニ基キ廣ク海外各國ノ成法ヲ斟酌シ以テ國憲ヲ定メントス汝等ソレ宜シク之カ草按ヲ起創シ以テ聞セヨ朕將ニ撰ハントス

●元老院議長への勅語（国立公文書館蔵）

ガル、オランダ、オーストリア、デンマーク、イタリアなどの憲法を翻訳し、比較検討しながら、早くも一〇月には「日本国憲按（案）」の作成作業を終えました。

七八年には第二次案、八〇年に第三次案が作られます。その第三次案を見ますと、冒頭に「万世一系の皇統は日本国に君臨す」と明記し、元老院と代議士院の二院制を採用、法律は両院と皇帝（古来の天皇の称をやめて、皇帝とよぶ）の批准が必要としています。さらに、以下のような趣旨の規定を盛り込んでいます。

・皇帝は神聖にしておかすべからず
・皇帝による宣戦、講和、通商条約の締結は、国費を要し、国境の変更を要するものは、両院の承認を必要とする
・皇帝に男系子孫の継承者なきときは女統をもってすることができる
・国民の権利の得喪はすべて法律により、国民は法律上、平等である
・国民の自由権はおかすべからず。法律によらず拘引、拿捕、拘禁等を禁じる
・国民の移転、居住、財産の所有、信書の秘密、言論、出版、信教、集会、結社、建議等の自由は、法律によらずしておかしてはならない
・租税は法律によらねば課すことはできない

これらの規定は、「革命的な民主化とまではいえないにしても、まさに欧米の憲法政治にならい、飛躍的な近代化を企図したもの」と言えました（清水伸『明治憲法制定史（上）』）。しかし、岩倉具視は、皇位継承を憲法に書いたりすることは、憲法を天皇の上位に置くもので「国体にそぐわない」として廃棄を決めます。のちに、明治憲法の制定を主導する伊藤博文も、「欧米諸国の憲法の焼き直しであり、自国の前途を考

えない憂うべきもの」と批判しました。

都市民権派の構想

七四年の「民撰議院設立建白書」以降、国会開設要求の高まりとともに、都市部の民権派結社を中心として多くの私擬憲法（民間人が起草した憲法案の総称）が生まれます。共存同衆の「私擬憲法意見」（七九年三月頃）、嚶鳴社の「憲法草案」（同年末頃）、交詢社の「私擬憲法案」（八一年四月）などが代表的で、少なくとも約二〇の草案が確認されています。その多くは、立憲君主制、二院制、下院の財産選挙制（選挙権は一定以上の財産をもつ男子のみ）、予算審議権、実質的な議院内閣制を採用していました（牧原憲夫『民権と憲法』）。

共存同衆の案と嚶鳴社の案とは、よく似ており、両案とも、議院内閣制で、国民の権利を明示するなどイギリス流の立憲主義に立っていました。交詢社の案も、イギリスをモデルとする政党内閣制の採用を明示しており、元老院は勅選の議員と公選議員からなり、国会院は民選議員で構成するとしていました。

◉アルベール・シャルル・デュブスケ

一八六七年、幕府に招かれたフランス陸軍の軍事顧問団の一員として来日した。明治維新後、フランス公使館の通訳官となり、その後、お雇い外国人として兵部省の兵式顧問、七一年に左院、元老院、東京府などに雇用され、各国の憲法・法律の翻訳や調査などにあたった。ジブスケ（治部助）と呼ばれたり、書かれたりした。

一方、国会期成同盟は、八〇年一一月に開かれた第二回大会で、翌年一〇月の第三回大会までに各結社が憲法見込み案を考案し、これを持ち寄ることを決議しました。のちに、足尾銅山の鉱毒問題解決に尽力する田中正造（一八四一―一九一三年）らが設立した栃木県の民権結社をはじめ、岩手から福岡まで全国の民権派グループが、憲法草案づくりを進めます。

五日市生まれの憲法

地方の民権運動を通じて誕生した憲法草案の一つが、「日本帝国憲法（五日市憲法草案）」でした。一九六八年、東京都西多摩郡五日市町（現・あきる野市）の深沢家土蔵から、歴史家・色川大吉（当時、東京経済大教授）が指導していたゼミの学生らによって発見されました。

色川ゼミの一員だった新井勝紘・元専修大教授の『五日市憲法』によると、東京西部の五日市では、一八八一年に発足した結社「五日市学芸講談会」が、民権家たちを招いて演説会などを主催し、併せて会員の相互扶助を充実させて組織強化を図っていました。また別の「五日市学術討論会」という結社が、政治・法律問題に関する討論会を開催。民権家・深沢権八が書き残した文書によれば、安楽死を認めるかどうかや「女帝（女性天皇）を立つるの可否」など、大いに今日的なテーマが論題に掲げられていました。

憲法草案の文書には、起草者として千葉卓三郎★（一八五二―八三年）の名が書かれて

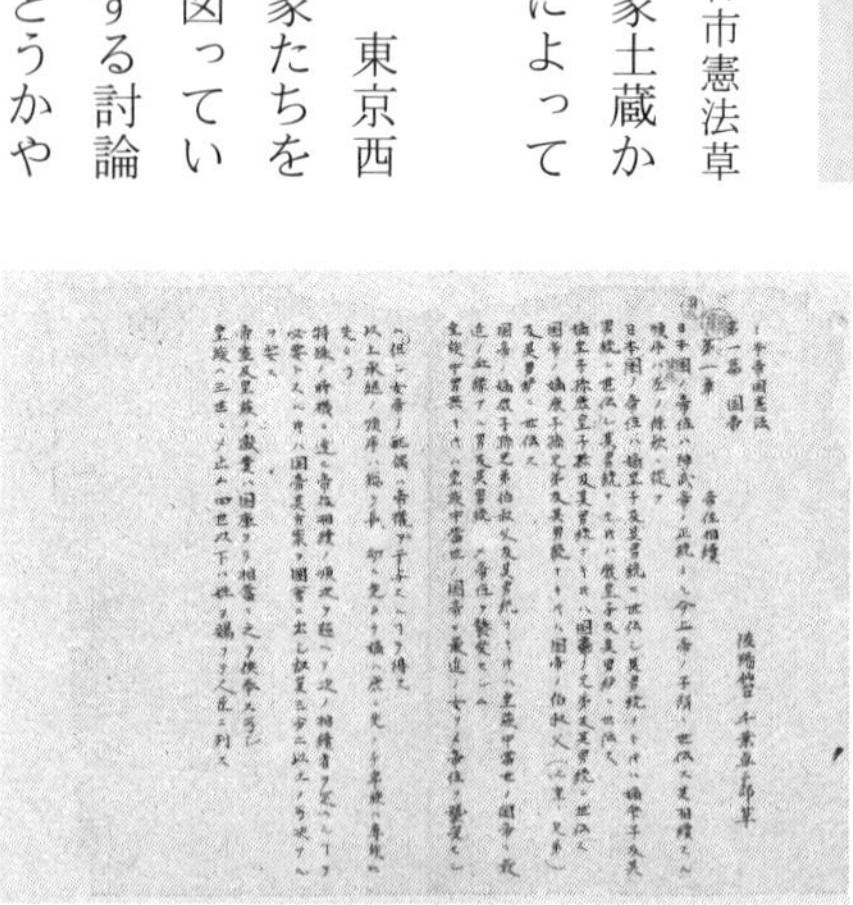

●五日市憲法草案（あきる野市提供）

いました。その千葉が中心となり、講談会と討論会での議論をもとに、結社の仲間と共に八一年四月から九月の間、五日市憲法は作成されました。薄い上質の和紙に清書され、「国帝」「公法」「立法権」「行政権」「司法権」の全五篇、計二〇四か条で構成されていました。

これらは、同じく深沢家の土蔵で見つかった嚶鳴社の憲法草案を参考にして書かれたことがわかっています。約半数は、嚶鳴社案を引用・修正補充している一方で、独自の条文が一〇一条ありました（新井『五日市憲法』）。特徴的なのは、「国民の権利」として三六か条にわたる詳細な人権規定をもつことです。とくに第四五条は、「日本国民は各自の権利自由を達すべし、他より妨害すべからず、かつ国法これを保護すべし」と、実に明確です。

ただ、思想・言論・出版の自由に法律の遵守（じゅんしゅ）を求めたり、結社・集会の自由に法律の抑制を加えたりしています。このために「未完の人権憲法」（江村栄一「幕末明治前期の憲法構想」）という評価もあります。

●千葉卓三郎（あきる野市提供）

●深沢家の土蔵（あきる野市提供）

◉千葉卓三郎

多彩な学問・宗教遍歴をもついわば「放浪の青年思想家」だった。仙台藩士族の子として生まれ、仙台で大槻磐渓に学ぶ。戊辰戦争に従軍、敗戦を経験した。医学、皇学（こうがく）（国学）、浄土真宗を学んだあと、ハリストス正教会（東京・駿河台）の司祭ニコライのもとで洗礼を受け、キリスト教徒となった。その後、フランス語や英語なども学習して、五日市に入り、勧農学校（公立小学校）の教員をしながら民権運動に参加した。

抵抗権と革命権

民間人起草の「私擬憲法」の中で、「最も民主主義的」と評価されているのが、立志社の植木枝盛が、八一年八月に起草した「日本国国憲案★（東洋大日本国々憲案）」です。『明治憲法成立史』（稲田正次著）は、その特徴として、第一に、アメリカ憲法やスイス憲法を参照して連邦制を採用していること、第二に基本的人権保障に重点を置き、権利自由の不可侵性を強調していること、第三に人民主権の原則、第四に権力分立主義、第五に納税者に選挙権を与えていること――を挙げています。

中で最も注目すべきは、アメリカ独立宣言やフランス人権宣言などを参照して抵抗権、革命権を憲法に条文化していることでした。

政府側は、こうした自由民権派の隆盛と「急進化」に危機感を抱きます。右大臣・岩倉具視は当時、太政大臣・三条実美にこう語っています。

> 今や国会開設を熱望し、嗷々と論議する者八方に起る。若し放擲して之を顧みざるときは、恐らくは詭激の言行を以て益々衆心を煽動し、国家の平安を擾攪し、終に防御す可からざるの禍患を見るに至らん。

政府内のこうした危惧こそ、政府をして集会条例を発動させ、民権派への取り締まり強化に走らせた理由といえました。

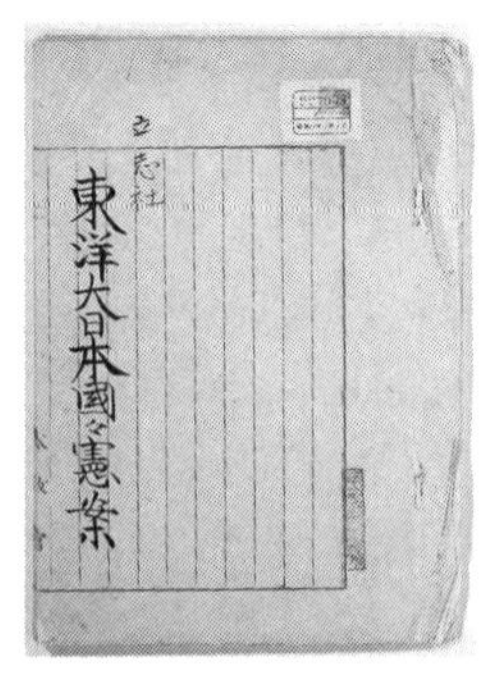

●立志社の「東洋大日本国々憲案」（国立国会図書館ウェブサイトから）

政府側は漸進論

岩倉は、政府として憲法制定問題の主導権をとるため、各参議に憲法についての見解を提出するよう求め、調整に動き始めます。

山県有朋は七九年一二月、意見書を提出し、「国憲（憲法）確立」は必要としたうえで、府県会の徳識ある議員からなる「特撰議会」を設置して「国憲」の条件を議論させると提案しました。ただし、議会の解散権はあくまで政府が握ることを前提としていました。

次いで八〇年には黒田清隆、山田顕義★（一八四四―九二年）、井上馨、伊藤博文が意見

●岩倉具視（国立国会図書館ウェブサイトから）

◉植木枝盛の日本国国憲案

▽日本の人民は、法律上に於て平等となす（第四二条）▽日本の人民は、法律の外に於て自由権利を犯されざるべし（第四三条）▽日本人民は拷問を加へらるることなし（第四八条）▽日本人民は、思想の自由を有す（第四九条）▽日本人民は自由に集会、結社するの権を有す（第五四、五五条）――といった基本的人権の規定や、▽日本人民は日本国を辞することを得、と国籍離脱の自由を明記している。

さらに▽日本人民は凡そ無法に抵抗することを得（第六四条）▽政府国憲に違背するときは、日本人民は之に従わざることを得（第七〇条）▽政府官吏圧制を為すときは、日本人民は之を排斥することを得。政府威力を以て擅恣暴虐を逞ふするときは、日本人民は兵器を以て之に抗することを得（第七一条）▽政府恣に国憲に背き、擅に人民の自由権利を残害し建国の旨趣を妨ぐるときは、日本国民は之を覆滅し、新政府を建設することを得（第七二条）など、抵抗権や革命権を規定していた。

書を出します。黒田は「国会は今日不可、時機尚早」として消極的でした。これに対して井上は、世論を尊重して議会を開設し、憲法を制定すべきだが、そのためにはまず民法を編成し、あわせて元老院を廃止して上院を創設する。憲法も民法も内閣によって起草した後、国会で議決すると提言しました。

山田は、人民の権利や租税徴収など限定的な範囲で、国民に参政権を与えて憲法を仮定し、四―五年間、試行の後、可否を考究し、憲法を確定するとしていました。伊藤は、元老院を拡張し、元老院議官を華士族から選ぶことを提案するとともに、国会開設について政府の所信を詔勅で示すよう求めました。これらの参議の意見は多様ですが、黒田を除き、総じて国会開設はもう少し先のこと、つまり漸進論といってよい内容でした。

こうした中、伊藤と大隈、井上の三人は、八〇年の暮れから正月にかけ、互いに接近して政治的な動きをみせます。三人は福沢諭吉と会談し、議会開設に向けて、在野の民権運動とは異なる、責任ある論調の政府系新聞の発行計画を示して、福沢の協力を求めました。福沢は返事を保留しましたが、井上が福沢と再会談し、政府として議会を開設する覚悟を示すに及んで、福沢も応諾しました。しかし、これは空手形に終わります。また、八一年一月、伊藤・大隈・井上は、熱海の湯治場で、黒田も交えて懇談し、国会開設に熱意のない黒田の説得にあたったものの、不調に終わりました。

●山県有朋（国立国会図書館ウェブサイトから）

●山田顕義（国立国会図書館ウェブサイトから）

「立憲の政は政党の政なり」

八一年三月と五月に、大隈重信と大木喬任の意見書がそれぞれ提出されます。大木は、日本の憲法は外国に則ってはならず、我が国独自の国体に立脚するものでなければならないと力説し、「帝憲（皇室典範）と政体（憲法）を定め、国会を興すべきの期を天下に示す」ことが急務と強調しました。

一方、大隈の憲法意見書は、七節構成で、「第一、国議院開立ノ年月ヲ公布セラルヘキ事。第二、国人ノ輿望ヲ察シテ政府ノ顕官ヲ任用セラルヘキ事。第三、政党官ト永久官トヲ分別スル事。第四、宸裁ヲ以テ憲法ヲ制定セラルヘキ事。第五、明治十五年末ニ議員ヲ撰挙シ十六年首ヲ以テ議院ヲ開クヘキ事。第六、施政ノ主義ヲ定ムヘキ事。第七、総論」からなっていました（真辺将之『大隈重信』）。

そこで大隈が主張したのは、選挙で多数議席を得た政党の党首に天皇が組閣を命じ

●大隈重信（国立国会図書館ウェブサイトから）

◉**山田顕義**

長州藩士の子として生まれ、松下村塾に学び、戊辰戦争に従軍し、東北から箱館五稜郭に転戦した。一八六九年に兵部大丞に任命され、岩倉使節団に理事官として随行し、各国の法制を調査研究した。帰国後、東京鎮台司令長官となり、佐賀の乱や西南戦争に出征して、反乱士族の鎮圧にあたった。工部卿、内務卿、司法卿などの要職を歴任し、八五年に発足した第一次伊藤内閣の司法相に就任。黒田、第一次山県、第一次松方各内閣でも留任し、各種法典の整備に力を尽くした。日本法律学校（現在の日本大学）設立にもかかわった。

る議院（政党）内閣制の採用でした。さらに、八一年中に憲法を制定して八二年初めまでに公布、同年末には議員を召集し、八三年初めには国会を開設すべきだと、具体的な日程まで明記しました。また、参議、各省卿、輔及び諸局長、侍講、侍従長などを「政党官」とし、政権党の議員を充てることも提案していました。もっとも大隈は、憲法の制定にあたっては、あくまで内閣で委員を定め、「欽定憲法」として作業に着手するよう求めていました。

大隈意見書の末尾には、その基本理念として「立憲ノ政ハ政党ノ政ナリ」と書かれていました。イギリス流の議会・政党政治を憲法によって速やかに実現すべきだという大隈の「急進論」は、政府・閣内で物議をかもし、やがて大政変に火をつけることになります。

4 「憲法」めぐり一大政変

伊藤と大隈の衝突

伊藤博文と並ぶ実力者だった大隈重信（一八三八―一九二二年）は、各参議に求められた憲法意見書をなかなか提出しませんでした。不審に思った明治天皇からの督促を受け、一八八一（明治一四）年三月、ようやく左大臣・有栖川宮熾仁親王（ありすがわのみやたるひと）に提出しました。その際、大隈は、天皇に奏上する前に他の大臣・参議には見せないよう申し出ています。

この意見書は、すでに述べたように、イギリスの国会・政党政治を範とし、一年後に議員選挙、二年後に国会を開くというスケジュールを示していました。大隈としては、政党内閣・議院内閣制の案を明確に打ち出すことで、自由民権派の出鼻を挫（くじ）き、早期の選挙で多数派を形成し、政局の主導権を確保しようとしたとみられています。

有栖川宮は、この意見書を読んで驚き、太政大臣・三条実美と右大臣・岩倉具視にひそかに内示します。三か月を経た六月下旬、大隈意見書への批判が一気に噴き出します。岩倉がまず、大隈意見書は「可恐廉（おそるべきかど）」があると言い出します。伊藤は七月二日、

●大隈重信（一八七三―七四年頃）

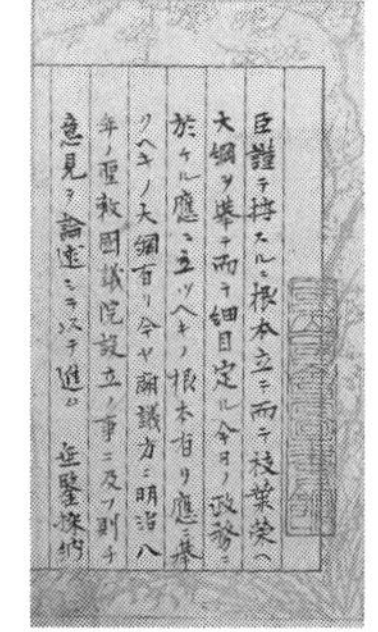

臣謹テ按スルニ根本立テ而テ枝葉栄ヘ
大綱ヲ挙テ而テ細目定ル今ヤ政務ニ
於ケル応ニ立ツヘキノ根本有リ応ニ挙
クヘキノ大綱有リ今ヤ廟議方ニ明治八
年ノ聖勅国議院設立ノ事ニ及フ則チ
意見ヲ論述シテ以テ進ム

●大隈重信の憲法意見書

岩倉への書簡で、「実に意外の急進論にて、とても魯鈍の博文、驥尾に随従候事は出来申さず」と、参議辞職の意向を伝えました。

大久保利通の暗殺後、伊藤と大隈は、憲法問題を含めて協力・連携して政権運営をしてきました。伊藤にすれば、この一件で大隈は、自分と相談もせずに抜け駆けの上奏をした、これは許せない、と思ったようです。とくに大隈意見書にある「政党官」の任命は、「君権を人民に移すに等しい」と反発。三条への書簡では、「大隈の建言は、恐らくは同氏一己の考案には有之間布」と、大隈と福沢諭吉系の人々との結託を疑っていました。

この年初まで良好だった伊藤と大隈との間に、いったい何があったのでしょうか。真辺将之『大隈重信』は、大隈意見書が突如問題化した裏に、太政官大書記官・井上毅★(一八四三―九五年)の暗躍があったと指摘しています。井上は六月ごろから、岩倉に対して大隈意見書の問題点を挙げ、伊藤に対してはプロイセン★(プロシア)流憲法の確立を訴え、大隈意見書の背後に「福沢派あり」と危機感をあおり立てていました。

井上毅のプロイセン流

井上は八一年六月上旬、岩倉から大隈意見書を見せられ、憲法調査を命じられました。井上は外務省法律顧問のドイツ人・ロエスレル★(一八三四―九四年)とも相談して報告書を提出します。岩倉は井上案を自らの意見書として、七月五日、三条、有栖川宮の両大臣に提出しました。それは憲法起草の根本方針を列挙した「大綱領」などか

●井上毅

らなっていました。のちの明治憲法は、概ね、この線に沿って作成が進められることになるので、とても重要な文書とされます。

◉井上毅

熊本城下に生まれる。幕末に江戸に遊学しフランス学を学んだ。維新後は司法省官吏となり、七二年に欧州に派遣され、各国の法制を研究した。一八七四年の清国との北京交渉で、大久保利通に随行して認められ、七五年には『王国建国法』を翻訳、プロイセン憲法を日本にはじめて紹介した。伊藤博文の指示で「教育議」を起草したあと、大隈重信の憲法意見書に対抗して、欽定憲法構想をまとめ、岩倉具視に提出した。また、新設の参事院議官として、憲法や皇室典範の起草にあたり、憲法制定会議では司会を務めた。九〇年には「教育勅語」も起草、九三年三月、第二次伊藤内閣の文相に就いた。「明治国家のイデオローグ」とも評される。

◉プロイセン

プロイセンはドイツ語。プロシアは英語名。ドイツの名家・ホーエンツォレルン家の支配下にあり、一八世紀にはオーストリアと並ぶ大勢力になった。一八三四年、ドイツ関税同盟の結成に主導力を発揮し、一八六一年に新国王ヴィルヘルム一世が即位し、ドイツ統一に乗り出した。五〇年に成立したプロイセン憲法は、ドイツ的立憲君主主義といわれ、国王の権限が強大であるのに対して、議会の地位・権限は政府に対して極めて弱く、国民の基本的人権の保障も同様に弱かった。

◉ヘルマン・ロエスレル

ドイツの公法学者で、一八七八年に来日したお雇い外国人。日本外務省、太政官などの法律顧問として、日本側からボアソナードとともに最も信頼を寄せられた。とくに井上毅は、憲法調査の開始にあたって、ロエスレルとボアソナードを相手に、「英国の諺に、国王は国を統べて国を治めずという。この言葉は、プロイセンにおいても通用するか」などと質問。こうした問答を通じて、イギリスとプロイセンとの政体の異同を考え、採るべき立憲政体の理論と制度をプロイセンに見出していったという。ロエスレルは、伊藤博文の命によって井上毅とは別に自ら憲法草案（全八章九五か条）を起草した（大石眞『日本憲法史』）。

その主なポイントは次のようなものでした（清水伸『明治憲法制定史（上）』）。

▽わが国の憲法は欽定憲法でなければならない

▽国会の構成と運営はイギリスを範とせずに、プロイセンのそれによる

▽国務大臣は天皇の親任によってその地位を安定せしめる

▽国務大臣はおのおの天皇に対して責任を負い、連帯責任としない

▽予算が国会で成立しないときは、前年度の予算を施行しうるようにする

大隈意見書を排撃

天皇が大臣以下、文武官の任免権をもつことや、連帯責任を否定する単独輔弼責任制、予算が成立しない時の前年予算執行ルールなどは、いずれも国会・政党政治を否定するものと言えます。

実際、井上起草の岩倉意見書は、イギリス国会の権限は強大であり、立法権のみならず、行政の実権も把握している。首相の進退も多数党に左右されていて、国王はいたずらに「虚器」（名ばかりで役に立たない器）を擁するのみ、と批判しています。これに対してプロイセンでは、「立法権は議院とこれを分かつといえども、行政権はもっぱら国王の手中に在り」、「国王は議会政党の多少にかかわらず宰相を選任」できると強調していました。このように岩倉意見書は、大隈意見書を強く排撃していたのです。

七月五日、伊藤のところに大隈が謝罪に訪れました。伊藤は大隈を「福沢如き者の代理を勤むる、尤も可笑」と、面責しました。

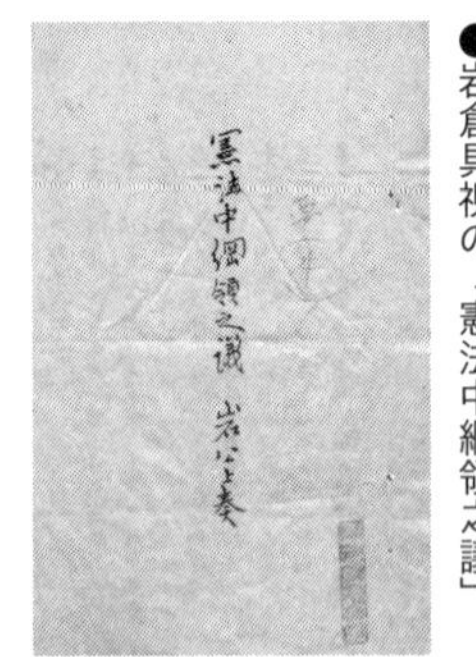

●岩倉具視の「憲法中綱領之議」

伊藤が「結託」を疑った福沢と大隈とは、昵懇の間柄でした。福沢は七九年に著した『国会論』で、イギリス流の議院内閣制の導入を提唱していました。大隈意見書も、慶應義塾系の交詢社の私擬憲法案と類似しており、実際、福沢門下の矢野文雄が書いたと言われています。このため、両者の連携を勘ぐられる素地はあったようです。

他方、伊藤と大隈と井上馨は、とてもウマが合いました。ただ、伊藤と大隈は政治的ライバルであり、伊藤と井上は長州出身、大隈は肥前と藩閥が異なりました。ここにきて憲法観の違いが露呈し、伊藤と大隈の間に確執が生じたのです。

稲田『明治憲法成立史』は、この時分の政界模様をこう描いています。

> 七月末までには、井上毅の熱心な工作によって井上（馨）、黒田（清隆）、西郷（従道）、松方（正義）らの薩長の最も有力な分子が、伊藤にドイツ・プロシア流の憲法取り調べを担当せしめて、イギリス流憲法を奉ずる大隈と対決しようと一致した態度をとっており、三条太政大臣もこれに同意を与えるまでに至った。かくて政治上の変動は早晩到底避けられない情勢となったが、八月以後の北海道官有物払下げ問題に対する輿論の沸騰によって、かような情勢は一層促進せしめられることになったのである。

開拓使官有物払い下げ事件

北海道開拓のため、六九年に設置された官庁である開拓使は、廃止を前にして、政府が一〇年間にわたり、一四〇〇〇万円余の巨費を投じてきた官舎や倉庫、工場、牧畜場、鉱山などを民間に払い下げることにしました。

開拓使の大書記官らが設立した「北海社」が払い下げを申請。その背後には大阪商法会議所会頭の五代友厚らが経営する「関西貿易社」が存在していました。払い下げは、代金三八万円余、無利息で三〇年賦という破格の安さでした。おまけに参議兼開拓使長官の黒田清隆と、払い下げを受ける五代は、同郷の薩摩出身でした。黒田が七月二一日、三条太政大臣に払い下げを申請しました。閣議では有栖川宮と大隈らが反対したようですが、黒田の強硬論の前に、払い下げが決まります。

しかし、同月二六日、当時、沼間守一★が主宰していた『東京横浜毎日新聞』が社説で事件を暴露し、『郵便報知新聞』も疑惑追及で足並みをそろえ、政府寄りの『東京日日新聞』までが批判キャンペーンを始めます。国会開設をめざす自由民権派は、この黒田と五代という「藩閥と政商」との癒着を政局絡みで騒ぎ立てます。全国各地で藩閥攻撃の演説会が相次ぎました。八月二五日には、民権派の沼間や保守派の福地源一郎らが東京・新富座★で払い下げ反対の大演説会を開催しました。

国会開設の勅諭

こうした中、政権内で孤立し、払い下げに「反対」していた大隈に、世間の注目が集まります。しかし、これが大隈にとっては裏目に出ました。後年、大隈は新富座の大演説会に触れながらこう述懐しています。

●黒田清隆

●開拓使札幌本庁

ところがこれ（大隈人気）が贔屓の引き倒しで、迷惑千万なのは我輩一人ということになった。（輿論を）煽動して火を付けたのは大隈だということになったのはまだいい、（我輩が）この頃の言葉で革命とでもいうか、反乱を企てたという訳で、とうとう謀反人になってしまった。しかも、大隈の謀反の裏には、福沢諭吉が参謀となり、軍用金は三井、三菱が出しているとまで政府側では言い出した。

（『大隈侯昔日譚』）

●沼間守一

◉沼間守一

江戸生まれ。長崎奉行所勤務になった養父に同行して長崎に行き、兵学を学んだ。横浜で米人医師・ヘボンに入門し、幕府の陸軍伝習所で仏士官から訓練を受けた。戊辰戦争では大鳥圭介らとともに、板垣らの官軍を相手に戦った。維新後、大蔵省に出仕、司法省に転じて河野敏鎌と一緒に欧州を視察。帰国後、演説・討論の場として「法律講習会」（のち嚶鳴社と改称）を設立して自由民権思想を主張。元老院権大書記官を辞し、『横浜毎日新聞』を買収して『東京横浜毎日新聞』と改題、社長になる。立憲改進党の創立にあたっては、島田三郎、肥塚竜ら嚶鳴社の同志とともに参加した。

◉新富座

江戸三座（幕府に公認された三大劇場）の一つ、「森田（守田）座」の後身。一八七五年、浅草猿楽町から京橋新富町に進出し、観客席の一部にイス席を設けて新富座と改称した。その後、火災で焼失したあと、ガス灯配備の近代的様式を取り入れた劇場として七八年に開場した。二〇〇〇人近くを収容した。市川団十郎、尾上菊五郎、市川左団次らの名優が出演して「新富座時代」と呼ばれる黄金期を築いた。しかし、その後、福地源一郎が八九年に京橋木挽町に建設した歌舞伎座に押されて次第に凋落、松竹合名会社に買収された後、一九二三年の関東大震災で焼失すると、その後は再建されなかった。

実際のところ、三菱や福沢門人による払い下げ反対運動もあったというので、事は厄介でした。こうして大隈は政府の転覆を目論(もくろ)んでいるという「大隈陰謀説」が流布されることになります。開拓使の責任者だった黒田は八月下旬、大隈は、三菱を後ろ盾に福沢と通謀し、後藤象二郎や板垣退助ら民権派と内通して悪だくみをしている、という風説をすっかり信じ込んだ手紙を書いています。

同時期に、元老院の佐々木高行、天皇側近の元田永孚、陸軍の谷干城(たにたてき)ら将軍一派が、払い下げの中止と大隈追放を求めます。

ここで伊藤は、大隈を排除することで、政局の混乱を収拾しようと決断します。一〇月七日、伊藤は井上馨とともに「大隈の免職」を岩倉に進言し、一一日の御前会議で大隈の参議辞職が認められました。

ただ、明治天皇が、大隈追放に疑問を示したことから、最終的には大隈の辞表提出という形で決着することになりました。

開拓使官有物払い下げの中止も示達され、翌一二日、「明治二十三年を期し、議員を召し、国会を開き、以(もっ)て朕(ちん)が初志を成さんとす」との勅諭★が発せられました。これにより、国会は九年後の一八九〇年に開設されることが約束されました。

明治一四年の政変

この時の政変が、「明治一四年政変」と呼ばれているのですが、辞任したのは大隈

勅諭

朕祖宗二千五百有餘年ノ鴻緒ヲ嗣キ中古紐ヲ解クノ乾綱ヲ振張シ大政ノ統一ヲ總攬シ又夙ニ立憲ノ政體ヲ建テ後世子孫繼クヘキノ業ヲ爲サンコトヲ期ス嚮ニ明治八年ニ元老院ヲ設ケ十一年ニ府縣會ヲ開カシム此レ皆漸次基ヲ創メ序ニ循テ歩ヲ進ムルノ道ニ由ルニ非ルハ莫シ爾有衆亦朕カ心ヲ諒トセン

顧ミルニ立國ノ體國各宜キヲ殊ニス非常ノ事業實ニ輕擧ニ便ナラス我祖我宗照臨シテ上ニ在リ遺烈ヲ揚ケ洪模ヲ弘メ古今ヲ變通シ斷シテ之ヲ行フ責朕カ躬ニ在リ將ニ明治二十三年ヲ期シ議員ヲ召シ國會ヲ開キ以テ朕カ初志ヲ成サントス今在廷臣僚ニ命シ假スニ時日ヲ以テシ經畫ノ責ニ當ラシム其組織權限ニ至テハ朕親ラ衷ヲ裁シ時ニ及テ公布スル所アラントス

朕惟フニ人心進ムニ偏シテ時會速ナルヲ競フ浮言相動カシ竟ニ大計ヲ遺ルヽ是レ宜ク今ニ及テ謨訓ヲ明徴シ以テ朝野臣民ニ公示スヘシ若シ仍ホ故サラニ躁急ヲ爭ヒ事變ヲ煽シ國安ヲ害スル者アラハ處スルニ國典ヲ以テスヘシ特ニ茲ニ言明シ爾有衆ニ諭ス

奉勅　太政大臣三條實美

明治十四年十月十二日

●国会開設之勅諭(国立公文書館蔵)

だけではありませんでした。

農商務卿・河野敏鎌、駅逓総監・前島密のほか、統計院幹事兼太政官大書記官・矢野文雄、会計検査院一等検査官・小野梓、統計院権少書記官・犬養毅、同・尾崎行雄、文部権大書記官・島田三郎らが免官となりました。いわば大隈の勢力が政府から一斉に追放されたのでした。

姜範錫『明治14年の政変』は、この集団的な免官は、「大隈一党が薩長主導体制の内部にありながら薩長藩閥政権にとってかわろうとしたから」だとし、「大隈らは、徒党政治を政党政治へと転換することをひょうぼうし、立憲的方法によって、それまで薩長両藩閥により寡占されてきた政治権力の掌握を試みたのである」と、大隈側が挑んだ権力闘争との見方をしています。

一方、歴史学者の真辺将之は前掲書で、大隈の後年の回顧談を引いたうえで、「大隈の意図が、決して藩閥政府との全面的対抗にはなく、むしろ政府部内進歩派による

◉国会開設勅諭の原文

一八九〇年に国会を開設する旨の勅諭は、「朕……夙に立憲の政体を建て……明治八年に元老院を設け、一一年に府県会を開かしむ。此れ皆漸次基を創め序に循て進むの道に由るに非さるは莫し……将に明治二十三年を期し、議員を召し国会を開き、以て朕が初志を成さんとす。今在廷臣僚に命じ、仮すに時日を以てし、経画の責に当らしむ。其組織権限に至ては……時に及て公布する所あらんとす……仍ほ故さらに躁急を争ひ事変を煽じ、国安を害する者あらば、処するに国典を以てすべし。特に茲に言明し、爾有衆に諭す」と述べている。この最後の部分は、急進的な民権論には厳しく対処することを意味していた。勅諭は井上毅によって起草された。

政党内閣の実現ということにあったことが窺える」と書いています。

いずれにしても、大隈は、憲法意見書の提出や、その内容の具体化を巡って用意周到さを欠いており、陰謀説にも押しまくられた感があります。

憲法意見書と官有物払い下げ事件が火を付けた一大政変劇は、結局、何をもたらしたのでしょうか。

第一は、大隈の追放によって、文字通り、薩長藩閥政権を確立させることになります。第二は、民権派が求めていた国会開設の時期が決まり、政党を誕生させます。第三に、憲法については、イギリス流の議院内閣制ではなく、プロイセン流の君主権の強い憲法とする方向が固まる——など、近代日本政治のゆくえに大きな影響を与えたのでした。

5　カラカウアとグラント

ハワイからの賓客

一八八一（明治一四）年三月四日、太平洋に浮かぶハワイ★のカラカウア国王（一八三六―九一年）が横浜港に到着しました。世界周遊旅行の途中、お忍びで立ち寄ったのです。停泊していた国内外の軍艦が礼砲を放ち、王様一行を歓迎しました。政府は、カラカウア王を国賓として遇し、王も三日間の滞在予定を延長しました。

●日本を訪れたカラカウア王（前列中央、一八八一年撮影、the Hawaii State Archives）

◉ハワイ王朝

カメハメハ大王が一七八二年、ハワイ諸島の一王国の王位につき、他の王国を順次併合して統一を果たし、一八一〇年、ハワイ王国の最初の国王に即位した。その後、カメハメハ五世が七二年、後継者を指名せずに死去したため、ハワイ議会が新国王ルナリロを選出したが、すぐに死去し、その後継者がカラカウア王だった。ハワイは一九世紀に入って捕鯨基地として栄えたあと、砂糖栽培が盛んになり、白人経営者らがサトウキビ農場を大規模化した。ところが、移住した米欧人が持ち込んだ各種の疫病などによって、一八世紀末に三〇万人といわれたハワイ人の人口は、一九世紀半ばには七万人程度と驚くほど減った（矢口祐人『ハワイの歴史と文化』）。

カラカウア王は、天皇に「密意」を告げたいと伝え、同月一一日、会談がセットされました。『明治天皇紀』によれば、カラカウア王は「今回の外遊の主旨は、多年希望するアジア諸国の連盟を起こすことにある」と天皇に切り出します。

その理由について、国王は、「欧州諸国は利己主義で、他国の不利を顧みることがない。東洋諸国への政略においても、欧州諸国が連合・協同しているのに対して、東洋諸国は互いに孤立して助け合わず、政略がない。このため、権益を欧州諸国に占有されている」と語り、「東洋諸国の急務は、連盟を結んで欧州諸国に対峙することだ。今やその時機が到来した」と説きました。

これに対し、明治天皇が「欧亜の大勢、貴説の如し（通り）」と応じつつ、「時機到来」の根拠を問うと、カラカウア王は、東洋諸国は欧州の圧制に対して奮起しなければならないとの自覚を持つに至ったと説明。自ら清国、シャム（タイ）、インド、ペルシア（イラン）などの君主と面会し、アジア連盟について意見交換する意向を示しました。そのうえで、「天皇陛下がアジア諸国連盟の盟主となり、まず、ヨーロッパ諸国に治外法権を撤廃させなければならない。そのためにも、日本で博覧会を開いて、アジア・欧州諸国の君主を招請すべきだ」などと強調しました。

天皇はこれに対し、「大国にして傲慢不遜の風」の清国は、招請には応じまいとの見方を示すとともに、「葛藤を生じること多く、清国は常に我が国が征略（侵略）を企てていると考えている」ので、平和友好関係を全うすることは難しい、と答えました。

幻の〝日・ハワイ同盟〟

この一時間二〇分にわたる会談で、カラカウア王は、日本とハワイ間の海底電線敷設計画と、日本の皇室の一員とハワイの王女との縁組を提案しました。カラカウア王は、姪のカイウラニ王女（当時五歳）と、海軍兵学校に在学する一四歳の山階宮定麿王の婚約を考えていました。

猿谷要『ハワイ王朝最後の女王』には、カラカウア王が世界周遊旅行に出発前、王位継承者で妹のリリウオカラーニ王女（一八三八―一九一七年）にこんな打ち明け話をする場面が描かれています。

最近、この国に住む多くのアメリカ人が、ハワイ王国をやがてアメリカに合併させようとする運動を進めている。相当の勢いにあり、このままでは危ない。

カラカウア王はそう言うと、ハワイ先住民の人口減で砂糖プランテーションの労働力が危機にあると指摘。「今までは中国やポルトガルからの移民が労働力の不足を補ってくれたが、それではとても間に合わない。私は日本という国に目をつけた」と続け、「ハワイ王国と日本をもっと堅く結びつけたい」と、王室同士の婚姻による〝同盟関係〟樹立に言及したのでした。

しかし、このカラカウア王の奇想天外な提案（縁組）は実らず、一八八二年、井上馨・

●リリウオカラーニ（the Hawaiian Collection, University of Hawaii at Manoa Library）

外務卿が国王宛ての書簡で断ることになります。日本との提携を断念したカラカウア王は、ポリネシア諸島の植民地化を防ごうと「太平洋諸島連合」を組織し、自らその盟主になる構想を進めたといわれます。

ハワイの日本人移民

カラカウア王は一八七四年二月、国王に即位しました。アメリカの南北戦争期（一八六一―六五年）、南部産に代わってハワイ産砂糖の需要が伸びました。カラカウア王は七五年にアメリカと互恵条約を締結し、砂糖を関税なしでアメリカに輸出できるようにします。代わりに、軍事上の重要性を増していたパールハーバー（真珠湾）などの港湾を米国以外の国に貸与・譲渡しないことを約束しました。

カラカウア王は、この砂糖プランテーションの労働力を補充するために、日本からの移民を求めたわけですが、実は六八（明治元）年、約一五〇人の日本人がハワイに移住していました。しかし、正式の出国者ではないうえ、定着率も悪く、その後、途絶えていました。

日本政府は八五年、外貨獲得の思惑もあって、ハワイ移住を再開します。政府斡旋による移住者は「官約移民」と呼ばれ、その数、約二万九〇〇〇人に上りましたが、彼らにはサトウキビ畑での苛酷な労働が待ち受けていました。その後、民間斡旋の私約移民や自由移民として約一二万五〇〇〇人（推定）がハワイに渡ります。こうして八〇年代の初めにはサトウキビ労働者の一%にも満たなかった日本人の数は、一〇年

●ハワイの砂糖プランテーションで働く日本人女性（大正期）（the Hawaiian Collection, University of Hawaii at Manoa Library）

後には六〇%を超えたといわれています（矢口『ハワイの歴史と文化』）。九一年、カラカウア王が死去し、リリウオカラーニ王女が女王の座に就きます。しかし、九三年、白人住民がクーデターを起こして女王に退位を求め、九四年にハワイ共和国が樹立されます。ハワイがアメリカに併合★されるのは九八年のことです。

リリウオカラーニ女王は、有名な「アローハ・オエ」の作詞・作曲者でもありました。

●グラント米大統領

グラント、天皇に直言

カラカウア王は就任直後の七四年一一月、ハワイ国王として初めて渡米し、グラント米大統領（一八二二—八五年）をホワイトハウスに訪ねています。その二年半前の七二年三月、日本の米欧回覧使節団の岩倉具視らが、同じくホワイ

◉アメリカのハワイ併合

リリウオカラーニ女王は、「ハワイ人のためのハワイ」を唱え、アメリカのハワイ併合政策に強く抵抗した。しかし、法律家・政治家として活動していたドールらのアメリカ人がクーデターを起こすと、女王は流血の事態を回避するため退位。その後、米大統領クリーブランドに復位を要求し、受け入れられたものの、ドールはこれを拒んでハワイ共和国を宣言、大統領に選出された。一八九七年に就任したマッキンリー大統領は、帝国主義政策をとり、翌九八年にアメリカ・スペイン戦争に勝利した後、カリブ海地域のプエルトリコを領有し、キューバも保護国化。太平洋地域では、フィリピン、グアムを領有し、戦略的にも貿易ルートとしても重要だったハワイの併合に踏み切った。

トハウスで国書を捧呈したのもグラント大統領でした。その模様は第I巻で〈南北戦争の英雄・グラント〉として紹介しました。そのグラント前大統領夫妻が七九年七月、日本にやってきたのです。

著作『明治天皇』の中で、ドナルド・キーンは「明治天皇に謁見した数多くの外国人訪問客の中で、米国前大統領U・S・グラント将軍ほど天皇に強烈な印象を与えた人物はいなかったのではないかと思われる」と書いています。グラントは同年八月一〇日、浜離宮で約二時間にわたって天皇と会談しました。

『明治天皇紀』によりますと、グラントは、まず「西洋各国の外交官は一、二を除き、ことごとく己に利あることはこれを主張し、日清両国の権利を顧みず、彼らの専横放恣をみるにつけ、私の満腔(体じゅう)の血が沸騰する」と、激しい調子でヨーロッパ列強を批判します。さらに、財政・経済政策に関し、国として最も回避すべきは「外債」の発行であると強調。それは、弱国を籠絡(丸め込むこと)し、政権を掌握する手段となるからで、それゆえに日本は、「将来、決して再び外債を起こすべからず」と力を込めました。★

グラントは、さらに言葉を続けて、「東洋で外国の支配・干渉を半ば免れているのは日本と清国だけであり、この両国に葛藤を生ずることは、彼ら(西欧列強)の喜ぶところだ。彼らは金を貸すことで恣に内政に干渉してくる」と述べ、琉球をめぐる日清対立問題へと話頭を転じます。

●明治天皇(中央)と握手するグラント将軍(米国議会図書館蔵)

日清対立の仲介

当時、日清両国は、琉球諸島の領有権をめぐって対立を続けていました。グラント来日三か月前の七九年四月四日、日本政府は、琉球藩の廃止と沖縄県の設置を全国に布告しました。これに対して、清国政府は、北京の日本公使に「日本が理由もなく琉球を一方的に廃滅した」と抗議し、「廃琉置県（はいりゅうちけん）」を撤回するよう要求しました。日本政府はこれに反論し、日清両国関係は緊迫の度を加えていました。グラントは日本に先立つ清国訪問で、李鴻章（りこうしょう）総督や恭親王（きょうしんのう）（総理衙門（がもん）首班大臣）から、日清間の紛争解決に力を貸してほしいと調停を依頼されていました。

グラントはまず、七月二二日、栃木県の日光で、天皇が差し向けた伊藤博文と懇談し、清国側の立場を伝えました。が、伊藤は「日本の琉球主権は古来からのもの」と主張し、進展はみられませんでした。

グラントは、明治天皇に対して、熱弁をふるいます。

琉球問題と台湾の占拠により、清国は、「日本に怨恨（えんこん）と憤懣（ふんまん）の意を懐（いだ）くに至った」

●浜離宮で明治天皇（着席左側）と会談するグラント将軍（国立国会図書館ウェブサイトから）

> **◉「外債を起こすべからず」**
>
> 参議・大隈重信は一八八〇年五月、西南戦争後のインフレと財政難に対処するため、五〇〇〇万円の外債募集を提案した。政府内の賛否は大きく分かれ、紛糾の末、明治天皇が「不許可」と裁断した。これは、グラントが天皇に対して行った外債をめぐるアドバイスが生かされたものとみられた。

と述べ、この際、日本は「清国政治家の心中を深く酌量し、俠気と義心に基づいて譲歩を与えられてはいかがか」と促しました。そして「相互の譲歩が日清両国の平和を維持するための大計だ」と付け加えました。最後にグラントは、「琉球島間に一経界（境界）線を画し、清国に太平洋に出る広闊の（広々とした）水路を与えれば、清国はこれを受諾する」と打開案を示しました。この分島案に対して、天皇は「伊藤らに貴殿と話すよう命じてある」と応じました（『明治天皇紀』）。

琉球分島交渉実らず

グラントの仲介をきっかけに日本政府は、天津領事・竹添進一郎★（一八四二―一九一七年）を李鴻章のもとに派遣し、八〇年から予備交渉を開始します。竹添は、琉球二分割案と日清修好条規改定案をセットにした「分島改約案」を示しました。これは琉球を二分し、台湾に近い側の先島諸島（宮古・八重山）を清国に割譲し、その見返りとして同条規を日本の有利な形に改めようとするものでした。これに対して李鴻章は、琉球王国の復活に強くこだわり、譲歩しませんでした。

ところが、北京で八〇年八月から正式交渉がスタートすると、一〇月にはいったん妥結します。合意した条約の内容は、沖縄群島（諸島）以北を日本領、先島諸島を清国領とし、日清修好条規を改定して、清国内地の通商権と最恵国待遇を認めるという、日本の要求を受け入れたものでした。軟化の背景には、清国政府が当時、北方のイリ地方をめぐってロシアと係争中のうえ、南方の安南（ベトナム）では、フランスとの

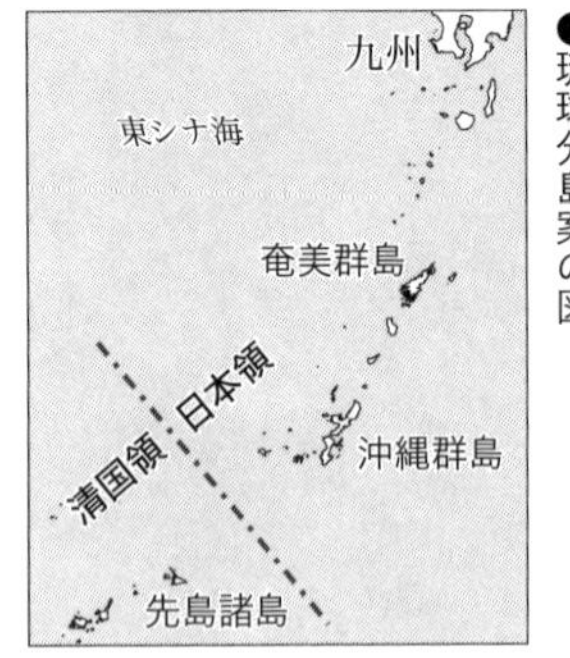

●琉球分島案の図

緊張が高まっていることがあったようです。

しかし、条約の調印を目前にして、清国政府は調印の遅延策に出ます。この間、清国滞在中の琉球人たちは、清国政府に対して「分割反対」の請願を続け、中には自決する琉球人も出ました。李鴻章の上奏文には、調印延期の理由として、「南部の二島は貧窮の僻地(へきち)で、一国とするには足りない。このまま調印すれば清国は大損失をこうむるし、拒否すれば一敵を増してしまう」との趣旨が記されていたといわれます(新里金福・大城立裕『沖縄の百年』)。

結局、調印は行われず、日清両国政府による琉球問題の決着は、日清戦争後に持ち越されることになります。

◉竹添進一郎

肥後(熊本県)天草の生まれ。幕末・維新期、熊本藩に仕えた後、一八七五年、駐清公使・森有礼に随行して清国に渡り、清国内を旅行し、『桟雲峡雨日記』を著した。八〇年、天津領事となり、八三年に駐朝鮮公使としてソウル入りした。八四年の甲申事変では開化派(独立党)に協力、クーデター計画に関与して、日本の守備兵を出動させたが、清の軍勢が攻め込んでくると、あえなく敗退し、帰国した。のちに東京大学教授として経書を講じた。

6 「板垣死すとも自由は死せず」

自由党と改進党

一八八一（明治一四）年、日本政府が九年後の議会開設を公約すると、その九〇年に向けて政治の新たな動きが始まります。民権派は政党を結成し、政府側は国会開設前の憲法制定準備を加速させました。

「国会開設の勅諭（ちょくゆ）」が出された直後の八一年一〇月、自由党の創立大会が開かれ、党の総理に板垣退助、副総理に中島信行、常議員に後藤象二郎、馬場辰猪、末広鉄腸、竹内綱（たけうちつな）らが選ばれました（同月二九日）。決定された自由党盟約は、「自由を拡充し、権利を保全し、幸福を増進し、社会の改良を図るべし」「善良なる立憲政体を確立するに尽力すべし」などとうたっています。

基本政策は一院制、人権保障、自由主義経済が柱で、東京に中央本部、三二の地方部をもつ全国政党になります。ところが、八二年六月、政府が集会条例を改正し、政治結社の支社を禁じたため、地方部は解散に追い込まれます。

一方、同年四月一六日、明治一四年政変で失脚した前参議・大隈重信を党首に担ぐ

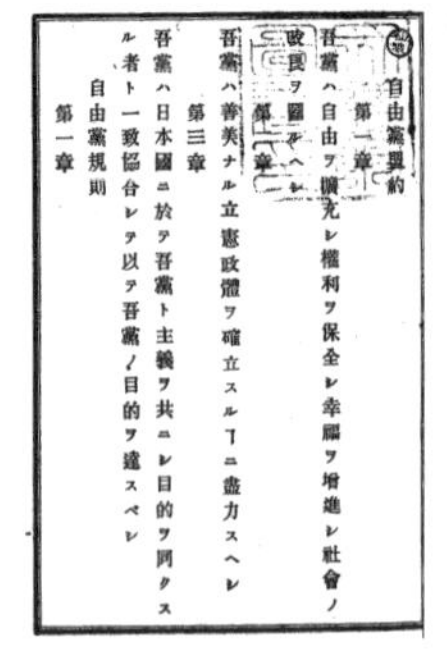

自由黨盟約

第一章

吾黨ハ自由ヲ擴充シ權利ヲ保全シ幸福ヲ增進シ社會ノ改良ヲ圖ルヘシ

第二章

吾黨ハ善美ナル立憲政體ヲ確立スルヿニ盡力スヘシ

第三章

吾黨ハ日本國ニ於テ吾黨ト主義ヲ共ニシ目的ヲ同クスル者ト一致協合シテ以テ吾黨ノ目的ヲ達スヘシ

自由黨規則

第一章

●自由党盟約

立憲改進党も発足します。大隈のブレーン・小野梓が構想と準備を進めていました。この政変で政府を追われた前農商務卿・河野敏鎌や元官僚の矢野文雄、犬養毅、尾崎行雄、嚶鳴社の沼間守一らが参加しました。綱領には、「内治の改良を主として国権の拡張に及ぼすこと」、地方自治の基礎確立、選挙権の伸長拡大などが盛り込まれました。

当日、結成大会で配布された小野起草の「改進党人に告ぐ」には、わが党は「（フランスの）ルソーの余流」でも、「漸進の外貌（外見）をとる党派」でもないとあります（山本四郎『日本政党史』）。つまり、急進派の自由党でも、藩閥のような保守でもない、進歩的な路線をとる政党という意味でしょう。同党は、イギリス流の二院制議会の確立を目標に、府県会への進出を図ることになります。

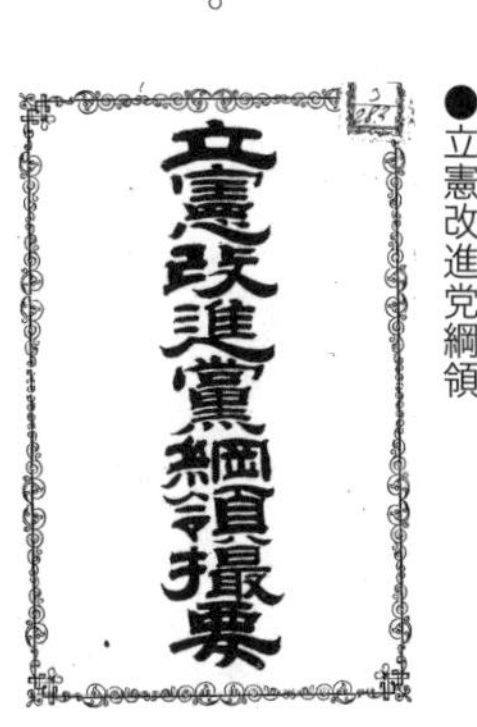

●立憲改進党綱領

「御本望でしょう」

一八八二年三月から東海地方の遊説に出た自由党総理・板垣退助は、四月六日、岐阜県の富茂登村（現・岐阜市）で開かれた懇親会に出席します。一時間半、熱弁をふるった板垣は、午後六時ごろ、会場の玄関先で、刃物をもった暴漢に襲われ、左胸を刺されます。板垣はさらに向かってくる刺客の手首を握ろうとして、刃物で右手指を負傷しました。

自由党幹事の内藤魯一が駆けつけ、刺客を取り押さえると、板垣は刺客を睥睨（横目でにらみつける）し、「板垣死すとも自由は死せず★」と叫びました。この部分は『自由党史』（板垣監修）から引きましたが、この言葉は、刺客に向けられたのではなく、

●遭難当時の板垣退助

後になって周辺に語ったものという説もあります。ただ、前年八一年九月の遊説で、「権利自由の消長伸縮に関することは、死をもってこれを守る」と演説しており、こうした決意が名言につながったともいわれます。

岐阜病院の医師は、「胸部二か所の傷は極めて重いけれども、幸い肺に達せず」と診断しました。板垣は、土佐藩軍を率いて戊辰戦争の官軍に馳せ参じた歴戦の勇士でした。板垣には小具足（すねあてなど甲冑に付属する防具）組打術の心得があり、これで防御できたのだと、警察官に語りました。

党総理の暗殺未遂事件に、党員たちは「政府筋の放った刺客によるもの」と激昂します。しかし、犯人は単独犯で愛知県の士族でした。小学校の教員をしており、「勤王の志止み難くして国賊、板垣退助を誅す（罪ある人を殺す）」との遺書を残していました。

板垣遭難に隣県の愛知県から、まだ年若の愛知県病院長・後藤新平★（一八五七―一九二九年）が駆けつけました。後藤が板垣の居室に入って「御負傷だそうですな、御本望でしょう」と語りかけると、板垣は黙ってニコッと笑いました。

後藤が手当てをしたあと、勅使（天皇の意思を伝える使者）派遣の電報が飛び込んできます。板垣周辺では「政府の緩和策だ」「拝辞すべきだ」との声が相次ぎます。しかし、板垣はこれを制して「聖恩、臣退助の身に下る」と感極まり、涙をこぼしました。勅使は四月一二日、板垣を訪ね、聖旨の伝達と菓子料三〇〇円を下賜しました。

●病院長時代の後藤新平（奥州市立後藤新平記念館所蔵）

なぜ、伊藤は訪欧したのか

明治一四年政変後の八一年一〇月、政府は、参議と卿（各省長官）を兼任させるとともに、新たに最高官庁として参事院を設けます。伊藤博文が議長に就任し、政府中枢は次のような顔ぶれになりました。

◉板垣退助の「名言」

「板垣死すとも自由は死せず」に似た言葉が、新聞報道、自由党や警察の遭難記録などに、種々残されている。これらは、①板垣が犯人に叫んだケース　②板垣が周囲の人物に慰めの言葉をかけたケース　③犯人と周囲の双方に発したケースに分けられ、①では「我今汝（なんじ）か手に死することあらんも、自由は永世不滅なるへきぞ」、「板垣は死すとも、自由の精神は死なん」。②では「諸君嘆する勿（なか）れ、退助は死すとも自由は滅せざるなり、諸君勉めよや」。③では「汝余を殺すも自由は死せぬぞ」などがある。最終的には濃飛自由党員が執筆した『板垣伯岐阜遭難録』（一九〇八年）の「板垣死すとも自由は死せず」に落ち着いた（中元崇智『板垣退助』）。

◉医師・後藤新平

岩手・水沢の出身。医学修行のため、須賀川の医学校に入り、一八七六年八月、愛知県病院三等医になった。翌七七年に西南戦争の傷病兵のため、大阪に建てられた陸軍臨時病院の石黒忠悳（ただのり）院長を訪ね、同病院の傭医となり、外科病室で経験を積んだ。八一年一〇月には愛知県医学校長兼病院長に就任。後藤が、遭難した板垣を治療したのは翌年四月で、自由党との関わりを恐れて尻込みをする者が多い中で、後藤が駆けつけた。板垣は、後藤について、「少しく毛色の変はりたる人物なり、惜しむらくは彼をして政治家たらしめざるを」と側近に語ったという。後藤はのちに逓信相、内務相、外相、東京市長を歴任する（北岡伸一『後藤新平』）。

外務卿・井上馨（長州）、内務卿・山田顕義（長州）、大蔵卿・松方正義（薩摩）、陸軍卿・大山巌（薩摩）、参謀本部長・山県有朋（長州）、海軍卿・川村純義（薩摩）、文部卿・福岡孝弟（土佐）、工部卿・佐々木高行（土佐）、司法卿・大木喬任（肥前）、農商務卿・西郷従道（薩摩）、開発長官・黒田清隆（薩摩）です。一二人のうち、伊藤をはじめ四人が旧長州藩、五人が旧薩摩藩、二人が旧土佐藩、大木一人が旧肥前藩の出身で、薩摩・長州の両藩出身者が国政の中枢を掌握する体制が生まれました。

八二年一月、元老院議長の寺島宗則が伊藤参議を欧州に一か年派遣し、憲法の原理と実際の運用を調査させることを提案します。伊藤が憲法起草の責任者になることは、すでに政府内で一致した見方でした。また、政変でイギリス流の議院内閣制を唱えていた大隈重信が閣外追放された結果、岩倉具視と井上毅が構想したプロイセン型立憲君主制導入の方向が固まっていました。それでは、なぜ、伊藤は訪欧することになったのでしょうか。

当時の伊藤は、立憲構想に関して、大隈に先んじられただけでなく、右大臣・岩倉具視が法制官僚の井上毅を使って独自の憲法構想をまとめたことに衝撃を受けていました。そこで伊藤は、この訪欧を、岩倉―井上路線の憲法制定の流れに待ったをかけ、立憲作業の主導権を奪回する「唯一無二のチャンス」ととらえたようです（瀧井一博『文明史のなかの明治憲法』）。

伊藤の出発前、太政大臣の三条実美は、全参議に対し一致協力して国政に当たるよう要請しました。これは、かつて岩倉使節団の米欧回覧の際、外遊組と留守政府との間で摩擦が絶えず、明治六年政変に至ったことを念頭に置いたものでした。伊藤の外

●ベルリン大学（一九世紀末、米国議会図書館蔵）

遊については、政府内や新聞言論界に、その意図をいぶかる声が少なくありませんでした。大木ら参事は連名で「同心協力」を誓う旨を奉答しました。

八二年三月一四日、伊藤は日本を発ち、五月にドイツ帝国の首都ベルリンに到着します。参事院議官補・伊東巳代治、同・西園寺公望、大蔵少書記官・平田東助、大審院判事・三好退蔵らが随行しました。

ドイツで憲法調査

伊藤は七三年三月、岩倉使節団の一員としてベルリンを訪問したことがありました。使節団の一行が、「国際社会は、万国公法より、力がものをいう」という首相・ビスマルクの言葉に強い衝撃を受けたことは、第Ⅰ巻の〈ビスマルクとガリバルディ〉で取り上げました。

ドイツ帝国は、その二年前、プロイセンをはじめ二二の君主国などからなる連邦国家として成立し、憲法も採択されたばかりでした。議会は、各邦を代表する連邦参議院（上院）と、全国の男子普通選挙で選出された帝国議会（下院）からなり、帝国宰相は皇帝に対して責任を負うだけで、議会の権限は制約されていました。

ビスマルクは、いわゆる「文化闘争」（一八七一―八〇年）に取り組み、プロテスタントに比して少数派のカトリック教徒がドイツの国内統一を妨げているとして、カトリック政党の「中央党」と対決、カトリック聖職者らを抑圧しました。

また、ドイツ社会主義労働者党（のちの社会民主党）が結成されると、七八年、社会主義者鎮圧法を制定し、その活動を禁圧します。その一方で八〇年代に入ると、疾病・災害・養老保険といった社会政策を推進するなど「アメとムチ」の政治手法をとります。この間、ビスマルクは、帝国議会で安定した多数勢力を確保するための政党・議会工作に腐心しています。

伊藤は、九年ぶりに再訪したベルリンで、ベルリン大学の憲法学者・グナイスト★（一八一六―九五年）に会います。ウィーン会議を主宰したメッテルニヒが失脚した民衆蜂起「三月革命」（一八四八年）は、ベルリン大学にも波及しましたが、当時、青年講師だったグナイストは、過激な大学改革案を主張し、一時、大学紛争の事実上のリーダーでした（潮木守一『ドイツの大学』）。

グナイストは、イギリス憲政史の研究者である一方、一八六七年からは帝国議会議員を務めるなど「生きた政治」にも通じていました。伊藤らを迎えたグナイストは、「憲法は法文ではない。精神である、国家の能力である。日本の風俗人情や歴史を説明してもらったうえで、参考になることは述べてもよい」と歴史法学者らしいことを言います。

また、日本が国会を設立するにしても、軍備や予算には介入させないよう、「甚（はなはだ）微弱（びじゃく）」のものがいいと助言したりしました。この点、ドイツ皇帝・ヴィルヘルム一世も、八二年八月、伊藤らを食事に招いた席で、国会に予算許諾の権利を与えれば「内乱」の元になるとの考えを示し、「日本天子のために、国会の開かるるを賀せず（祝えない）」と付け加えました。伊藤らは五月下旬から二か月余り、グナイストの高弟のモッセからドイツ憲法の沿革や条文について集中講義を受けました。

●グナイスト（大英図書館蔵）

●ヴィルヘルム一世（大英図書館蔵）

「立憲カリスマ」の誕生

伊藤らは八二年八月、オーストリア＝ハンガリー帝国を訪問し、ほぼ三か月滞在して、ウィーン大学の国家学者・シュタイン★（一八一五―九〇年）の講義を聴きます。

オーストリアは、ドイツ統一で除外されたあと、一八六七年にハンガリーを王国と

●シュタイン

◉ルドルフ・グナイスト

一八五八年からベルリン大学教授、同年からプロイセン下院議員、六七年からドイツ帝国議会議員、七五年からプロイセン上級行政裁判所裁判官などを務めた。八五年から翌年にかけてベルリンを訪れた伏見宮貞愛（さだなる）親王一行に対する講義録は、日本政府部内で印刷され、憲法起草の参考に使われた。その講義録は八七年、『西哲夢物語』として民間で秘密出版され、政府批判の材料にされた（『国史大辞典』）。グナイストは、伊藤に対する講義は弟子のモッセに委ねるなど、あまり熱心ではなかったという。

◉ローレンツ・フォン・シュタイン

伊藤は、ウィーン大学政治経済学部教授だったシュタインから英語で直接、講義を受けた。内容は政体、立法、軍隊、司法、行政、自治、財政など国家組織・運営に関わるテーマ万般にわたった。この「国家学」の講義こそ、伊藤が求めていたもので、伊藤はシュタインに傾倒し、彼を日本政府の顧問として招聘（しょうへい）する意向も伝えた。これは高齢を理由に実現しなかったものの、その後、山県有朋や陸奥宗光、大山巌らが訪欧してシュタインの教えをこう「シュタイン詣で」が繰り返された。シュタインは地球儀を前にして「ヨーロッパ文明及びこれらの諸国は、この地中海を囲繞（いじょう）して発展してきた。自分の講義も地中海中心を出ないと思う。君らの将来の発展は、この日本海とシナ海を中心として期せられねばならぬ。同様君らの学問もまた、かくあらねばならない」と語り、伊藤一行を奮い立たせたという（瀧井一博『文明史のなかの明治憲法』）。

認め、同じ君主をいただくオーストリア＝ハンガリー帝国を形成しました。当時、国内のチェコやポーランド、ルーマニアなどから自治権要求が強まっていましたが、皇帝のフランツ・ヨーゼフ（一八三〇―一九一六年）は、強力な君主権を行使して多民族国家を束ね、議会もコントロールしていました。

伊藤が師事したシュタインは、「近代行政学の父」と呼ばれる学者です。伊藤は、今回の外遊にあたり、憲法の法律学的知識にとどまらず、行政の実態や慣行、行政府と立法府との関係、官僚機構や選挙などについて幅広く調査しようとしていました。

伊藤はシュタインに会ったあと、八月一一日付の岩倉宛て書簡で「グナイスト、シュタインの両氏に就き、国家組織の大体を了解することを得た」としたうえで、「英、米、仏の自由過激論者の著述のみを金科玉条のごとく誤信し、ほとんど国家を傾けんとするの勢いは、今日我国の現情」だけれど、今は「これを挽回するの道理と手段とを得、心私に死処を得るの心地」である、と書きました。

伊藤は、シュタインから、憲法の何たるかを教示され、「実際の政治がうまく機能するためには、政府の組織を固め、行政を確立することが何よりも重要」との確信を持つに至ります（瀧井一博『伊藤博文――日本型立憲主義の造形者』）。

伊藤はその後、ドイツ各地を回り、八三年一月にはビスマルク首相と会見しました。三月にはイギリスに渡って調査・研究を重ね、五月のロシア皇帝戴冠式に出席したあと、八月に帰国しました。

伊藤は、この一年半にわたる欧州での憲法調査を通じて、「立憲カリスマ」とでも言うべき威信の回復に成功したのでした（坂本一登『伊藤博文と明治国家形成』）。

●皇帝フランツ・ヨーゼフ（米国議会図書館蔵）

7　勃興する日本企業

大蔵卿・松方正義

一八八一年の「明治一四年政変」は、政府の財政・金融政策にも大修正を促すことになりました。

それは、積極財政論者の大蔵卿（現在の財務相）大隈重信が政変で失脚し、同年一〇月、健全財政主義者の松方正義（一八三五―一九二四年）が後任の大蔵卿に就任したことに始まります。松方はインフレの克服、通貨の安定を期して、「松方財政」と呼ばれる経済政策を展開します。

松方は薩摩の人です。同郷の大久保利通の四つ年下で、鹿児島城下に生まれました。大久保同様、島津久光の側近として活躍し、以来、大久保の腹心として新政府に出仕し、七〇年に民部大丞、廃藩置県が行われた翌七一年には大蔵少丞に転じました。

当時の大蔵省は強大な官庁で、大蔵卿は大久保、大蔵大輔は井上馨、租税頭に伊藤博文、大蔵大丞は渋沢栄一。その後の日本政治・経済界をリードする逸材が参集していました（土屋喬雄『日本資本主義史上の指導者たち』）。

●松方正義

松方は、大久保の指導の下で地租改正に取り組んだあと、七八年にはフランスに長期出張しました。フランスは、パリ・コミューン崩壊を経て、七五年、共和政に基づく憲法が制定され、第三共和政（フランス革命後と一八四八年の二月革命後に続く三回目の共和政）が確立していました。

松方は、同国蔵相のレオン・セイと会談し、財政・金融政策をめぐって助言を得ます。松方は帰国後の八〇年、内務卿に就いて第二回内国勧業博覧会（八一年）の副総裁を務めるなど、滞欧中に暗殺された大久保の遺志を継いで、殖産興業政策を推進しました。

「日本銀行」を設立

当時、政府は、激しいインフレーション（物価が上昇し、貨幣の購買力が長期的に低下すること）と財政難に陥っていました。七七年の西南戦争の征討費（同年度の歳入規模の八割に相当）を、銀行からの借入金と不換紙幣（金貨や銀貨など正貨と交換＝兌換できない紙幣）の増発によってまかなったためでした。米価は八〇年までに二倍に急騰し、紙幣価値は下落し、輸入超過が続いて正貨が流出していました。

前任の大隈も、在任中の七八年度から紙幣整理に着手していました。八〇年五月、大隈が五〇〇〇万円の外債を発行して、一挙に紙幣を消却することを提案し、政府部内の反対で却下されたことはすでに述べました。

大隈の外債募集に反対していた松方は、大蔵卿に就くと、紙幣整理と並行して正貨

●日本銀行

準備を増大させ、兌換制度の導入を図ることにしました。

松方は八二年、中央銀行としてベルギー国立銀行をモデルに「日本銀行」を設立します。八四年に銀行券の発行を日銀に一元化すると、八五年、日銀は銀と交換ができる「日本銀行兌換銀券」を発行し、銀本位の貨幣制度を整えます。こうして松方はインフレにピリオドを打ち、日本経済を正常な軌道に乗せた財政家として高い評価を受けることになります。

この頃から政府による官営事業の払い下げが本格化し、八七年には新町（しんまち）紡績所、長崎造船所、釜石鉄山などが相次いで民間に払い下げられました。翌八八年、三池（みいけ）炭鉱は財産評価額の約一〇倍で三井が落札し、佐渡金山や生野（いくの）銀山は九六年になって三菱が払い下げを受けています（杉山伸也『日本経済史』）。

「松方財政」の光と影

八五年、松方は伊藤博文内閣に蔵相として入閣し、それ以後、黒田清隆・山県有明両内閣でも蔵相を続投。九一年に自ら首相として組閣した際も蔵相を兼任するなど、長期にわたって金融・財政政策の指揮をとります。

しかし、「松方財政」は光明ばかりではありませんでした。松方は、紙幣整理の財源を得るため、増税や間接税の導入で税収増を図る一方、軍事費を除いて、歳出を削減しました。歳入の余剰を不換紙幣の処分に充てたのです。この緊縮政策の結果、デフレーション（物価が持続的に下落し、雇用の減少、生産の縮小が生じる）が起き、八一年から八六年まで、深刻な不況が続きました。大隈財政下では好景気に浴した農村は、一転、この「松方デフレ」による農産物価格の下落により、農地を売らざるをえなくなって没落する自作農が続出しました。このため、借金の返済猶予などを求める農民たちによる騒擾事件が各地で多発することになります。

松方は九六年に二度目の組閣をして金本位制を確立。九八年には第二次山県内閣の蔵相に就き、地租増徴法案を成立させました。その後、枢密顧問官、内大臣、元老として九〇歳まで、薩摩閥の中心にあって、財政・経済問題に大きな発言力を有しました。子沢山で知られ、その三男に「松方コレクション★」を築いた松方幸次郎（一八六五―一九五〇年）がいます。

岩崎弥太郎の「三菱」

「明治一四年政変」は、実業界にも影響を及ぼしました。岩崎弥太郎（一八三四―一八八五年）が創業した「三菱」と近い関係にあった大隈が政変で政府を逐われたことから、三菱の海運業独占に対する風当たりが一層強まったのです。

岩崎は、土佐国安芸郡（現・安芸市）の下級武士の出身です。土佐藩参政・吉田東洋の門人となり、殖産興業のための機関として六六年に創設された「開成館」（総裁・後藤象二郎）の長崎出張所で藩の貿易をまかされます。イギリス商人・グラバーらから武器・弾薬・艦船などを買い付け、肥前藩の大隈とも知り合いになります。坂本龍馬らが長崎で創立した貿易商社「海援隊」のトラブルの処理にもあたり、その後、大阪

●岩崎弥太郎

でも通商の仕事を続けました。

岩崎は七一年、旧土佐藩の貿易・海運事業を引き継ぐ「九十九商会」の経営を引き受けます。その際、藩から蒸気船二隻が払い下げられました。その際、同商会の旗印を、藩主・山内家の家紋「三つ柏」を基本にした「スリーダイヤ」(三菱マーク)としました。

七三年には、社名を「三菱商会」★と改めて社主となり、「専心海運業に従事し、商法をもって身を立てる覚悟」を固めて、東京―大阪間航路にも進出しました。翌七四年の台湾出兵では軍事輸送を引き受け、大久保や大隈の信任を得て、政府の保有船を無償で下付(下げ渡し)されます。三井組などが設立した半官半民の「郵便蒸気船会社」

◉松方コレクション

松方幸次郎は、エール大学やソルボンヌ大学で学び、一八九六年に川崎造船所社長に就任し、第一次世界大戦時には同社を日本最大の造船企業に成長させた。これで多大な利益をあげた幸次郎は、一九一〇年代半ばから度々ヨーロッパを訪問し、一万点を超える美術品を蒐集した。さらにこれを展示する美術館の建設計画を進めたが、二七年の金融恐慌のあおりで同社は経営破綻し、蒐集品は散逸した。欧州に残された作品は、第二次世界大戦末期、フランス政府に接収され、戦後、フランスの国有財産となったが、日仏友好のため、日本に寄贈・返還された。この「松方コレクション」を保存・公開するため、一九五九年、国立西洋美術館が設立された。

◉三菱商会と「おかめ」

三菱の創業者・岩崎弥太郎は、「三菱商会」の店頭に「おかめ」の面をかけさせた。武士出身のために、なかなかお客におじぎのできない部下を戒め、「いつも笑顔を絶やすな」という教えだった。お客との接待も、羽織袴ではなく、顧客第一の「前垂れ掛け」に徹するよう指示。それでも笑顔が作れない者には、小判の絵を描いた扇子を手渡し、「お客を小判と思いなさい」と諭した、というエピソードが残っている。

は、この軍事輸送を断ったのを機に、政府庇護（ひご）の立場を失い、解散に追い込まれます。

「海上王国」の出現

三菱はその後、政府の手厚い保護を受けながら、国内・海外航路を開拓し、沿岸航路から海外勢を駆逐します。次いで七七年の西南戦争でも、軍事輸送に貢献して巨利を得ます。同年末、三菱が所有する汽船は六一隻、三万五四六四トン、我が国の汽船総トン数の七三％を占め、「わずか四、五年のあいだに忽然（こつぜん）と、〝海上王国〟三菱が出現」（坂本藤良『幕末維新の経済人』）したのです。

岩崎は、鉱山・造船・金融・保険・貿易などの分野にも積極的に進出して事業を拡大し、三菱を、江戸時代から豪商で鳴らしてきた「三井」に匹敵する巨商に成長させます。

しかし、八〇年ごろから三菱の海運業独占に対する批判が噴き出します。八一年暮れ、参議の井上馨、農商務省の品川弥二郎らは、実業家の渋沢栄一や三井物産の益田孝★（一八四八―一九三八年）らとはかり、「三菱汽船」に対抗できる、新しい海運会社の設立準備を始めます（宮本又郎『企業家たちの挑戦』）。明治一四年政変で大隈、三菱と対決姿勢をとった政府は、三菱に対して監督・規制強化を図ります。八二年、「東京風帆船（ふうはんせん）」など三社を統合して巨大会社「共同運輸」が設立されます。

岩崎弥太郎はこれに抵抗し、共同運輸との間で運賃切り下げや積み荷獲得競争を繰り広げます。しかし、八五年二月、岩崎は胃がんのために死去し、弟の弥之助（やのすけ）★（一八五一―一九〇八年）が「郵便汽船三菱」の社長に就任しました。結局、三菱も共同運輸も、

●三菱が運航していた「広島丸」。一八七七（明治一〇）年に明治天皇が京都から東京に戻る際に乗船した

ともに大きな損失を生じ、共倒れの恐れも出たため歩み寄り、同年九月、両社の合併によって海運会社「日本郵船」が誕生しました。

実業界のリーダー・渋沢栄一

渋沢栄一（一八四〇―一九三一年）は、武蔵国・血洗島村（ちあらいじまむら）（現・埼玉県深谷市）の豊かな

◉岩崎弥之助

岩崎弥太郎の弟。三菱財閥二代目当主。弥太郎の死去により、郵便汽船三菱会社の社長に就任した弥之助は、政府からも共同運輸との合併を勧告されると、「たとえ三菱の旗号は倒れ、弥之助等がこの事業に従事すると否とに拘（かかわ）らず、我国海運の全体を瓦解に至らしめないため、政府の勧告に従う」旨を上申、両社合併に踏み切った（『国史大辞典』）。その後、鉱山、銀行、造船などの事業に転進し、三菱企業の根幹を築いた。九三年、三菱合資会社に改組して弥太郎の長男、久弥に社長を譲って引退。松方正義首相の要請により、九六年に第四代日銀総裁に就任、金本位制への転換に尽力した。書籍と古美術品を愛し、東京・世田谷の和漢古書専門の図書館「静嘉堂文庫」をつくった。

◉益田孝

「日本資本主義興隆期の立役者」と称される。佐渡に生まれた。父が佐渡奉行所から転勤した箱館の地で、英語を学び、外国方通弁御用となる。一八六三年、遣欧使節池田長発の随員となった父の従者として渡仏した。維新後は、外国商館で貿易に従事したが、井上馨の知遇を得て、大蔵省に出仕。七六年、商社設立をはかろうとしていた三井の大番頭・三野村利左衛門に招かれて「三井物産」会社の社長に就任した。銀行・物産・鉱山三社の株式を所有する持株会社・三井合名会社を設立するなど、三井財閥の中心人物の一人としてその発展に努めた。また、茶人・美術愛好家としても知られ、益田が主催した茶会は、政財界人の一大社交場になった。

農家に育ちました。当時の領主の過大な要求に不条理を感じた渋沢は、「官尊民卑」の打破をめざすようになります。その後、江戸に出て儒学者・海保漁村の塾に入り、尊皇攘夷派として群馬の高崎城乗っ取りを計画しますが、寸前で中止しています。

一橋家の用人の推薦で家臣に取り立てられ、六七年のパリ万国博覧会に派遣された一五代将軍・徳川慶喜の弟、昭武（一八五三―一九一〇年）の使節団に、庶務・会計係として随行しました。二年近く欧州各国で見聞を広め、帰国後は慶喜が蟄居していた静岡で、金融・商社機能を併せもつ「商法会所」をつくります。

渋沢は六九年一一月、政府から出仕を命じられ、民部省租税正に就きます。すぐにも辞任するつもりが、大隈に説得され、新設の「改正掛」で、政策の調査・研究・立案にあたります。

その一つが「国立銀行」条例でした。これは「国立」と言っても国営ではなく、国の法律にもとづいて設立されるという意味で使われました。大蔵大丞の渋沢は、七二年四月、三井組と小野組に対し、共同して銀行を設立するよう働きかけ、七三年八月、第一国立銀行の開業にこぎつけます。その建物は、三井家の大番頭だった三野村利左衛門（一八二一―七七年）が東京・兜町に建てた西洋館「三井ハウス」を譲り受けました。渋沢はこれを機会に官職から退いて、同銀行の総監役になります。

その後、渋沢が会長や社長としてかかわった会社は、東京瓦斯、日本煉瓦製造、東京製綱、京都織物、東京人造肥料、東京石川島造船所、帝国ホテル、王子製紙、磐城炭鉱、広島水力電気、札幌麦酒などの株式会社があります。さらに大阪紡績、日本鉄道、東京海上保険、日本郵船などの設立を援助し、役員として関与しました。また、

●渋沢栄一

●第一国立銀行

郵便はがき

料金受取人払郵便

牛込局承認

5362

差出有効期間
令和6年12月
4日まで

162-8790

東京都新宿区
早稲田鶴巻町五二三番地

株式会社 藤原書店 行

（受取人）

ご購入ありがとうございました。このカードは小社の今後の刊行計画および新刊等のご案内の資料といたします。ご記入のうえ、ご投函ください。

お名前	年齢

ご住所 〒

TEL　E-mail

ご職業（または学校・学年、できるだけくわしくお書き下さい）

所属グループ・団体名　連絡先

本書をお買い求めの書店

市区 郡町　書店

■新刊案内のご希望 □ある □ない
■図書目録のご希望 □ある □ない
■小社主催の催し物案内のご希望 □ある □ない

書名		読者カード

●本書のご感想および今後の出版へのご意見・ご希望など、お書きください。
（小社PR誌『機』「読者の声」欄及びホームページに掲載させて戴く場合もございます。）

■本書をお求めの動機。広告・書評には新聞・雑誌名もお書き添えください。
□店頭でみて　□広告　　□書評・紹介記事　　□その他
□小社の案内で　（　　）　（　　）　（　　）

■ご購読の新聞・雑誌名

■小社の出版案内を送って欲しい友人・知人のお名前・ご住所

お名前　　ご住所　〒

□購入申込書（小社刊行物のご注文にご利用ください。その際書店名を必ずご記入ください。）

書名　　冊	書名　　冊
書名　　冊	書名　　冊

ご指定書店名　　住所

都道府県　　市区郡町

会社の設立だけでなく、豊富な人的ネットワークをもとに、経済界のとりまとめにあたり、東京商法会議所や東京株式取引所、東京手形交換所などのビジネス関連団体を起こしました（島田昌和『渋沢栄一』）。

「論語と算盤」

渋沢栄一と岩崎弥太郎は、企業勃興期の指導者としてよく比較されます。二人の経営理念・手法をみますと、渋沢は、広く資本を公募して事業を推進することが公益に適うという「合本主義（一般的には株式会社制度をさす）」者でした。例えば、第一国立銀行や共同運輸はこれにあてはまります。これに対して、岩崎は個人組織による「専制主義」の主唱者でした。三菱汽船と共同運輸との海運業をめぐる争いは、二人の主義の違いが顕著な形であらわれた例でした（井上潤『渋沢栄一』）。

渋沢はまた、営利の追求も道義に合致するものでなければならないという「道徳経済合一」を説きました。彼の訓話を集めて一九二七（昭和二）年に発行された『論語と算盤』で、渋沢は、自分たちは「なるべく政治界、軍事界などがただ跋扈（のさばり、はびこること）せずに、実業界がなるべく力を張るように希望する」と述べたうえで、こう続けています。

> その富をなす根源は何かといえば、仁義道徳。正しい道理の富でなければ、その富は完全に永続することができぬ。

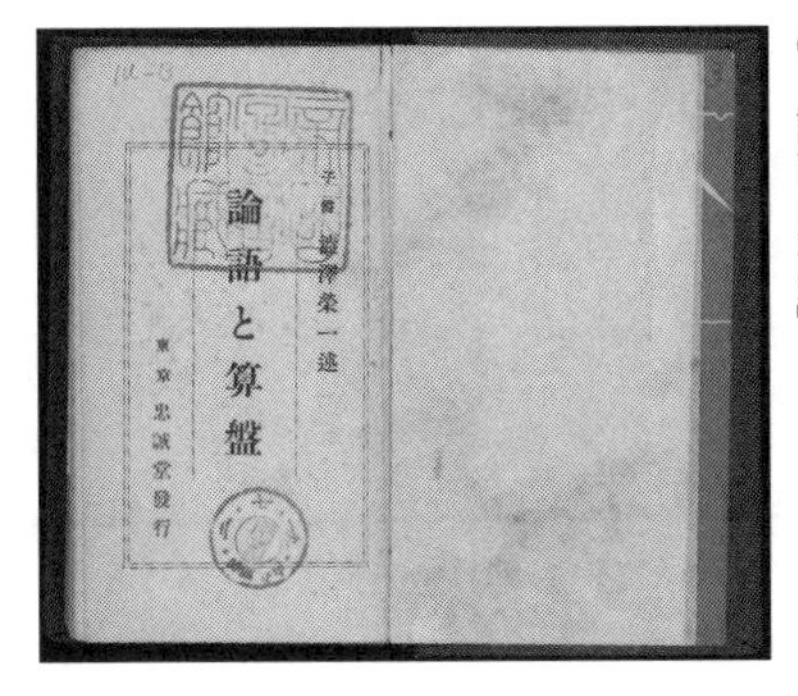

●『論語と算盤』

道徳と離れた不道徳、欺瞞（ぎまん）、浮華（ふか）、軽佻（けいちょう）の商才は、いわゆる小才子（こざいし）、小悧口（こりこう）であって、決して真の商才ではない。

渋沢は官から民へと転進した一八七三年、「（孔子とその弟子たちの言行録である）論語の教訓を標準として、一生商売をやってみようと決心した」と述べています。渋沢は、実業教育や女子教育のため、多くの学校を創立するとともに、社会事業にも熱心に取り組みました。二〇世紀に入ると、アメリカをはじめ各国を相手に「民間外交★」を幅広く展開するなど、その業績はまことに多岐にわたります。

◉渋沢栄一の民間外交

日米関係は、二〇世紀に入ると、太平洋岸で日本人移民への反感が強まり、一九一三年に排日移民法が成立。また、第一次世界大戦後、「五大国」の一つになった日本に対する米側の視線は厳しさを増した。渋沢は〇二年、日米親善と通商の緊密化を目的とした東京商法会議所の使節団として訪米し、〇九年には渡米実業団の団長となって、大陸横断鉄道で三か月かけ約六〇都市を回った。二一年の四回目の渡米では、ワシントン会議を促進する役割を担っていた。この間、一三年には、日本人移民の土地所有権を取り上げるカリフォルニア州議会の外国人土地法案成立を阻止するため、「日米同志会」を結成、一六年には各界を代表する「日米関係委員会」設立を牽引し、一七年には日米の著名人一〇〇人以上を集めた「日米協会」の設立に参画した。また、アメリカの宣教師ギューリックによる「人形の交換で、世界の平和を子供たちから」との呼びかけにも積極的に応じた。一方、反日運動が高まる中国との関係改善をめざし、一四年に中国を訪問。「すべからく仁愛・忠恕（ちゅうじょ）の至誠をもって臨まずんば、はなはだ不可なるべし」と、二〇年、実業家同士の提携を図る「日華実業協会」を設立、会長に就いた。渋沢は、東京・王子飛鳥山の自邸に絶えず外国人を招いて接待を続け、インドの詩人・思想家のタゴールは、三回もここを訪れていた（井上『渋沢栄一』）。

8 「鹿鳴館」の女性たち

建設推進役は井上馨

一八八三（明治一六）年、旧薩摩藩の屋敷跡（現・東京都千代田区内幸町、帝国ホテル隣）にレンガ造りの洋館が完成し、「鹿鳴館（ろくめいかん）」と名付けられました。「鹿鳴」とは、『詩経（しきょう）』に由来し、「宴会で客をもてなすときの詩歌・音楽」（『広辞苑』）という意味です。

その西洋スタイルの館は、外国の賓客・要人の宿泊施設や、在日外国人・外交官相手の宴会場として、明治政府が建設しました。それまでグラント・前米大統領をはじめ貴賓（きひん）が来日しても、政府には、彼らをもてなす迎賓館がなかったのです。

しかし、それだけではなく、別の狙いがありました。政府の最大の懸案は、不平等条約を打破して対外的独立を果たすことでした。ところが、四半世紀がたっても、全くその目処（めど）が立たず、首脳陣には焦りの色が見えていました。鹿鳴館は、不平等条約の改正に向け、日本が西洋と同等の「文明国」であることを、外国人に強く印象づけるための舞台装置として構想されたのです。

建設を推進したのは、当時の外務卿（外務大臣）・井上馨（かおる）（一八三五―一九一五年）です。

●鹿鳴館

ドイツ人の医師ベルツは、井上について「生気にみちた、理智的な面差し（おもざし）の小柄な人物で、ヨーロッパの文化や生活様式を完全に同化した日本人」（『ベルツの日記』）と評していました。井上は、政治・経済のみならず、社会生活の各領域まで西欧化しようとする「欧化主義」の体現者として、東洋の地に「欧州的一新帝国」を産み出そうと目論（もくろ）んでいました。

鹿鳴館の設計者は、お雇い外国人でイギリスの建築家、コンドル★（一八五二—一九二〇年）でした。ルネサンス洋式の二階建て、白レンガづくり、総建坪は四六六坪（約一五三七平方メートル）。一階に入るとホールや大食堂、談話室、玉突き場などがあり、中央の大階段を上がると舞踏室、その後方に宿泊用の部屋がありました。なお、鹿鳴館は九四年の東京地震で被害を受け、華族会館に払い下げられたあと、一九四〇年に取り壊されました。

不平等条約の重さ

明治新政府は、開国にあたって徳川幕府が諸外国と結んだ条約（和親・修好通商条約）を継承しました。

当時、幕府は、欧州列強間のクリミア戦争や、英・仏と清国との第二次アヘン戦争などの国際情勢に助けられ、戦争を回避しながら諸外国と渡り合ったわけですが、条約の不平等性は否めず、その克服が明治政府の喫緊（きっきん）の課題になるわけです。

日本政府は、岩倉米欧回覧使節団による条約改正交渉が挫折したあと、外務卿・寺

●コンドル

島宗則が交渉を再始動させます。一八七六年から、英仏と比べ日本に好意的だったアメリカとの間で個別交渉に臨みました。七八年七月には、日本の関税自主権承認などで日米交渉は妥結しますが、この条約の実施は、他国と同様の条約を締結することが条件となっており、イギリスの反対により万事休してしまいます。

その頃、不平等条約の実態をさらす事件が起きました。まず同年二月、イギリス商人のアヘン密輸事件で、横浜英国領事裁判所は商人に無罪判決を出しました。次いで七九年七月、流行中のコレラ予防のため、日本政府が検疫停船仮規則の実施を列国に通告したにもかかわらず、ドイツ商船「ヘスペリア」号は、検疫を受けずに強引に入港しました。これらを受けて、日本国内では治外法権の撤廃を要求する世論が高まります。

同年九月、新しい外務卿を命じられたのは井上馨でした。日本政治外交史が専門の五百旗頭薫の「条約改正外交」によると、井上は、交渉にあたり、領事裁判の撤廃を目標としつつも、当面、これは困難とみて行政規則の制定権（行政権の回復）と協定関

●寺島宗則

◉ジョサイア・コンドル

日本政府の招きで一八七七年一月に来日した御雇い外国人・コンドルは、工部省技術官と工部大学校（のちの東京帝国大学工科大学、現在の東大工学部の前身）造家学科の講師を任ぜられた。ここでコンドルは、日本人建築家を養成するとともに、東京・横浜を中心に、本格的な西洋近代建築の設計・監督にあたった。造家学科からは、第一期生の辰野金吾をはじめ、日本の建築界をリードする有能な人物が多数育った。コンドルの作品としては、鹿鳴館のほか、旧帝室博物館、ニコライ堂、有栖川宮邸、海軍省、三菱一号館などがある。

税の引き上げから入りました。貿易や検疫などに関する行政規則も、各国の同意が必要で、日本が自主的に決められなかったのです。

八二年一月から条約改正予備会議が始まります。井上は四月の会議の席上、将来的な法権の全面回復（領事裁判の撤廃）と引き換えに内地を外国人に全面開放する意向を表明しました。内地開放は、各国が強く要求していたもので、貿易や居住地域を、開港・開市以外の地域（内地）に拡大するものでした。井上は、八〇年に着工した鹿鳴館を、内地開放によって日本人と外国人が交流する演習の場とみていたほどで、この内地拡大表明によって関税交渉は大きく進展することになります。

鹿鳴館の夜会

井上が外務卿に就いて四年余り後の八三年一一月二八日、鹿鳴館開館記念の夜会が開かれました。いわゆる「鹿鳴館時代」の始まりです。招待状は、井上外務卿と夫人・武子（一八五〇―一九二〇年）の連名で、皇族や大臣、外国公使、各官庁の幹部ら約一二〇〇人に出されました。オープニングは午後八時半でした。近藤富枝『鹿鳴館貴婦人考』によると、この夜は、山川捨松（陸軍卿・大山巌夫人）や津田梅子（のちの津田塾大学創設者）、永井繁子（海軍大尉・瓜生外吉夫人）、井上武子のほか、外交官夫人である鍋島栄子（直大夫人）、柳原初子（前光夫人）、吉田貞子（清成夫人）らが踊ったとみられています。★

連日のように鹿鳴館の舞踏会が開かれるかたわら、慈善バザーも開かれました。そ

●外務卿当時の井上馨

●一八八三年頃の井上馨（右）と武子夫人（左）

の一方、「踊れる人」を増やすため、外国人教師を呼んで、政府高官の夫人や令嬢らを対象に「踏舞練習会」も始まりました。伊藤博文の梅子夫人★（一八四八―一九二四年）も率先して参加しました。当時、世間でも、西欧婦人をまねた洋装や束髪が流行するなど、「欧化」が一世を風靡する「鹿鳴館時代」が現出しました。

●伊藤梅子

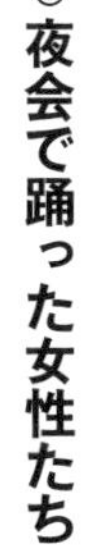

◉夜会で踊った女性たち

鹿鳴館の夜会に出席した山川捨松、津田梅子、永井繁子は、岩倉使節団の女子留学生として一〇年前後の在米生活を送り、帰国した才媛たち。井上武子は、父親が新田義貞の後裔という武家の名家の出身。七六年六月、二七歳の時、夫の馨、養女の末子とともに日本を発ち、米国に滞在後、九月からは英国のロンドンで暮らした。語学やダンス、ファション、裁縫や料理などを覚え、一家は七八年七月に帰国した。柳原初子は、宇和島藩主・伊達宗城の娘。夫・前光の駐露公使時代、ロシア皇帝アレクサンドル二世の馬車に爆弾が投げつけられた際、夫とともに馬車列にあってこれを目撃していた（『鹿鳴館貴婦人考』）。

◉伊藤梅子

小梅と名乗った山口・下関稲荷の芸妓時代、伊藤博文と知り合った。才気煥発で、後年、下田歌子に和歌を学び、英語の習得も心がけた。常々の身だしなみに気を配り、木戸孝允の妻松子と並び、良妻賢母の典型とされた。宮中女官の制服の改正に力を尽くした。梅子が参加したという「踏舞（ダンス）練習会」には、井上・大山夫人や令嬢らも加わったが、改めて踊れる男性が必要となって、外務・宮内省官員たちがけいこに駆り出された。梅子は後年、博文暗殺の報にも気丈なところを見せたが、自室で〈国のため光をそへてゆきましし君とし思へどかなしかりけり〉としたためた。

貴婦人たちを絶賛

一八八五（明治一八）年一一月の天長節（天皇誕生日の旧称）の夜会に招かれた外国人の一人に、ピエール・ロチ（一八五〇—一九二三年）がいます。横浜に来港したフランスの練習船の艦長（海軍大尉）でした。ロチは作家でもあり、来日時の日本見聞記である『秋の日本』という作品を残しました。

ロチは、その中の「江戸の舞踏会★」で、「ロク・メイカンそのものは美しいものではない。われわれの国のどこかの温泉町の娯楽場（カジノ）に似ている」と、井上馨が聞いたらガッカリするようなことを書いています。

その夜、ロチが菊に縁どられた階段を上っていくと、大臣の傍らに立って舞踏室の入り口で招待客を待ち受ける女性は、「非の打ちどころなく髪をゆった、秀でた利発そうな顔立ち」の人でした。「淡く地味な藤色の繻子（しゅす）の長い裳裾（もすそ）。真珠をちりばめた鞘形（さやがた）の胴着（コルサージュ）。パリに出しても通用するような服装」で慇懃（いんぎん）な挨拶（あいさつ）をしたあと、「すぐれた性質の気軽さを以（もっ）て、アメリカ婦人のように、わたしに手を差しのべ」ました。この女性が井上武子で、彼女はここでヨーロッパ仕込みの接待術をみせたことになります。

夜会には、重臣たちの令嬢など「名花」がそろっていました。ロチは、通りすがりに「漆黒の髪。小さな愛らしい仔猫（こねこ）のような、美しいびろうど色の目」と「細長くしまった胴着をつけた極東の優しい佳人」に惹（ひ）きつけられます。この女性は、鹿鳴館初

●ロチ

●鍋島栄子（公益財団法人鍋島報效会所蔵）

の夜会にも現れた、当時三〇歳の鍋島栄子★（一八五五―一九四一年）です。

ビゴーの辛辣な風刺画

ロチは貴婦人たちを絶賛する一方で、盛装をした燕尾服の紳士たちは「何だか猿によく似ているように思える」と書き、若い娘たちやその母親たちも、「パリから真っ直ぐに伝わってきた身繕い」をしているのに、着こなしがしっくりせず、体型や顔についても辛辣な批評をしています。

八二年一月、日本美術の研究のため来日したフランスの画家ビゴー★（一八六〇―一九二七年）は、時局風刺雑誌『トバエ』を横浜で発行し、種々の風刺画を描きました。「社

●ビゴーの「社交界に出入りする紳士淑女」

◉「江戸の舞踏会」

ピエール・ロチは一八八五年の初来日の際、『秋の日本』の素材を得て執筆、八九年に上梓した。「江戸の舞踏会」は「聖なる都・京都」など九編のうちの一つ。作家の芥川龍之介は、この「江戸の舞踏会」を粉本（下敷き）にして短編小説「舞踏会」を著した。このロチと芥川の描いた舞踏会を、舞台上に再現したという戯曲『鹿鳴館』が、作家・三島由紀夫によって書かれた。

◉鍋島栄子

幕末期の佐賀藩主だった鍋島直大・駐イタリア公使と結婚、外交官夫人として才覚を働かせ、イタリア王室の王妃マルゲリータから、その指にはめていた指輪を外して与えられるほどの寵愛を受けた。鹿鳴館時代は舞踏練習会の幹事長になった直大を大いに助けた。一八八七年から半世紀の間、日本赤十字社の篤志看護婦人会会長を務め、日清・日露戦争当時は傷病兵の看護にもあたった。

交界に出入りする紳士淑女」と題した絵（八七年五月）では、一緒に鏡をみる盛装の男女の、鏡に映る姿は、二人とも猿顔になっています。

八七年四月、首相官邸で「仮装舞踏会」が開かれます。伊藤博文首相はベネチアの貴族の衣装、井上外相は三河万歳、山県有朋・内務相は奇兵隊士に扮するなど、閣僚や親王、実業家たちがそれぞれ仮装して「ばか騒ぎ」を繰り広げました。舞踏会は、ここで本来の目的を逸脱し、政治指導者らの「私的享楽」の場に堕したと見られることになります。

八四年には華族を公・侯・伯・子・男の五爵に分けた華族令も出されており、新聞など世論は、鹿鳴館での特権貴族の乱調ぶりや、男女間の醜聞を取り上げて批判しました。伊藤もその流言の渦中に置かれました。

条約交渉、また挫折

一方、井上外務卿による条約改正交渉は、八四年、イギリス、ドイツとの間で協議が進展します。八六―八七年にかけて、新条約批准後二年以内に内地の開放を、批准五年後に領事裁判撤廃を実現する方向となります。ただし、その条件として、西洋式法典の編纂と、日本の裁判所への外国人判事・検事の任用が日本に求められました。

しかし、日本国内では、外国人判事らの任用に対して批判が噴出し、内閣法律顧問のボアソナード（フランスの法学者）は、「領事裁判権存続以上に日本に害がある」と反対しました。谷干城・農商務相は反対の意見書を出して八七年七月、辞任します。

●首相官邸で開かれた仮装舞踏会の参加者

当時、イギリス貨物船・「ノルマントン」号事件が、国民の領事裁判撤廃要求に火を付けていました。八六年一〇月、紀州沖で難破・沈没した同船は、船長をはじめイギリス・ドイツ人の乗組員がボートで脱出したものの、日本人船客二五人が水死したのです。これに対して国内世論が沸騰する中、領事海難審判は、イギリス船長以下全員に無罪判決を下します（のちの再審で船長に禁錮三か月）。合意が近づいていたかに見えた井上馨の条約改正交渉は、閣内からも天皇周辺からも批判が相次ぎ、交渉はまたも頓挫し、八七年九月、井上は外相辞任に追い込まれます。

井上の「鹿鳴館外交」を支えた妻の武子は、ヨーロッパでの生活で、洋装のためコルセットの後紐を締め上げるとき、「敵討ちにいくときの鉢巻のようだ」と思ったといいます。和装に慣れた当時の明治女性の多くが、それに悩んだだけでなく、見知らぬ外国人と相擁して踊ること自体に抵抗を覚えたことも想像に難くありません。半強制的に国策の欧化体制に組み込まれ、それでも日本の近代化のお役に立ちたいと努めた女性たち。その「鹿鳴館」の時代も、ここで幕を閉じることになります。

作家の近藤富枝は前掲書の中で、上流婦人たちの足跡をたどっていくと、「意外にも華やかと見た彼女たちのほとんどが、動乱の維新にどん底であえぎ、生死をさまよ

●横浜港を出港する「ノルマントン」号

◉ジョルジュ・ビゴー

一八八二年から九九年まで一七年間にわたって滞日した。はじめ陸軍士官学校の画学教師や中江兆民の仏学塾でフランス語を教えた。報道画家の仕事をえて、自ら雑誌も出して、日本の世相や明治政府を皮肉る諷刺画を多数発表した。日清戦争にも、特派画家として従軍した。一連のあまりに辛辣な筆致に警察からのマークもきつかったといわれる。

い、必死で這い上り、その後も懊悩、悲哀、転落を経験していたことを知って、やっと共感を覚えた」と告白しています。そしてこうも書いています。

　鹿鳴館は日本の夜明けだったが、女たちの夜明けではない。長い、気の遠くなるほどの遠い道をさらに歩まなければ、その日はやってこなかったのである。

近代の日本女性が男女同権や自由な恋愛を享受するまでには、実際、とても長い年月を要したのでした。

●「鹿鳴館の華」と呼ばれた戸田極子（岩倉具視の娘）（江戸東京博物館所蔵）

9　自由民権運動の幕切れ

板垣退助の洋行

自由党の板垣退助は一八八二（明治一五）年一一月、同党の後藤象二郎とともにヨーロッパに旅立ちました。この洋行は、後藤が伊藤博文と井上馨にもちかけたものでした。板垣は、伊藤の憲法調査訪欧計画に刺激を受け、自らも洋行したいという気持ちがあり、後藤には帰国後、政府に復帰する思惑があったとされます。

明治六年政変の後、野に下った板垣や後藤らが「民撰議院設立建白書」を提出（一八七四年）したのが自由民権運動の始まりでした。これは「反政府」運動でしたが、政治学者・升味準之輔によると、当時の士族結社には政府に「さからう運動」と「わりこむ運動」とが混在していて、西郷隆盛の「私学校」が前者だとすると、板垣の「立志社」は後者が相当に強かったということです（『日本政党史論』第一巻）。

この時の洋行計画も、いわば立志社流の政権参加を画策する「割り込み」の一つといえましたが、自由党内では洋行費用の出所をめぐって一騒動が起きます。発端は、井上が二人の外遊費用の金策に動いて、三井から、陸軍省の公金取り扱い業務の延長

●板垣退助（右）と後藤象二郎

と引き替えに、二万ドルの提供を受けたことでした。この情報が世間に漏れて、自由党幹部の馬場辰猪（一八五〇―八八年）らは、結党間もない時期での目的不明の渡欧と旅費の出所などに疑問を呈して洋行に反対しました。

板垣は、奈良の富豪で自由党支持者の土倉庄三郎から提供されたものと反論。土倉の資金提供は事実だったとされ、三井の二万ドルの行方はわからずじまいでした。結局、板垣らは反対論を押し切り、馬場と末広鉄腸の二人が常議員を辞職し、党内に深い亀裂を残します。

立憲改進党は、板垣の洋行費用の疑惑をめぐって攻撃を続けました。これに対して自由党も、明治一四年政変時の三菱―大隈重信―改進党の「旧悪暴露」で反撃し、「改進党は真の政党ではない」とする「偽党撲滅」キャンペーンを展開、泥仕合を演じます。

スペンサー、板垣に「ノー」

板垣監修の『自由党史』によると、ヨーロッパ視察で板垣は、もっぱらパリにとどまり、イギリスやオランダを歴訪しました。クレマンソー★（一八四一―一九二九年）やユーゴー★（一八〇二―八五年）、アコラス（フランスの法学者・政治学者）、ハーバート・スペンサー（イギリスの哲学者・社会学者）らと会見しました。

スペンサーは、その「適者生存」「優勝劣敗」の社会進化論が、西南戦争前後から、日本の知識人の間でもてはやされていました。板垣は、駐英公使の森有礼の紹介でス

●馬場辰猪

●ビクトル・ユーゴー（米国議会図書館蔵）

ペンサーを訪ね、自説をとうとうと述べたといわれます。しかし、スペンサーには、板垣の言葉は「空論」と映ったようで、「ノー、ノー、ノー」の声とともに、席を立ってしまいました。

一方、後藤は、憲法調査のために滞欧中の伊藤と連絡をとり、ウィーンで、伊藤が師事した国家学者シュタインに面会しています。板垣は八三年六月に帰国しました。

馬場辰猪は、板垣の外遊について「イギリスとフランスを通り抜けただけだ」と批判しました。馬場はイギリスに長期留学して近代政治思想を学び、自由党結党の際、後藤らとともに常議員に選ばれた民権家でした。しかし、今や板垣の政治行動に失望し、同年九月、同志の末広と大石正巳(おおいしまさみ)とともに脱党します。八五年一一月、馬場と大

●ハーバート・スペンサー

◉ジョルジュ・クレマンソー

医学を学び、アメリカで教職に就いたのち、フランスに戻り、国民議会議員になると、一八七六年には下院最左翼グループのリーダーとなった。八〇年代は雄弁をもって数多の閣僚を辞任に追い込み、「虎」の異名をとった。その後、ブーランジェ事件(ブーランジェ将軍が八九年、政権を狙って起こしたクーデター未遂)や、ドレフュス事件(ユダヤ系軍人・ドレフュスのスパイ容疑が誤審と判明した後も軍部がこれを無視したため、大問題に発展した)で反動勢力と戦った。一九〇六—〇九年に政権を担当したあと、第一次世界大戦中の一七年、二度目の首相となり、終戦後のパリ講和会議ではドイツに過酷な講和条件を要求した。

◉ビクトル・ユーゴー

フランス・ロマン主義の詩人、小説家、劇作家。一八四五年に上院議員、ルイ・フィリップを追放した四八年の二月革命を機に共和政を支持、五一年のナポレオン三世のクーデターに反対したため、一九年間、亡命生活を余儀なくされた。その間に不朽の長編小説『レ・ミゼラブル』(六二年刊)を書いた。日本では黒岩涙香が翻訳し『噫無情(ああむじょう)』と題して一九〇六年刊行された。

石は、爆発物取締規則違反容疑で逮捕されます。だが、八六年六月に無罪放免となり、釈放から一〇日後、馬場は政治的亡命のような形でアメリカに向かいます。サンフランシスコなどに滞在して日本紹介や日本政府批判の講演や寄稿を重ね、八八年一一月、フィラデルフィアで客死(かくし)しました。

福島事件と三島通庸

八三(明治一六)年から八四年にかけて世情は不安定でした。自由党の急進的な活動家が相次いで反政府のテロ・武装蜂起計画を立てるなど、いわゆる「激化事件」を起こしました。★

これらの事件のうち、八四年に起きた加波山(かばさん)事件は、二年前の「福島事件」が端緒でした。同事件後に釈放された福島の自由党員らが上京し、彼らを弾圧した福島県令・三島通庸(みしまみちつね)★(一八三五—八八年)の暗殺を計画したのです。

八二年の福島事件では、三島県令と福島・三春出身の河野広中らの自由民権派が激しく衝突しました。旧薩摩藩出身の三島は同年二月、福島県令に着任すると、会津地方から山形、栃木、新潟の三方向に伸びる幹線道路(三方道路)の建設に着手します。工事にあたっては、国庫補助の実現を前提に県下六郡に住む男女(一五—六〇歳)に毎月一回・二年間の夫役(ぶやく)(強制的に課する労役)を求め、従事できない場合は一日一〇—一五銭の「代夫賃」を徴収すると定めました。

これには住民たちや自由党員らが反発し、県会の予算案審議に三島県令の出席を再

●三島通庸

三、要求しますが、三島は応じません。このため、県会は八二年五月、県令提出のすべての議案を否決することを決議します。しかし、三島は八月には道路建設を強行し、夫役に応じなかった住民の財産を差し押さえます。反対運動のリーダーが逮捕されると、反対派住民は一一月二八日、これに抗議して喜多方の弾正ヶ原に集結、喜多方

◉激化事件の続発（一八八三―八四年）

八三年　三月　新潟県頸城自由党員二六人が、官憲のスパイだった党員の自供に基づく捏造によって、内乱陰謀容疑で新潟県の高田警察署に送致（高田事件）

八四年　五月　群馬県自由党員・湯浅理兵らが妙義山陣馬ヶ原に農民数千人を集め、一六日未明より高利貸しや松井田警察署などを襲撃（群馬事件）

九月　茨城・福島・栃木県の自由党員による政府高官暗殺計画が発覚。官憲に追いつめられた一六人が、茨城県の加波山に手投げ弾を持ってたてこもり、「革命挙兵の檄」を配布。二四日下山し警察官と交戦（加波山事件）

一〇月　（秩父事件）＝後述

一二月　名古屋の自由党員らが、政府転覆計画を立て、軍資金調達のため富豪から金品を略奪し、巡査を殺害したあと、役場で強盗事件をひき起こす。のちに公判で三人に死刑（名古屋事件）

同月　愛知・長野県の自由民権派が、名古屋鎮台を攻略し、監獄から囚人を脱走させて義軍を結成する計画を立てたが、事前に発覚（飯田事件）

◉三島通庸

薩摩藩出身。戊辰戦争に参加し、維新後は東京府権参事などを経て、一八七四年に酒田県令、八二年に福島県令になった。福島事件などで強権をふるった後、内務省土木局長を経て、八五年に警視総監に就任。八七年、大同団結運動に際しては保安条例で対抗し、五〇〇人以上の民権家を東京から追放した。

警察署に乗り込み、警官隊と衝突しました（喜多方事件）。

これをきっかけに三島県令は、県内の自由党や反対派勢力の息の根を止めようと、大量検挙に乗り出し、河野広中も一二月一日に逮捕されます。喜多方事件の農民ら十数人は、若松重罪裁判所で懲役・禁錮の有罪判決を受けます（上告審で無罪）。河野ら五〇余人は、「国事犯」（内乱陰謀罪）として東京に護送されて高等法院で審問を受け、河野は軽禁獄七年を宣告されました（『国史大辞典』）。

自由、改進両党が解党

板垣は、洋行から帰国した頃、すでに自由党の解散を考えていたようです。同党は、支持基盤の地方の地主層が「松方デフレ」の影響で窮境（きゅうきょう）に陥り、資金面からも存続の危機に直面していました。党執行部は、八三年六月から活動資金集めに一〇万円の募金活動を開始しますが、さっぱり集まりません。国会開設では政府に主導権を奪われたまま、福島事件以降は、政府の弾圧にさらされ、党本部の運動方針も揺らいでいました。このため、地方党員の間には、結党の精神の「ペンと弁舌」から、「武（暴力）」への傾斜が強まります。

激化事件が続発する中で、党本部の直接的な関与が疑われ、世間からも白眼視されるようになります。資金はいよいよ枯渇し始め、党員の統制に苦慮した板垣ら党幹部は八四年一〇月二九日、大阪で開いた党大会で解党を決めました。

一方、立憲改進党も、府県会を拠点とする運動に限界がみえ、党員拡大策をめぐっ

●河野広中

て党内対立も起きていました。自由党激化事件が政党全体への不信感を招いていることもあり、党首の大隈は、解党の方針を固めます。これに党内から「反対」の声が噴き上がると、大隈は党副総理格の河野敏鎌とともに脱党してしまい、改進党の党勢も衰えます。

●河野敏鎌（長崎大学附属図書館所蔵）

秩父の農民たちの大蜂起

自由党の解党直後、「秩父事件」が勃発しました。

養蚕―生糸の生産地帯である秩父地方は、松方財政による深刻な不況と生糸価格の落ち込みのため、借金をして破産する人が相次いでいました。八四年になると、農民の生活は一層苦しくなり、負債農民を中心に借金返済の延期や小作料減免を求める運動が激しくなります。こうした中、博徒（ばくと）の田代栄助（たしろえいすけ）をトップに農民集団の「困民党」が結成されます。

内務卿・山県有朋は、「暴徒の首魁（しゅかい）たる者は自由党員または博徒及び三百代言（弁護士の蔑称（べっしょう））の輩（やから）なり」と報告し、困民党と秩父自由党とのつながりを指摘しました。実際、八四年に入党した秩父自由党員は、ほとんどが没落中小農民で、この中に困民党の組織者がいたということです。

同年一〇月一二日、困民党幹部たちは、請願だけでは埒（らち）が明かず、高利貸しの打ちこわしや証書類を焼き捨てる以外に打開の道はないと、蜂起を決断します（井上幸治『秩父事件』）。一一月一日夜、野良着（のらぎ）姿に白はちまき、白だすきをつけ、銃や刀、竹槍（たけやり）で武装した農民約三〇〇〇人が、下吉田村（現・秩父市）の椋神社に集結しました。総理・田代栄助、会計長・井上伝蔵、大・小隊長など各人の「役割表」を決め、五か条の軍律★も定めました。

困民党軍は二手に分かれ、高利貸し宅に放火したり、役場の帳簿を焼却したりしたあと合流。二日は秩父地方の中心地、大宮郷に侵入して、郡役所を本陣と定めます。その勢力は一万人近くに膨れあがったといわれ、秩父郡内の公的機関は地をはらいました。埼玉県は政府に軍の派遣を要請し、三―四日には憲兵隊と軍隊が到着します。四日夜、児玉町金屋で農民四〇〇―五〇〇人が東京鎮台兵と白兵戦を交えて激戦し、敗走します。田代ら幹部数人は戦線を離脱、逃走を図り、本陣は解体されました。

しかし、分遣隊は秩父の峠を越えて群馬県の神流川に出て、新たに農民を集めながら長野県に転進。千曲川沿いの南佐久郡穂積村で数百人が野営していたところを、高崎鎮台兵に急襲されて潰走し、八ヶ岳山麓でついに壊滅しました。

秩父事件については「これこそが革命運動」という評価の一方、事件は農民一揆が主体で、自由民権運動の本筋からは外れているとの見方も強いようですが、反乱のスケールは大きく、藩閥政府の心胆を寒からしめるものがありました。

自由民権運動とは何だったのか

自由党が解党してしまい、秩父の農民蜂起が終わったとき、自由民権運動は事実上、幕を閉じました。

●秩父事件で困民党が武装蜂起した椋神社の境内（埼玉県秩父市、二〇一六年三月二八日撮影）

●困民党に襲撃された高利貸し宅の柱に残る刀傷（埼玉県秩父市の石間交流学習館で。二〇一二年五月二八日撮影）

自由民権運動については、その性格をめぐって研究者の間でさまざまな議論が行われてきました。戦前から戦後にかけては、マルクス主義の立場から、自由民権運動を「半封建的な、軍事的な天皇制絶対主義に対するブルジョア民主主義革命の運動」ととらえる学説が多くみられました。しかし近年、こうした説はあまり聞かなくなりました。

最近では、歴史学者の松沢裕作が著書『自由民権運動』で、明治政府を揺るがした自由民権運動を「戊辰戦後デモクラシー」ととらえています。

「戦後デモクラシー」といえば、政治・外交史に詳しい三谷太一郎が「日本の歴史上のデモクラシーは、内外にわたる戦争の犠牲によって贖われた『戦後デモクラシー』である」（『近代日本の戦争と政治』）と書いています。太平洋戦争後だけでなく、日清戦争の後にも政党の台頭という戦後デモクラシーがあり、日露戦争及び第一次世界大戦後は「大正デモクラシー」があって、それぞれ戦争で無理を強いられた人々の政治参加の拡大要求がありました。

戊辰戦争も、戦場とは無縁だった人々を軍事動員したために、近世身分社会は大きく揺らぎ、その枠組みが崩壊します。この時勢が一変し、混沌とした時代にあって、

●当時の新聞に載った福島事件の裁判の様子

◉五か条の軍律

参謀長の菊池貫平が起草したもので、第一条「私ニ金円ヲ掠奪スル者ハ斬」、第二条「女色ヲ犯ス者ハ斬」、第三条「酒宴ヲ為シタル者ハ斬」、第四条「私ノ意恨（遺恨）ヲ以テ放火其他乱暴ヲ為シタル者ハ斬」、第五条「指揮官ノ命令ニ違背シ私ニ事ヲ為シタル者ハ斬」――と定めていた（井上『秩父事件』）。

そこに大きな夢や希望を抱く人もあれば、底知れぬ不安や焦燥に駆られる人もいました。松沢は、三谷の言説を援用しつつ、自由民権運動は、「ポスト身分制社会」を自分たちの手で新しくつくりだそうとする運動であり、それを戊辰戦後デモクラシーと呼んだのです。

明治の初めの国会開設要求に始まった〈自由民権〉は、「天賦人権論」（人間は生まれながらに自由・平等の権利をもつ）の思想を掲げて、藩閥政府に対抗し、憲法制定や政治参加の拡大を求める人々の運動でした。それは今日の政治・社会のあり方と深いところでつながっており、私たちに多くのことを教えてくれます。

10　伊藤博文、足軽から頂点に

岩倉具視の死

右大臣・岩倉具視が一八八三（明治一六）年七月二〇日、病気のため死去しました。岩倉の政治行動の軌跡をたどると、それは幕末維新史そのものです。異国船打払令が出された二五（文政八）年、京都の下級公家に生まれた岩倉は、五八（安政五）年、日米修好通商条約の勅許に反対する、中・下級公家八八人による「列参」（デモ）首謀者の一人として、朝廷政治にデビューしました。

「桜田門外の変」の後、将軍家茂（いえもち）への皇女和宮（かずのみや）の降嫁（こうか）など公武合体策を推進しましたが、尊皇攘夷運動が高まる中、六二年八月に失脚。洛中（らくちゅう）（京都の古くからの市街地）から追放され、洛北の岩倉村（現・京都市左京区）に蟄居（ちっきょ）しました。五年半後の六八年一月、王政復古のクーデターの当日、岩倉は朝廷にカムバックします。

王政復古の大号令には、「自今（今後）摂関、幕府等廃絶」という衝撃的な文字が躍っていました。歴史小説家・永井路子は著書『岩倉具視』で、摂関（摂政と関白）制度と幕府の廃絶という大事件を、「簡単な構図として眺めるならば、具視は摂関制度を、

●岩倉具視

薩摩は幕府を崩壊させるべく手を組んだのだ。その結果の『王政復古』は、この二頭立ての、謀計（はかりごと）、譎詐（いつわりあざむくこと）によって完成したともいえる」と書いています。そして、九世紀以来続いてきた朝廷の摂関制度を打破した岩倉の「大業」に、もっと注目すべきだと強調しています。

岩倉はまた、維新政府初の小御所会議で、徳川慶喜の会議出席を主張する土佐の山内容堂を、持ち前の弁才でねじ伏せ、慶喜追放を譲らない薩摩藩倒幕派有利の情勢をつくりました。以後、岩倉は議定、輔相、右大臣と明治政府の中枢に座り続けます。

「絶対的な剛毅果断」

岩倉自ら率いた新政府の米欧回覧使節団の帰国後に直面したのが征韓論争（七三年）でした。岩倉は、西郷隆盛の進退問題に発展することを懸念して、西郷の対韓使節をいったん認めながら、最終段階では派遣を阻む大久保利通の側に立ちました。

明治のジャーナリスト・池辺三山★（一八六四―一九一二年）は、岩倉を「ある時は絶対的な調和論をやるかと見れば、またその調和論の行詰まりには絶対的な剛毅果断をみせる」（『明治維新三大政治家』）と評しています。この時の方向転換は、その後者の例でしょう。岩倉に「奸物」（悪知恵がはたらく人）の評がつきまとったのは、このへんに理由があったのかもしれません。

池辺によると、岩倉の主義の第一は「王権回復主義」、第二は「国権の回復主義」で、「民権論、民政論はこの人の頭の中にはよほど乏しい」ものでした。実際、岩倉は、

●岩倉具視幽棲旧宅（京都市左京区。二〇一七年一一月一六日）＝長沖真未撮影

民権派の台頭に絶えず危機感を抱いています。

明治一四年政変に至る憲法制定論議でも、岩倉は、議院内閣制（政党内閣制）を採用するイギリス型憲法の導入を排し、プロイセン型立憲政体を選択しました。明治のリーダーで最年長者の一人だった岩倉には「年の功」がありました。とくに「バランス感覚とそれにもとづく漸進主義は、岩倉の政治行動に一貫する特質」と言えました（佐藤誠三郎『「死の跳躍」を越えて』）。明治初期の節目、節目の大政局で、岩倉が下した究極の判断が、その都度、大勢を制したのは、岩倉の「和」重視の調停能力の高さと、政治勘の鋭さによるものと指摘されています。

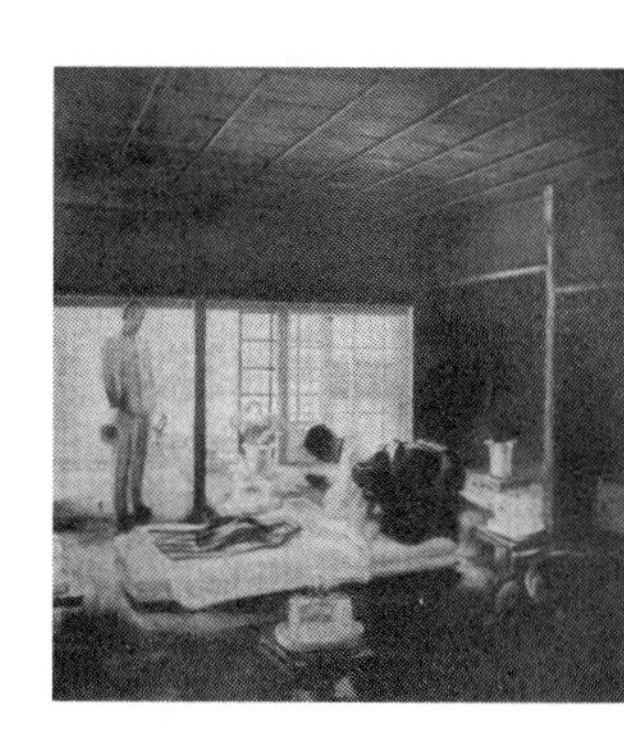

●岩倉具視を見舞う明治天皇（左）

伊藤、欧州から帰国

一八八三年六月末、勅命により診察に訪れたドイツ人医師・ベルツから「お気の毒ですが、ご容体は今のところ絶望です」と告げられると、岩倉はこう応じました。「ありがとう。死ぬ前に是非とも遺言を伊藤に伝えておかねばならない。ベルリンにいる

◉池辺三山

ジャーナリスト。父吉十郎は西南戦争の際、熊本隊を率いて西郷軍に応じ、捕縛され処刑された。旧熊本藩主の子の輔導役としてフランスに渡り、「鉄崑崙（てつこんろん）」のペンネームで『日本新聞』に送稿した「巴里通信」が好評を得た。『大阪朝日新聞』『東京朝日新聞』の主筆を歴任。日露戦争の際は、対露強硬の論陣を張り、ポーツマス条約締結をめぐっては桂内閣を糾弾した。作家・夏目漱石を入社させ、新聞連載小説でも紙価を高めた。

伊藤をすぐさま召還しよう。伊藤の帰朝まで、わしをもたすことはできるでしょうね？」（『ベルツの日記』）。

この岩倉の望みは、かなえられませんでした。七月五日、岩倉邸を見舞いに訪れた明治天皇は、やせ衰えた岩倉の姿をみて「暗涙（あんるい）」を催し、同一九日早朝に危篤の報を受けると、即刻、岩倉邸に赴き、今生の別れを告げました（『明治天皇紀』）。

岩倉の死去から二週間が経った八月三日、憲法調査のためヨーロッパを訪問していた伊藤博文が一年半ぶりに帰国しました。伊藤は岩倉の一六歳年下でした。明治政局を切り盛りしてきた主役の一人が去り、新しい主役の登場です。伊藤は、岩倉が進めていた皇室制度改革を引き継ぎ、八四年三月、宮中に制度取調局を設置して責任者になります。伊藤は宮内卿も兼務し、まず、憲法制定の前提として必要な皇室・華族制度や、内閣・官僚制度の整備に着手することになります。

華族制度の再構築

伊藤の華族制度改革は、国会開設を念頭に置いたものでした。「皇室の藩屏（はんぺい）（囲い、守護役）」たる「華族」を、民権派に対抗できる上院（貴族院）議員に充てようと考えました。しかし、それまで華族と称されてきた公卿や藩主（諸侯）は、政治的にはいかにも非力です。このため、明治維新で勲功のあった士族たちを新たに「華族」に追加し、華族制度を再構築することにしました。

八四年七月に公布された華族令は、旧公卿・諸侯の家格を基礎に「公・侯・伯・子・

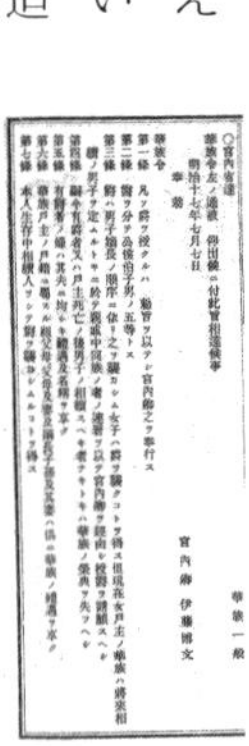

●八四年七月に公布された華族令

男」爵の五つのランクを設けました。公爵は、臣籍降下の皇族、摂関に任ぜられる家格の摂家、徳川宗家であり、極めて少数でした。侯爵は、摂家に次ぐ家柄の清華家、徳川御三家、一五万石以上の大藩主、琉球藩王。伯爵は、大納言に任ぜられることの多かった公家、徳川御三卿、五万石以上の藩主でした。子爵は、その他の公家と小藩主、男爵は維新後、華族に列せられた者と定めていました。

これらとは別に「国家に偉勲ある者」を公爵、「国家に勲功ある者」は勲功に応じて侯・伯・子・男の爵位が授けられることとしました。小田部雄次『華族』によると、華族令発出時の総数は、新たに藩士らの「新華族」も加わって509家（公爵11、侯爵24、伯爵76、子爵324、男爵74）でした。★

華族は、皇室と国家に忠誠を尽くすことを義務付けられる一方、さまざま特権がありました。世襲が認められ、公・侯爵は三〇歳に達すれば、貴族院の終身議員になれました。また、天皇や皇族の結婚相手となる資格を持つ一方、華族の子女は学習院、女子学習院に無試験で入学することができました。

●設立当初、東京・神田にあった学習院の校舎

◉旧藩士の「新華族」

旧藩士の身分で叙爵したのは計二七人（家）。大山巌、川村純義、黒田清隆、西郷従道、寺島宗則、松方正義（以上、薩摩）、伊藤博文、井上馨、広沢金次郎＝真臣の遺子、山県有朋、山田顕義（以上、長州）、佐々木高行（土佐）、大木喬任（肥前）ら一三人が伯爵に、樺山資紀（薩摩）ら一二人が子爵になった。故大久保利通と故木戸孝允の後嗣（後継ぎ）は、それぞれ侯爵となり、新華族は、薩長の出身者が圧倒的多数を占めた。公卿や諸侯でも、偉勲によって、岩倉家の家督を継いだ具定や、薩摩の島津忠義・久光、長州の毛利元徳らが公爵になった。

華族制度には、もちろん「四民平等に反する」といった批判がありましたが、日清・日露戦争後になると、軍人の叙爵者が増大し、大山、松方、伊藤、山県、桂太郎は最上位の公爵に上り詰めます。貴族院の半数の議員は、常に華族の出身が占め、貴族院はやがて反政党勢力として政界で力をもつようになります。明治末期から大正にかけては公爵・西園寺公望、昭和戦前期には公爵・近衛文麿といった首相も登場しました。敗戦後、一九四七（昭和二二）年の現憲法施行に伴い、華族制度は廃止され、華族889家が消滅します。

太政官制に限界

伊藤は、帝室費や皇室財産を増加させるなど、宮中に配慮を示しつつ改革を進め、自らの影響力の浸透に努めました。その上で、伊藤は、立憲政体樹立に向けて、「宮中（皇室）と府中（内閣）の別」の原則を確立しようとしました。この原則とは、天皇側近による政策決定への容喙を排除することを意味しました。

侍講の元田永孚らが、「宮中」で天皇に直接働きかけて影響力を行使していました。伊藤は、これが天皇と内閣の一体化を阻害し、「府中」の迅速な政策遂行を困難にするとみていたのです（坂本『伊藤博文と明治国家形成』）。

加えて、維新とともに設置された太政官制は、公家の実力者だった右大臣・岩倉具視の死をきっかけに、機能不全に陥るようになりました。七三年に太政官内に設置された「内閣」に出席できたのは、太政大臣、左・右大臣と参議だけで、卿（各省長官）

は出席できません。天皇への上奏権も太政大臣に限られ、大臣には皇族・公家しかなれませんでした。これでは士族出身の実力者は、政治的に手足を縛られているのも同然です。

隣国の朝鮮は八二年の壬午軍乱（じんごぐんらん）に続き、八四年には甲申政変（こうしん）が発生するなど不穏な情勢が続き、太政大臣・三条実美（さねとみ）の指導力に改めて疑問符がついていました。

初代内閣総理大臣・伊藤博文

八五年五月、伊藤は、内閣制度の導入に向けて三条の説得を始めます。しかし、内閣制度が大臣辞任につながる三条をはじめ宮中は、逆に新たな右大臣による補佐体制を提案します。このため、伊藤は右大臣に黒田清隆を推薦しますが、黒田の起用には「徳識名望」の観点から明治天皇が難色を示し、黒田も就任を辞退しました。そこで伊藤の名も浮上しますが、伊藤は断固拒否します。

綱引きの末、一二月、三条が内閣制の官制改革案とともに、内閣総理大臣（首相）に伊藤を推薦する旨を上奏します。明治天皇が承認し、伊藤が日本初の内閣総理大臣（兼宮内相）に内定しました。武士階級最下位の「足軽（あしがる）」だった伊藤が、天皇は別にして最高の地位につくという革命的な人事でした。一五年間、太政大臣を務めた三条は、宮中の内大臣に就任します。

八五年一二月二二日、内閣制度が正式に発足しました。★ 新設の内閣では、太政官制の太政・左・右大臣、参議、卿に代わって、内閣総理大臣と各省大臣が置かれ、宮内

●八五年二月、清に派遣された伊藤博文。北京で撮影

以外の諸大臣が閣議に出席。内閣を国策の最高決定機関として責任政治の体制が敷かれます。

政府は八五年二月、「内閣職権」（内閣設置法）の第一条で、「内閣総理大臣は各大臣の首班として機務（機密に関する政務）を奏宣し、旨を承て大政の方向を指示し、行政各部を総督す」と定め、首相に非常に大きな権限を与えました。翌八六年二月、法律・命令の形式を規定した「公文式」で、法律・勅令への首相の副署を定め、首相がサインしなければ公式なものとならないことにしました。八七年九月、伊藤は、天皇の内閣への臨御（出席）を首相の奏請した場合に限ることなどを天皇に願い入れ、了承を得ました。

しかし、この首相権限の強大化は、井上毅らの巻き返しにあい、憲法制定後の「内閣官制」で権限が縮小されることになります。一方、官僚機構の整備も始まり、各省提出の法令審査を行う内閣法制局が新設されました。内閣が主体となる重要政策については、法制局が調査・立案にあたります。

法案審査にあたる参事官には、平田東助、牧野伸顕、曾禰荒助ら優秀な新進官僚が抜擢されました。のちに穂積八束、美濃部達吉、一木喜徳郎ら帝国大学法科大学教授が法制局の参事官を兼任して実務を支援しました。これらは審査のハードルだけでなく、法制局の権威をも高めました（清水唯一朗『近代日本の官僚』）。

帝国大学で官僚養成

伊藤は帰国後、大学改革にも着手し、これを受けて森有礼文相は八六年三月、「帝国大学令」を制定しました。

西園寺公望の回想によりますと、八二年、伊藤が憲法調査でフランスに滞在中、随行していた西園寺に「今後は薩長ばかりでなく、全国から万遍なく有能な人間を官吏に採用したい」と言いました。これに対して、西園寺は、「ドイツでもプロイセン出身者ばかりが官吏になる傾向を憂えたビスマルクが、ベルリンに帝国大学を建設、試験さえ通過すれば誰でも入学できる官吏養成所としたところ、立派な官吏が各方面から出た」という話をしました。伊藤は「非常によい案だ」と感心し、帰国後、行政を担う専門官僚を育成するため、これを実行に移しました（水谷三公『官僚の風貌』）。

七七年に東京開成学校と東京医学校を併せて創設された東京大学は、帝国大学令に

●帝国大学

◉第一次伊藤博文内閣

参議兼宮内卿だった伊藤が内閣を組織した。メンバーは、

▽総理・伊藤博文　▽外務・井上馨　▽内務・山県有朋
▽大蔵・松方正義　▽陸軍・大山巌　▽海軍・西郷従道
▽司法・山田顕義　▽文部・森有礼　▽農商務・谷干城
▽逓信・榎本武揚――だった。薩長両藩の出身者が圧倒的優位を占める藩閥政権。当面する主要課題は、憲法制定の準備と条約改正で、前者は伊藤、後者は井上がそれぞれ担ったが、井上の改正案の外国人裁判官の任用について、谷はじめ政府内から反対意見が相次ぎ、井上は交渉を中断、辞任に追い込まれた。

より、大学院と法・医・工・文・理・農（九〇年新設）の六つの分科大学からなる総合大学（帝国大学）として発足します（九七年に京都帝国大学の創設とともに東京帝国大学に改称）。

八九年に発布される帝国憲法は、第一九条で「日本臣民ハ法律命令ノ定ムル所ノ資格ニ応シ、均ク文武官ニ任セラレ及其他ノ公務ニ就クコトヲ得」とうたい、出自や門閥にかかわらず誰もが文武官（官僚、軍人）になれると規定します。伊藤は、憲法を逐条的に説明した著書『憲法義解』で、この条文こそ「維新改革の美果」であると高唱しました（清水『近代日本の官僚』）。

八七年、官僚の資格任用制度が導入されます。九三年に文官の任用資格を定めた文官任用令が公布され、九四年には高等官の資格試験である第一回文官高等試験が実施されます。★

●『憲法義解』の第一九条に関する記述。一行目に「維新改革の美果」とある

第十九條　日本臣民ハ法律命令ノ定ムル所ノ資格ニ應シ
均ク文武官ニ任セラレ及其ノ他ノ公務ニ就クコトヲ得

◉文官任用令と高文試験

文官任用令とは、明治憲法下の一般文官の任用資格を定めた勅令。一八九三年に公布され、奏任官への任用はすべて文官高等試験（略称「高文」）の合格が要件とされた。

従来、帝国大学法・文科の卒業生には認められていた無試験制度も廃止された。しかし、勅任官以上は依然として自由任用制だったため、その後、政党勢力の伸長に伴い、政党員の自由任用が問題化した。高文は戦後廃止され、国家公務員試験になる。

11　不穏な朝鮮半島情勢

日朝・日露・日清

明治一四年政変のあと、日本外交の主要課題は、条約改正と朝鮮問題でした。日本は一八七六（明治九）年二月、「砲艦外交」によって日朝修好条規を結び、朝鮮を「開国」させました。日本は同条規に「朝鮮は自主の邦（国）」と明記することで、清国の朝鮮に対する影響力をそごうとしました。日朝関係はその後、朝鮮側が同条規に規定された「開港」を大幅に遅らせたことなどからギクシャクしていました。

一方、日本とロシアとは七五年五月、樺太・千島交換条約が結ばれ、同地域での係争は一段落しました。しかし、右大臣・岩倉具視は、同年二月の上奏書で、「ロシアは東亜（東アジア）に領土を拡大しようとしている」と強調しています。

岩倉は、「ロシアが他日、中国を併呑するにいたるならば、わが国は『唇亡て歯寒きの憂（唇が歯を守る働きをしているように、互助関係にある一方が亡びると、他の一方の存在も危うくなるという心配）』がある。それゆえに、わが国は、清国との友好関係の増進に努めるべきである」と述べました（岡義武『明治政治史』）。

しかし、日清両国は、これとは裏腹に日本の台湾出兵（一八七四年）や琉球処分（七九年）、朝鮮問題などで鋭く対立し、七一年に締結した日清修好条規でうたわれた両国の「相互援助」（第二条）規定とはほど遠い関係でした。

とくに朝鮮をめぐる日清の競合を背景に、八〇年一一月、参謀本部長の山県有朋は、上奏文の中で清国の急速な軍備の充実ぶりを列挙し、清国の脅威を説きました。実際、清国は、日本の台湾出兵などを契機に、北洋・南洋艦隊の建設を開始し、軍備増強に努めていたのです。

ロシアの南下政策

清国は、朝鮮に対する宗主権を否認しようとする日本に反発する一方、不凍港を渇望するロシアの「南下」政策が朝鮮半島に及ぶことを、日本と同様、懸念していました。

ロシアは、清国と英仏間のアロー（第二次アヘン）戦争（五六―六〇年）後、仲介の見返りに清から沿海州を割譲させ、ウラジオストク（ロシア語で「東方を征服せよ」という意味）に海軍基地を建設して極東・太平洋進出の拠点としました。

イスラム教徒の反乱をきっかけに、中国西北部のイリ地方にも出兵して占領し（イリ事件）、八一年のイリ条約では、イリ地方を返還する代わりに、新疆（しんきょう）での通商権を獲得しました。また、中央アジア南部にも侵入し、三つのハン（汗）国を支配下に置いていました。

●山県有朋（一八八〇年）

●一九世紀末のウラジオストク（大英図書館蔵）

このロシアの南下は、アフガニスタンに勢力を広げていたイギリスを苛立たせます。八五年四月、イギリスは、ロシアの朝鮮進出を恐れて、突然、朝鮮南岸の巨文島（コムンド）に軍艦を派遣して占領しました。世界帝国であるイギリスとロシアの角逐が極東に及んだかたちで、本格的な帝国主義時代の到来を印象づけました。

清国は、日本やロシアをけん制するため、朝鮮に対して米国や西洋諸国と条約を結ぶよう促し、朝鮮側はこれを受け入れます。八二年五月、朝鮮は朝米修好通商条約に正式調印しました。朝鮮政府は、八六年までにイギリス、ドイツ、イタリア、ロシア、フランスと、相次いで条約を結び、対外政策の転換を明確にします。ただ、これは朝鮮半島を帝国主義国による競合と対立の舞台へと変えることになります。

朝鮮が修信使派遣

七六年から八二年まで、朝鮮政府は三次にわたって「修信使」を日本に派遣し、文明開化を進める日本の民情視察や各種調査にあたらせます。朝鮮使節の来日は、両国関係改善の兆しといえました。

八〇年に修信使として来日した開化派官僚の金弘集（キムホンジプ、一八四二―九六年）は、駐日清国公使・何如璋と会った際、『朝鮮策略』を手渡されました。公使館の参賛官・黄遵憲が書いたものでした。同書には、朝鮮はロシアに対抗するため、「親中国（中国に親しみ）、結日本（日本と結び）、聯美（アメリカと連合する）」とあり、列強の勢力均衡を利用して「自強」を図るべきだと説かれていました。帰国後、金弘集はこれ

●一八七六年に来日した修信使

を国王の高宗（コジョン）に献上します。

『朝鮮策略』や使節団の訪日報告を受けて、朝鮮政府――高宗の妻、閔妃（ミンビ）の一族からなる閔氏政権――は、若手開化派官僚の金玉均（キムオッキュン、一八五一―九四年）らも登用して改革を進めます。八一年、最高官庁として「統理機務衙門」を設置。軍政では初の西洋式軍隊「別技軍」を創設し、その教官には日本公使館付武官の堀本礼造・工兵少尉を招きました。

同年六月には、六十余人の「朝士視察団」を日本に派遣し、各官庁や税関、陸軍などを視察させました。

こうした朝鮮の近代化をめざす開化派の台頭に、排外主義を唱えてきた国王の実父・大院君（テウォングン）らが反発し、金弘集らを強く非難、大院君派と閔氏政権との対立が深まります。八一年九月、大院君派は、閔氏政権打倒のクーデターを企てましたが、未発に終わりました。

反日・反閔氏の壬午軍乱

八二年の朝米修好通商条約締結の直後、閔氏政権の対日・開化政策に反対する「壬午軍乱」（または壬午事変）が発生しました。

きっかけは、別技軍の新設後、在来軍の兵士らの給与の遅配が長く続いたことでした。同年七月、ようやく支給されたコメが粗悪品のうえ、分量も不足していたことから、兵士たちは憤激し、漢城で反乱を起こしました。兵士らに都市の民衆が呼応し、

●高宗（米国議会図書館蔵）

●金玉均

●暴徒が日本公使館に乱入する様子を描いた錦絵

七月二三日、閔氏一族の高官宅に侵入、屋敷を破壊しました。さらに武装した兵士らは日本公使館も襲撃し、別技軍教官の堀本少尉らを殺害しました。

駐朝日本公使の花房義質（一八四二―一九一七年）らは公使館を放棄して二四日、仁川に逃れます。同日、兵士らは王宮（昌徳宮）に乱入して政府高官らを殺害します。閔妃は女官に変装して王宮から脱出しました。国王の高宗は、政権に敵対していた実父の大院君に事態収拾を委ねざるを得なくなり、大院君が宮中に入って政権の座につきます。行方不明の閔妃は「死亡した」と発表しました。

隣国の事変が日本に伝えられると、国内世論は沸き立ち、朝鮮との開戦論も叫ばれます。伊藤博文は憲法調査のため、渡欧中でした。井上馨外務卿が山県有朋・参事院

●花房義質

◉金弘集

朝鮮の穏健開化派の中心人物。修信使として来日し、持ち帰った『朝鮮策略』を国王に献上したところ、衛正斥邪（排外主義）派から激しい攻撃を受けた。壬午軍乱後、外交案件を担い、日本との済物浦条約に調印、その後、北京に行き朝清商民水陸貿易章程を締結した。一八九四年の日本軍の王宮占領後、総理大臣となり、開化派を登用して近代的な制度改革を進めた。九五年の王妃殺害事件や断髪令が民衆の怒りを呼び、ソウル市内で殺害された。

◉金玉均

一八七二年の科挙試験に首席で合格し、官界入りした英才。朝鮮開化派のリーダーとして、清朝との事大的な関係を清算して独立を図り、日本の明治維新をモデルとした国内改革をめざした。二度、日本を訪問し、福沢諭吉らと親交を結ぶとともに、日本からの資金調達に奔走した。しかし、壬午軍乱で清国の力をかり、再び権力を握った閔氏の政権は、清国への傾斜を強めたため、金玉均ら開化派が立ち上がった。

議長らと協議し、七月三一日、日本に引き揚げていた花房公使に対し、謝罪と賠償を朝鮮側に要求するよう訓令を与えます。花房は、軍艦三隻と約一五〇〇人の陸海軍混成部隊とともに仁川に上陸、八月一六日に漢城入りしましたが、大院君は日本の要求を拒否しました。

一方、清国は、日本の朝鮮出兵を阻止しようと、北洋海軍提督の丁汝昌が率いる軍艦三隻、呉長慶をトップとする約三〇〇〇人の軍隊、李鴻章の外交秘書・馬建忠らを急ぎ朝鮮に派遣しました。馬建忠は、花房と会見して、「開戦の意図はない」ことを伝え、同月二六日には、大院君を、兵士らを煽動した事変の首謀者とみなして逮捕し、天津に連行します。露骨な内政干渉でした。呉長慶配下の清国軍によって反乱は平定されました。

この結果、閔氏一派が政権に復帰し、閔妃も王宮に戻ります。復活した閔氏政権は、これ以降、清国に強く依存するようになります。八二年九月に締結された「朝清商民水陸貿易章程」では、清国の宗主権が明記され、清国は、朝鮮の「属国化」を強めることになります。

軍乱後、日朝交渉が行われ、八月三〇日、朝鮮側による首謀者の処刑、日本人官吏の埋葬、被害者遺族と負傷者に補償金五万円、日本への賠償金五〇万円の支払いなどが約束されました。さらに日本は、公使館警護のため、守備隊を駐留させる権利を得ます。これが済物浦（チェムルポ）条約です。こうして壬午軍乱は、清国だけでなく、日本の朝鮮への介入を許すことになりました。

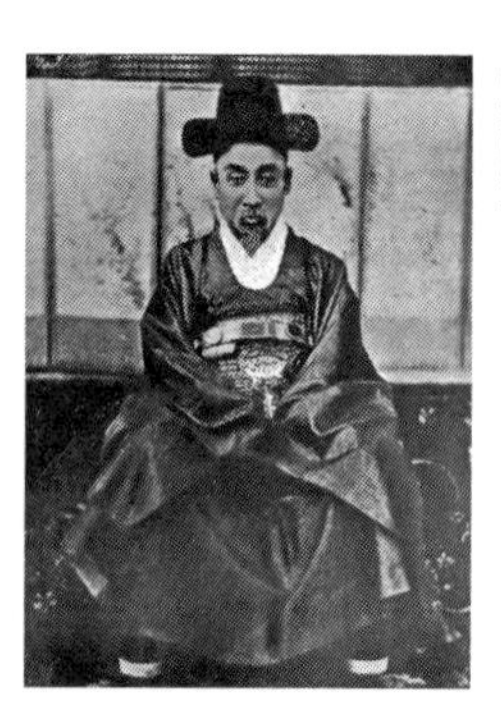

●大院君

独立党の甲申政変失敗

壬午軍乱のあと、朝鮮の諸改革を唱える開化派も分裂します。金玉均や朴泳孝★（パクヨンヒョ、一八六一―一九三九年）ら「反清・親日」の急進開化派と、清国を敵視せずに改革を進めようとする金弘集、金允植（キムユンシク）、魚允中（オユンジュン）らの穏健開化派とに分かれました。急進開化派は、清国への従属的な関係を清算し、独立を主張していたことから「独立党」と呼ばれました。そのメンバーは日本を訪問し、福沢諭吉らとの接触を通じて、明治維新・文明開化の日本をモデルに、朝鮮の抜本改革断行の決意を固めていきます。しかし、朝鮮国内には厚い壁がありました。

閔氏政権は、清国に傾斜し、保守色を強めていました。その一派は、事大主義（弱者が強者の言いなりになって仕える）的な姿勢から「事大党」と称されていました。彼らは独立党の急進的な改革を嫌って、金玉均や朴泳孝らを政府の要職から排除しました。

ところが、日本国内では、この急進開化派の改革志向と支援要請に応じて、朝鮮に、

◉朴泳孝

一八八二年、壬午軍乱の「謝罪」の意を込めた修信使として来日。開化派として金玉均らとクーデターを起こして失敗し、日本に亡命中、開化派の改革構想（建白書）をまとめた。一〇年後に帰国し、金弘集内閣の内相になったが、王妃殺害事件で失脚して、再び日本に亡命。一九〇七年に帰国し、宮内相を務め、高宗譲位に反対して済州島に流配された。日韓併合後、侯爵に叙せられ、中枢院顧問となった。

日本に有利な体制をつくろうとする動きが生まれます。当時、清国はベトナムをめぐってフランスとの全面戦争に突入し、清の朝鮮駐屯(ちゅうとん)軍は清仏戦争に割かれて半分に減りました。独立党は、これを好機とみて、朝鮮駐在の日本公使館と共謀のうえ、政権樹立のクーデターを計画します。

八四年一〇月、一時帰国していた駐朝日本公使・竹添進一郎は、独立党を積極的に支援する意向を、にわかに表明します。同年一二月四日、壬午軍乱に続くクーデター、いわゆる甲申政変が勃発します。

その日、独立党は、郵征局（中央郵便局）開局記念の祝賀会に出席していた事大党幹部らを襲い、国王を昌徳宮（王宮）から景祐宮に移し、日本公使館警護の日本軍に出動を要請しました。独立党の部隊によって、閔氏政権の中枢は次々に処断され、クーデターは成功します。五日、独立党は新内閣のメンバーを発表し、清国への従属外交の廃止、人民の平等権の確立などの改革方針を布告しました。

ところが、袁世凱(えんせいがい)（一八五九―一九一六年、後の中華民国大総統）が率いる約一五〇〇の清国駐屯部隊が、同月六日、王宮に攻め入り、約一五〇人の日本軍と銃撃戦を展開。日本軍は撤退し、独立党の部隊も敗走します。金玉均や朴泳孝らは日本に亡命★し、クーデターは失敗に終わりました。

甲申政変を武力鎮圧した袁世凱は、武功を認められ、こののち、総理朝鮮交渉通商事宜(じぎ)として、朝鮮の対外交渉と通商問題を引き受け、時に国王以上の力をふるうことになります。

一方、日本政府は、甲申政変のクーデター失敗によって居留民と軍隊を本土に引き

●竹添進一郎

●甲申政変の舞台となった郵便局の跡

揚げました。政変の事後収拾のため、全権大使に命じられた外務卿・井上馨は、八五年一月、軍艦七隻と二個大隊をひきいて仁川に上陸、ソウルで朝鮮全権・金弘集と交渉し、漢城条約を結びました。

条約は日本公使が介入したことは不問に付し、朝鮮政府の日本への謝罪、殺害された居留民の遺族や負傷者への賠償金の支払いなどが盛り込まれました。

◉金玉均らの亡命劇

金玉均の一行が、仁川の港に停泊中だった日本商船の「千歳丸」にようやく乗船できたところへ、朝鮮側の追っ手が駆け付けて引き渡しを要求、竹添駐朝公使はやむなく許諾した。しかし、船長の辻勝三郎は、「この船は政府の御用船ではない。彼らを下船せしめたなら直ちに虐殺されるであろう。私はたとえ公使が命ぜられるとも、人道上、断じて下船させることはできない」と拒絶し、追っ手には「そんな者は断じて乗っていない」と抗弁した。辻船長の義俠心にかられた言動によって、一行は命拾いをし、朝鮮からの脱出を果たした（琴秉洞『金玉均と日本』）。

12　日清戦争へ　高まる足音

日本の軍備増強

一八八二（明治一五）年七月、朝鮮で起きた壬午軍乱は、日本に大きな衝撃を与えました。日本海軍は、軍艦「金剛」「日進」「比叡」などを派遣し、陸軍兵力を送り込みましたが、清軍の強大さを思い知らされたのです。

大谷正『日清戦争』によると、壬午軍乱の際、陸軍の常備兵数は一万八六〇〇余にすぎず、予備役兵を合わせても約四万五〇〇〇人。海軍は二四隻、二万七〇〇〇トンでした。これに対して、清国は李鴻章のもつ淮軍（わいぐん）だけでも一〇万人を超えていました。

参議・参謀本部長の山県有朋は同年八月、「陸海軍拡張に関する財政上申」を閣議に提出します。清国に備えるため、海軍は軍艦四八隻の整備、陸軍は常備兵定員四万人充足の必要性を訴え、そのための財政措置を求めたのです。政府はこれを受けて軍備拡張方針を決定し、予算は増税でまかなうことにしました。まず、海軍の拡張を優先し、陸軍も七個師団（戦時兵力約二〇万）の運用体制をめざします。

同年一一月二四日、宮中に地方長官が召集され、「戎備（じゅうび）」（陸海軍の軍備）を拡張すべ

●日本海軍の「比叡」

きとの勅諭が出されます。すでに右大臣・岩倉具視は海軍拡張の急務を論じ、そのための増税はやむをえないと説いていました（『明治天皇紀』）。また、明治天皇から三条実美・太政大臣に対し、隣国との「不虞（思いがけない）の変」に備えるため、「武備充実」が肝要との御沙汰が伝えられました。

八三年から艦船新造長期計画が立てられ、清国を「仮想敵国」にした、海軍力の整備が緒に就くことになります。

一方、清国の北洋海軍は、八一年にドイツに発注した主力艦「定遠」、「鎮遠」が完工し、八五年に就役します。丁汝昌（一八三六―九五年）司令官は翌八六年八月、艦隊を率いて長崎に来航し、その威容を誇示しました。上陸した水兵の一部が乱酔して暴れ、これがきっかけとなって数百人の水兵と日本の警官隊が衝突し、双方に死傷者が出ました。

ベトナムめぐり清仏戦争

清国は、朝鮮と同じ「属国」のベトナムで、フランス軍の侵攻を受けていました。

ベトナムは一九世紀の初頭、阮福映が全土を統一し、最後の王朝になる阮朝を樹立しました。阮福映は、前王朝打倒に際し、タイ王国やフランス人宣教師・ピニョーの援助を受けましたが、清王朝を宗主国としました。キリスト教を禁止していた阮朝が、密入国のフランス人宣教師たちを捕らえて処刑すると、フランスのナポレオン三世は一八五八年、南部（コーチシナ）に侵攻し、六二年のサイゴン条約でコーチシナを植民

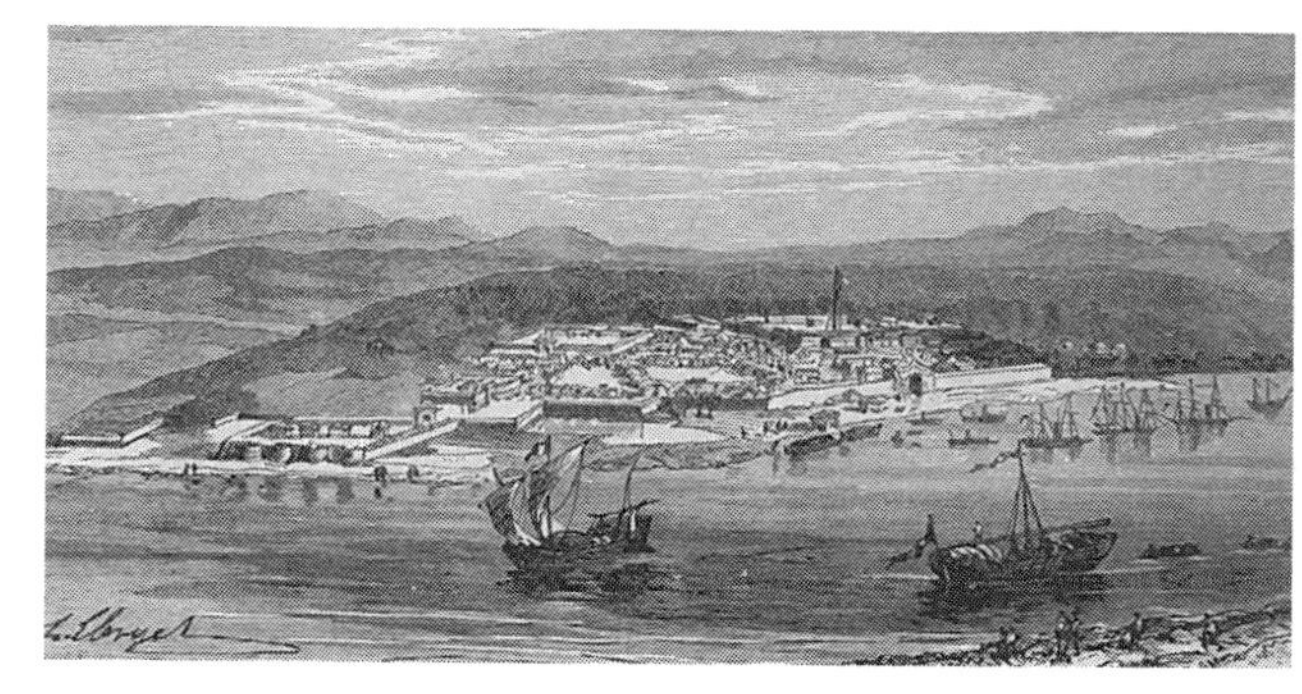

●一八八〇年代のハノイ（大英図書館蔵）

地にしました。六三年にはカンボジアを保護国にします。

普仏戦争（七〇―七一年）でプロイセンに手痛い敗北を喫したフランスは、次第に立ち直り、八二年四月、北部ベトナムを獲得するため、ハノイを軍事占領します。これに対して清国も派兵し、軍事的な緊張が高まりました。

朝鮮の壬午軍乱が収まった後の清仏交渉で、両国は互いの勢力圏を画定しましたが、紛争は収束しません。八三年、フランスは清国を無視して、ベトナムと条約を結び、ベトナムの対外関係を代わって処理する「保護国」となりました。清国は、これを容認せず、八四年六月、フランスと全面戦争に突入します。日本はこの時、在留邦人保護などのため、巡洋艦「扶桑」と砲艦「天城」を上海に派遣しています。

結局、清国は対仏戦争に敗れ、八五年六月の天津条約でベトナムに対する宗主権を放棄し、フランスの保護権を承認することになります。

日本の独立党支援

清仏戦争は、日本国内に西洋列強による東アジア侵略の危機感をかきたて、自由民権派の中にも国権拡張論が現れます。

甲申政変前の八四年九月、板垣退助と後藤象二郎は、対清戦争中のフランスの駐日公使と会い、自由党による朝鮮独立党への支援計画を打ち明けました。板垣は「朝鮮に独立党はあっても、力は弱く、自ら起てないので、一片の俠心からこれを援けて、清国の干渉を絶ち、新立憲国を立てたい」旨を述べてフランスの資金援助を仰ぎます

●日本海軍の「扶桑」

(板垣退助監修『自由党史』)。

後藤は、この策謀を伊藤に漏らします。しかし、これを聞いた井上馨・外務卿は、民間人の関与は好ましくないとして、駐朝日本公使の竹添進一郎を通して独立党支援に踏み切ったともいわれます。

甲申政変のクーデターが失敗に終わった後も、自由民権家の小林樟雄(くすお)★(一八五六—一九二〇年)は、自由党左派の指導者・大井憲太郎(おおいけんたろう)★(一八四三—一九二二年)らに対し、朝鮮で再度、クーデターを起こして、これを日本国内の変革につなげる計画をもちかけます。集結した活動家二十数人が朝鮮に渡ろうとした矢先の八五年一一月、陰謀は発覚し、大阪などで大井ら一三九人が逮捕されました(大阪事件)。

●小林樟雄

◉小林樟雄、福田英子

岡山県出身。自由民権思想に共鳴し、国会期成同盟に入り、自由党に参加した。大井憲太郎、福田(旧姓景山(かげやま))英子らとともに大阪事件に連座し、重懲役九年に処せられた。恩赦後、第一回衆議院議員選挙から三回連続当選した。また、福田は婦人運動の先駆者・岸田俊子の演説に感激して自由民権運動に入った。大阪事件で投獄され、出獄後、女子工芸学校をつくり、女性の実業教育にあたった。平民社で社会主義運動にも参加し、一九〇七年、『世界婦人』を創刊、婦人解放を主張した。

◉大井憲太郎

大分・宇佐の出身。長崎で蘭学・舎蜜(セイミ)(化学の呼称)学を学んだ後、箕作麟祥に師事し、フランス法学を修めた。兵部省、陸軍省などに出仕。民撰議院設立建白書をきっかけとする民撰議院論争では、時期尚早論の加藤弘之に反駁した。自由党左派として活動し、各地の激化事件にもかかわった。大阪事件を計画して入獄し、憲法発布の大赦で出獄後は、大同団結運動に参加した。一八九二年には自由党を脱して、大阪事件に連座した人たちとともに東洋自由党を結成した。

一方、甲申政変では、福沢諭吉らが、首謀者の金玉均らを支援していました。

福沢は八〇年秋、金玉均の密命を帯びて来日したという僧侶を通じて朝鮮の開化派とつながります。八一年の「朝士視察団」として来日した随員の朝鮮人二人を慶應義塾に入れて世話を焼き、その後も、朝鮮人留学生を多数預かって日本の学校に入れています。

さらに八一年、王命を受けて来日した金玉均は、日本各地を回るとともに、福沢をはじめ、後藤象二郎、井上馨、大隈重信、伊藤博文らとも面会しました（趙景達『近代朝鮮と日本』）。金玉均は以後、同志たちに「日本が東洋のイギリスになるならば、われわれは、わが国をアジアのフランスにしなければならない」と語るようになります。八二年九月、金玉均は、修信使として来日した朴泳孝に同行し、独立運動の資金集めに奔走。福沢は、日本政府にかけあって銀行から借款を引き出させています。また、門下生の井上角五郎らを朝鮮に派遣し、清国勢力排除のため、現地で新聞発行などを手伝わせます（ひろたまさき『福沢諭吉』）。福沢は、井上を通じ独立党に武器の援助をしていたという説もあるほど深入りしました。

●大井憲太郎

福沢諭吉、「脱亜論」発表

八四年一二月の甲申政変に際して、日本国内は対清・朝鮮強硬論が高まります。福沢諭吉が主宰する『時事新報』は、清国との開戦論を盛んに主張し、立憲改進党系の『郵便報知新聞』や、すでに解党していた自由党の機関紙『自由新聞』も、対決論を煽りました。また、東京の上野公園では、公立・私立学校の生徒が「清国膺懲（征伐してこらしめること）」を掲げて示威運動会を開きました（大日方純夫『「主権国家」成立の内と外』）。

福沢は、甲申政変のクーデター失敗から三か月後の八五年三月、『時事新報』に「脱亜論」を発表します。この中で、福沢は何を主張したのでしょうか。

福沢はまず、日本は「一切万事、西洋近時の文明を採り、独り日本の旧套を脱したるのみならず、亜細亜全州の中にあって、新たに一機軸を出し、主義とする所はただ、脱亜の二字にあるのみ」と述べます。さらに、清国・朝鮮の両国は、「古風旧慣に恋々」としており、これでは独立を維持しうる見込みもないと続け、明治維新のような変革があれば格別、なければ数年のうちに「亡国」となり、その「国土は世界の文明諸国の分割に帰すべきことは一点の疑いなし」と断じます。

そのうえで、今の清国・朝鮮は、日本のために毫も助けにならないばかりか、西洋諸国は、両国と日本を同一視し、これがために我が国外交の支障になることが少なくない、としてこう結びます。

> 我が国は隣国の開明を待て、共にアジアを興すの猶予ある可らず。寧ろ其伍を脱して西洋の文明国と進退を共にし、其支那朝鮮に接するの法も、隣国なるが故にとて特別の会釈に及ばず、正に西洋人が之に接するの風に従て処分す可きのみ。悪友に親しむ者は、共に悪名を免かる可らず。我れは心に於て亜細亜東方の悪友を謝絶するものなり。

●福沢諭吉（一八八二年撮影）

つまり、日本が清国、朝鮮との連携を否定し、アジアを脱して西欧列強に仲間入りするというものでした。このため、この文章は、アジア蔑視観、アジア切り捨て、その後の日本帝国主義のアジア侵略を先取りしたものと言われています。

しかし、これとは別の見方もあり、例えば、政治学者・坂野潤治は著書『近代日本の外交と政治』で、脱亜論は、朝鮮国内の改革派を援助して近代化路線をこれ以上追求することは無意味であることを宣言するために書かれたもので、福沢の「敗北宣言にすぎない」と記しています。

なお、甲申政変の際、日本に亡命して福沢宅に身を寄せていた金玉均は、不遇の一〇年間を日本で過ごした後、上海で暗殺されました★。

●金玉均（一八九四年撮影）

日清、開戦の危機回避

甲申政変で朝鮮に出兵し衝突した日清両国は、八五年四月から清国の天津で、参議の伊藤博文・全権大使と、清国全権の李鴻章（北洋通商大臣兼直隷総督）による交渉を行います。その結果、条約調印から四か月以内に日清両軍が朝鮮から撤兵すること、両国とも軍事教官を朝鮮に派遣しないこと、将来、朝鮮に重大な事変が起きて派兵を要する時は、相互に事前通知すること（行文知照）で合意し、同月一八日、両全権が条約に調印した（天津条約）。これにより、日清開戦の危機は回避されます。

他方、同年一月前後から朝鮮情勢を安定させる方策として、ソウル駐在のドイツ副領事が朝鮮の中立化構想を打ち出しました。日本でも、すでに参事院議官の井上毅が多国間保障の朝鮮中立化を提唱していました。これに対して、朝鮮の保護は今後、ロシアに委ねるという策謀が、朝鮮政府の外交顧問・メーレンドルフ（ドイツ人）を中心に練られていました。イギリスはこうした動きに強く反発、天津条約調印と同時期に巨文島を占領★したのも、これが誘因になっていました。

駐朝ロシア代理大使は、朝鮮国王や王妃らに近づき、この「引俄（が）反清」（ロシアを引

◉亡命後の金玉均

金玉均、朴泳孝ら日本への亡命者たちは、一八八四年一二月下旬、福沢の家に身を寄せた。朴泳孝らは翌八五年五月、アメリカへ渡り、金玉均だけが日本に残った。しかし、失敗した甲申政変のリーダーに日本政府は冷淡だった。朝鮮政府からは再三、金玉均引き渡し要求がなされた。日本政府は応じなかったが、内相・山県有朋は八六年六月、金玉均の在留は「治安を妨害し、外交上の平和を障碍（しょうがい）する虞（おそれ）がある」として一五日以内の国外退去を命じ、その後、金を強制抑留して小笠原島に流した。金は、八八年八月には北海道に移住させられ、九〇年前後からは主に東京で暮らし、亡命生活は約一〇年に及んだ。金玉均は九四年に上海行を計画した。李鴻章と会って朝鮮問題などについて意見交換するためだったとされる。三月二八日、金玉均は上海のホテルで朝鮮人の刺客によって銃殺された。朝鮮に移送された彼の遺体は、反逆人として惨刑に処せられたといわれる。

◉巨文島事件

一八八五年四月一五日、イギリス東洋艦隊が、朝鮮半島南端と済州島の間にある「巨文島」を不法占拠した。イギリスはこの小島に砲台を築き、ロシア極東艦隊の日本海への回航を阻止しようとした。この事件は、朝鮮半島が日清の対立だけでなく、英露の争いの渦中にあることを示した。当時、英露はアフガニスタン問題をめぐり鋭く対立していた。結局、清国の李鴻章の斡旋によって問題は解決し、イギリス艦隊は八七年二月に撤退した。

き入れて清国を追い出す）政策に基づき、ロシアの力でイギリスを撤退させるという密約を朝鮮と結びます。八七年二月、イギリスは、ロシアがいかなる朝鮮領土をも占領しないことを条件に巨文島から撤退します。

こうして朝鮮の情勢は、日・清の対抗と英・露の対抗が相互に複雑に絡み合う様相をみせます。

13　明治憲法と皇室典範

「夏島草案」まとまる

首相の伊藤博文は、一八八六（明治一九）年一一月ごろ、法制官僚トップの井上毅・宮内省図書頭（ずしょのかみ）に「憲法」の調査立案を命じました。井上は、翌八七年春に草案をまとめ、伊藤に提出します。同じころ、ドイツ人顧問のロエスレル（一八三四—九四年）も草案を作っていました。

伊藤は同年六月、井上とロエスレルの両案を携え、秘書官の伊東巳代治（いとうみよじ）★（一八五七

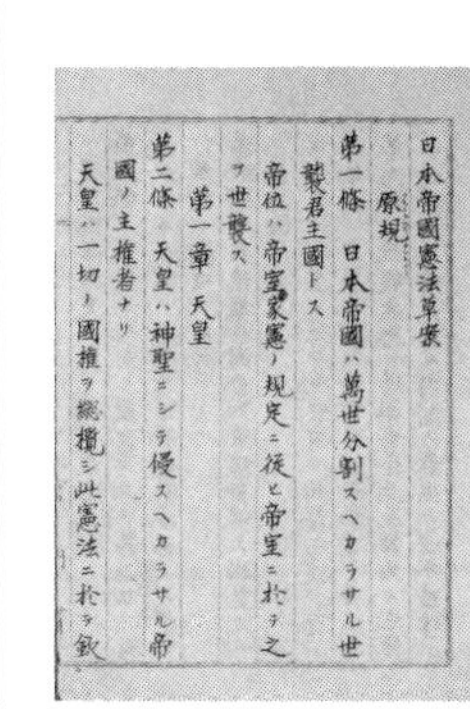

日本帝國憲法草案

原規

第一條　日本帝國ハ萬世分割スヘカラサル世襲君主國トス

帝位ハ帝室家憲ノ規定ニ從ヒ帝室ニ於テ之ヲ世襲ス

第一章　天皇

第二條　天皇ハ神聖ニシテ侵スヘカラサル帝國ノ主權者ナリ

天皇ハ一切ノ國權ヲ總攬シ此憲法ニ於テ欽

●ロエスレルの憲法草案冒頭

◉伊東巳代治

長崎出身。一八八二年、伊藤博文による憲法調査の訪欧に随行し、帰国後、制度取調局御用掛として憲法草案の起草にあたった。枢密院書記官長を経て第二次伊藤内閣の内閣書記官長となり、第三次伊藤内閣に農商務相として入閣した。政界工作に長じ、伊藤の政友会には入らず、山県有朋や桂太郎にも接近した。政府系の『東京日日新聞』の社長を務めたあと、臨時外交調査会委員として政府の対外政策にも関与。「憲法の番人」を自任し、枢密顧問官として政党内閣と激しく対決し、金融恐慌の際には若槻礼次郎内閣を攻撃して総辞職に追い込んだ。

―一九三四年）と金子堅太郎★（一八五三―一九四二年）を伴って、神奈川県・夏島の別荘にこもり、いわゆる「夏島草案」を作成しました。一〇月中旬から、伊藤、井上、伊東、金子が頻繁に集まり、草案を練り直し、八八年二月にはほぼまとまります。

一方、皇位継承などを規定した「皇室典範」★も並行して作業が進められました。伊藤が、元老院議官・柳原前光に命じて起草させた案を、井上が大幅に修正し、八七年三月、伊藤、柳原、井上、伊東らが出席した会議で、皇室典範の大枠が固まりました。八八年四月五日、伊藤は内大臣・三条実美に対し、皇室典範と大日本帝国憲法（明治憲法）の原案ができあがった旨を報告し、ここに「明治典憲体制」と呼ばれる憲法体制のかたちが整います。

他方、八七年一月から、内相・山県有朋は、地方制度編纂委員長として、ドイツ人の法律顧問モッセのアドバイスを受けながら地方制度改革を進めました。八八年四月に市制・町村制が、九〇年五月には府県制・郡制がそれぞれ公布され、地方自治制度がここに導入されることになります。

「我が国の機軸は皇室」

八八年四月三〇日、天皇の最高諮問機関として枢密院★が新設されます。伊藤は、君命によって制定する「欽定憲法」である以上、「元勲および練達の人」たちの公式の会議にかける必要があると考え、元老院ではなく、枢密院に審議を委ねます。

伊藤は、首相の座を黒田清隆に譲り、自ら枢密院議長となります。枢密院は、五月

●伊東巳代治（右）と金子堅太郎

●当時の夏島

から皇室典範原案、六月から帝国憲法原案の審議をそれぞれスタートさせます。明治天皇の臨席のもと、伊藤が会議を主宰。六月一八日、憲法制定会議の開始にあたって、伊藤は、以下のような趣旨の演説をします。

東洋において我が日本が初めて憲法政治を採用することになった。欧州諸国では、

◉金子堅太郎

一八七一年、旧福岡藩主に従ってアメリカに留学し、ハーバード大学で法律学を修めた。八〇年に元老院に出仕し、八五年に総理秘書官となり、憲法草案の作成に従事した。初代貴族院書記官長となり、その後、農商務相や司法相などを歴任し、終始、伊藤直系の官僚政治家として行動した。日露戦争に際しては、渡米してハーバード大の級友ルーズベルトと折衝して功績をあげた。

◉皇室典範

皇室および皇族の基本法。一八八九年に発表され、全体で一二章六二条。第一章は「皇位継承」で、「男系ノ男子之ヲ継承ス」とし、継承の順序を定めていた。また、皇位継承は天皇が崩御した場合のみとし、摂政は、天皇未成年のときと、皇室会議および枢密顧問の議を経て、天皇親政不能と決したときに置くとしていた。このほか皇族の範囲や皇室経費などついても規定した。

◉枢密院

天皇の最高諮問機関。明治憲法五六条に「枢密顧問ハ天皇ノ諮問ニ応ヘ重要ノ国務ヲ審議ス」と定められ、憲法上の機関となった。議長、副議長各一人、顧問官一二人（のちに増員）からなり、「元勲及び練達の人」を勅命で選任した。諮問事項は、皇室典範や憲法・付属法令、緊急勅令、条約など広範にわたったが、内閣から独立した存在として政治上の責任から免れていた。伊藤枢密院議長が暗殺された後は、山県有朋の勢力下に置かれ、やがて政党の影響力が強まると、政党内閣としばしば衝突するようになった（『国史大辞典』）。

> 人民が憲法政治に習熟しているだけでなく、宗教が深く人心に浸潤して国家の機軸をなしている。しかし、我が国では、宗教は微弱で力に乏しい。我が国にあって機軸とすべきは、独り皇室あるのみである。ゆえに憲法草案においては、君権を機軸とし、これを毀損しないよう期さなければならない。

伊藤は、憲法は君権中心の「君主主権」に立つことを強調したのです。憲法第一条の「大日本帝国ハ万世一系ノ天皇之ヲ統治ス」や、第三条「天皇ハ神聖ニシテ侵スヘカラス」などの条文は、いずれも君主主義を代表するものでした。さらに、統治権を総覧する天皇は、六―一六条で、法律の裁可、衆議院の解散、緊急勅令、文武官の任免、陸海軍の統帥、宣戦・講和・条約締結など、強大な「天皇大権」を持ちます。

「立憲政体の本意」とは

その一方で伊藤は、逐条審議★に入ると、立憲政治の意義は君権の制限にあることを何度も繰り返すことになります。

審議の中で、「天皇ハ国ノ元首ニシテ統治権ヲ総攬シ此ノ憲法ノ条規ニ依リ之ヲ施行ス」（原案）という第四条が問題になりました。この後段の「此ノ憲法ノ条規ニ依リ」という規定が「天皇大権を制約することになる」という批判が相次いだのです。これに対して、伊藤は「この文字（後段）なき時は、憲法政治にあらず。無限専制の政体なり」と反駁し、条文通りで押し切りました。

●伊藤博文（大英図書館蔵）

また、保守派の元田永孚らは、第五条の原案「天皇ハ帝国議会ノ承認ヲ経テ立法権ヲ施行ス」の「承認」の文言を改めよ、と要求しました。その理由は、「承認とは下より上に対して認可を求めるもの」であり、これでは天皇よりも議会の位置が上になるというものでした。これにも伊藤は反論し、「天皇は、行政部において責任宰相を置くことで君主行政の権を幾分かは制限され、立法部においては議会の承認を経なければ法律を制定できない。この二つの制限を設けることは、立憲政体の本意である」と力説しました（稲田正次『明治憲法成立史　下巻』）。

だが、天皇統治を重大視し、国会に権限を与えることに否定的な論者は納得せず、「承認」はいったん「翼賛」に修正されます。「承認」の文字は、他の条文にも使用例があり、最終的に、「承認」はすべて「協賛」に統一することになりました。

人権に関しても、一もめありました。文相の森有礼が、臣民の「権利義務」の文字は憲法に記載せず、これを臣民の天皇に対する責任としての「分際」と修正するよう求めました。伊藤は、「憲法に臣民の権利を列記せず、ただ責任のみを記載すること

◉大日本帝国憲法（明治憲法）

第一章は「天皇」で、「大日本帝国ハ万世一系ノ天皇之ヲ統治ス」（第一条）、「皇位ハ皇室典範ノ定ムル所ニ依リ皇男子孫之ヲ継承ス」（第二条）、「天皇ハ神聖ニシテ侵スヘカラス」（第三条）、「天皇ハ帝国議会ノ協賛ヲ以テ立法権ヲ行フ」（第五条）、「天皇ハ陸海軍ヲ統帥ス」（第一一条）など計一七条か条からなる。第三章は「帝国議会」で、二二か条を盛り込んでいる。この「帝国議会」の前に、第二章として「臣民権利義務」（計一五か条）を置いたうえで、制限付きながら諸権利を規定したのは、伊藤博文が臣民の権利保護を重く見ていたためとされる。

になるならば、そもそも憲法を設ける必要はない」と突っぱねました。

君主主義と立憲主義

法学者の大石眞は著書『日本憲法史』で、明治典憲体制の特徴は、「君主主義の原理が強く浸透した立憲君主制」であるとし、「君主主義」的側面と「立憲主義」的側面との「混合」を指摘できると書いています。帝国憲法では、天皇の権限は絶大でしたが、立憲主義の要請から、議会が可決した法律を天皇が裁可しなかった例はなく、天皇の権限は制限的に行使されることになります。

一方、立憲主義の上から、行政・立法・司法の権力分立の原理が採用されました。しかし、君主主義の下、議会の権限には大きな制約があり、天皇は法律に代わる効力をもつ「緊急勅令」を出すことができました。

また、臣民の権利も保障されましたが、あくまで法律の範囲内という留保をつけていました。立憲主義では不可欠の責任政治の原則も、国務大臣の責任は議会に対するものではなく、天皇に対するものでした。このため、総じて「外見的立憲主義」という評価もなされています。

伊藤は後年、憲法制定事業について「体制内部の国体論的な保守派と、民間の過激な自由主義の論客の双方を意識して憲法を制定しなければならなかった」（坂本多加雄『明治国家の建設』）と振り返っています。

●明治天皇

消えた「譲位」と「女帝」

枢密院にかけられた皇室典範原案の第一〇条は、「天皇崩スルトキハ皇嗣即チ践祚シ祖宗ノ神器ヲ承ク」とあり、皇位継承が行われるのは、天皇の崩御の場合のみと規定していました。

鈴木正幸『皇室制度』によると、宮内省が皇室典範に先立って立案した「皇室制規」は、「天皇は在世中は譲位せず」としていましたが、井上毅が「叡慮（天皇の意思）」並びに「時宜（タイミング）」次第で、「穏に譲位あらせ玉うこと、もっとも美事たるべし」と、反対の意見を述べました。これに対して伊藤が、「終身大位に当るのは勿論なり。天皇は一度践祚し玉ひたる以上は、随意にその位を遜れ玉ふの理なし」と断言し、終身在位制が確定★します。

一方、皇室制規は、「皇位は男系を以て継承する」との原則を示したうえで、「もし男系絶ゆるときは、皇族中、女系を以て継承す」と女帝を認めていました。これに対

●井上毅

◉皇室典範特例法による天皇退位

戦後の皇室典範は、終身在位制について、そのまま戦前の旧典範を引き継ぎ、典範第四条は「天皇が崩じたときは、皇嗣が、直ちに即位する」と定めている。二〇一六年、当時の天皇陛下が高齢などを理由に退位の意向を表明し、翌一七年六月、「天皇の退位等に関する皇室典範特例法」が成立。二〇一九年四月三〇日、退位が実現したが、退位による代替わりは、江戸後期の光格天皇以来、約二〇〇年ぶり、憲政史上初めてのことだった。

して、井上は「皇位継承は祖宗の大憲があり、決してヨーロッパの制度に模擬（真似）すべきにあらず」などと批判します。

結局、皇室典範の第一条は、「大日本国皇位ハ祖宗ノ皇統ニシテ男系ノ男子之ヲ継承ス」と明記し、皇位継承は男系男子に限るとしました。

枢密院の審議では、こうして消えていった「譲位」や「女帝」について異論は出ませんでした。

女帝を立るの可否

一八八二（明治一五）年一月、自由民権結社の「嚶鳴社」は、「女帝（女性天皇）を立るの可否」と題する討論会を開催しました。その筆記録は『東京横浜毎日新聞』に掲載されました。

討論会をリードしたのは、明治一四年の政変で大隈重信らとともに官途を辞し、立憲改進党の創設に参加することになる島田三郎★（一八五二―一九二三年）でした。当時、女帝容認論者は、「皇位を男統に限るのは、我が国の女帝を立てる慣習を壊す」「（男女平等に向かう）一九世紀（世界）の気運に反する」などと主張していました。

島田は「皇位は男統に限る」との立場から以下のように反論しました。

推古天皇より後桜町天皇に至る八人一〇代の女帝は、中継ぎ役だったり、未婚を貫いたりしている。未婚を強いることは「天理人情の至極」に反する。結婚

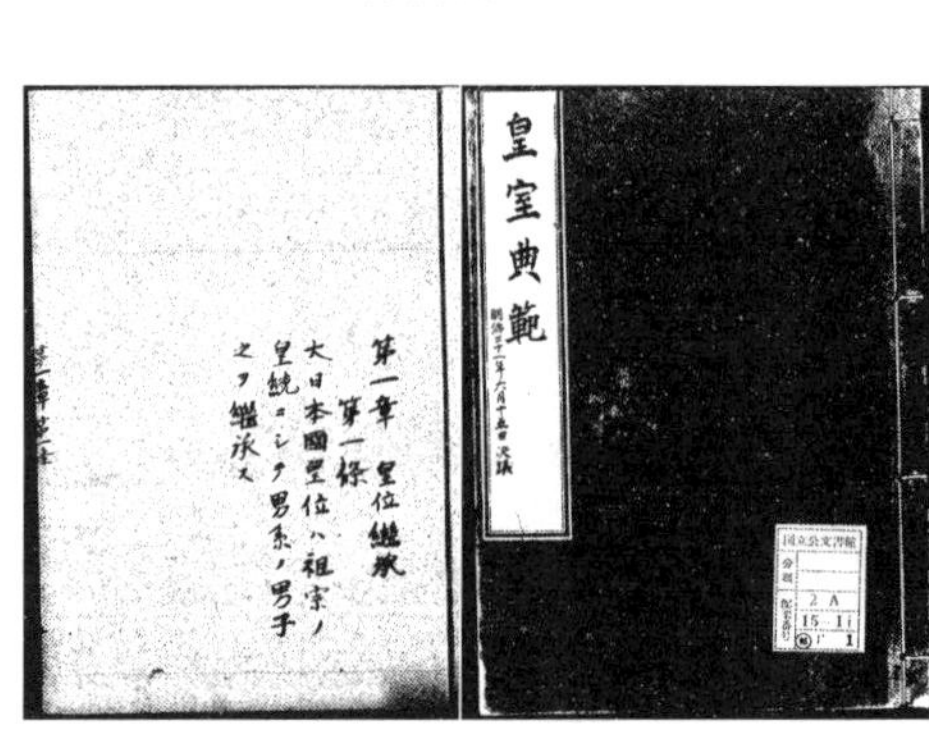

皇室典範

第一章 皇位継承

第一條 大日本國皇位ハ祖宗ノ皇統ニシテ男系ノ男子之ヲ繼承ス

●枢密院で決議された皇室典範（国立公文書館蔵）

●島田三郎

する場合、いったい皇婿（こうせい）（女帝の夫）の選択をどうするのか。仮に夫を迎えた場合、国民は「女帝の上に一の尊位を占める人」がいると受け止める。さらに皇婿が暗々裏に女帝を動かして、間接的に政治に干渉することがないとは言えない。それは女帝の威徳（いとく）を損ずるのみならず、国家の福利を破る。

これに対して、女帝容認論者は、男性にして女帝に近侍（きんじ）すればその尊厳を害し、女性が男帝に配侍したりしは尊厳を損ぜずというのは、いかなる道理か、と反論。皇婿の政治干渉も、憲法でこれを防止すれば「憂うるに足らず」と強調しました。中でも、ジャーナリスト・肥塚竜（こいづかりゅう）（一八四八―一九二〇年）は、皇統が絶えないことを望むならば、イギリスを範として女帝を立つる制度は廃すべからずと論じました。肥塚は島田同様、改進党に入り、その後は衆議院議員を八期務めるとともに、実業家としても活躍した。討論のあとの採決の結果は「可否同数」で、議長の裁断によって「女帝を立つ可（べ）からず」の説で決しています。

◉島田三郎

幕臣の子。『横浜毎日新聞』に入社したあと、元老院に入り文部権大書記官になったが、明治一四年の政変で大隈重信らとともに下野した。一八八二年、嚶鳴社幹部として立憲改進党の創立に参加。九〇年の第一回の衆議院選挙に出馬・当選し、以後、連続当選した。足尾鉱毒事件、労組問題、廃娼問題などにも取り組み、一三年には桂太郎の新党「立憲同志会」に参加した。雄弁家として知られ、一四年の議会演説でシーメンス事件を暴露・弾劾し、山本権兵衛内閣を総辞職に追い込んだ。一五年から一七年まで衆議院議長を務めた。

皇室典範の作成に深くかかわった井上毅は、この討論会に注目し、伊藤博文に提出した意見書に、島田の女帝否認発言をほぼそのまま引用しています。

現在の皇室典範は、皇位は「男系男子」に限るとし、長子優先も、旧典範を継承しました。旧典範と変わったのは、男系継承を維持する上で大きな役割を果たしてきた側室との非嫡出（ひちゃくしゅつ）を認めないとしたことです。このため、一夫一婦制のもと、男系の男子を確保し、安定的な皇位継承をはかることは難しくなっており、「女帝（女性天皇）を立（たっ）るの可否」は、今日も問われている課題です。

14　不磨の大典、初の総選挙

風雲急の政局

明治政府発足以来、「五箇条の御誓文」「民撰議院設立建白書」「漸次立憲政体樹立の詔」「岩倉具視憲法意見書」「国会開設の勅諭」「私擬憲法案」など、憲法や国会をめぐり多くの政治的な文書が作られてきました。政府側も民権派も、条約改正や富国強兵、参政権獲得や国会開設をそれぞれ実現するためにも、憲法制定を急ぐべきだとしていました。

ところが、伊藤博文らが憲法草案づくりを本格化させた一八八七（明治二〇）年、政局は風雲急を告げます。

首相官邸での大仮装舞踏会をめぐる騒動と、井上馨外相が推進した条約改正案は、囂々たる非難を招き、条約交渉は無期延期、井上は同年九月、辞任に追い込まれました。これまで沈滞を余儀なくされていた民権派が、これで息を吹き返します。中でも、強引な政治手法のために「押しとおる」の異名をとった星亨★（一八五〇―一九〇一年）が、波乱の政局の一つの目になります。

●星亨

「小異を捨てて大同につく」

星は、国会開設と憲法制定に向けて、旧自由党員ら民権派勢力の再結集をはかろうとします。八六年一〇月、東京・浅草で全国有志大懇親会を開催し、発起人を代表してこう挨拶しました。

> 爾来（自由党の解党以来）、寂寞沈睡せるが如く、（明治）二十三（一八九〇）年国会開設も既に近々の間に迫れども、更に興起するなし。且つ既往（過去）を顧みれば、皆その熱心の余り、些細の事より相軋轢せりといえども、此の如くにては、結局毫末の利益を生ぜざれば、小異を捨てて大同を採らざるべからず。

旧自由党だけでなく、改進党も含めて「小異を捨てて大同につく」大同団結を呼びかけたのです。八七年九月、全国有志懇談会が開かれ、三大目標を掲げて建白運動を展開することを申し合わせました。その目標とは、「外交策の刷新」と「地租軽減」と「言論集会の自由」でした（三大事件建白運動）。星は、旧自由党の領袖・後藤象二郎を担ぎ出し、土佐派の片岡健吉らの協力も得て、地方遊説と陳情活動を繰り広げ、政府批判は最高潮に達します。

「三里外」へ退去せよ

これに危機感を抱いた政府は、八七年一二月二六日、秘密結社・集会の禁止などを定めた保安条例★を公布します。同条令は、内乱の陰謀者や教唆者、治安妨害の恐れのある者を、「皇居から三里（約一一・八キロ）外」へ退去させることができると定めていました。

勅令第六十七号
保安條例
第一條
凡ソ秘密ノ結社又ハ集會ハ之ヲ禁ス犯ス者ハ一月以上二年以下ノ軽禁錮ニ處シ十圓以上百圓以下ノ罰金ヲ附加ス其首魁及教唆者ハ二等ヲ加フ
内務大臣ハ前項ノ秘密結社又ハ集會又ハ集會條例第八條ニ載スル結社集會ノ聯結通信ヲ阻遏スル為ニ必要ナル豫防處分ヲ

●保安条例（国立公文書館蔵）

◉星亨

江戸の左官職の子という貧しい庶民の出身で、藩閥政治家が幅をきかす政界では異色の存在だった。陸奥宗光の知遇を得て、大蔵省に入り七四年には、横浜税関長に昇進。留学を命ぜられたイギリスで弁護士資格を取得し、帰国後は代言人（弁護士）として、福島事件や大阪事件で弁護にあたった。八二年には自由党に入党し、九二年二月に衆議院議員に当選、五月には衆議院議長に就任した。九三年一一月、議長不信任案が可決されても辞めず、議員を除名された。翌年、衆議院議員に再選され、九六年には駐米公使に任命された。九八年に「隈板内閣」が成立すると、訓令を無視して帰国し、憲政党分裂―政友会結成という政党再編の立役者になる。一九〇〇年、第四次伊藤内閣で逓信相に就任、〇一年、東京市会議長になったあと、刺客の手で暗殺された。

◉保安条例

内相・山県有朋、警視総監・三島通庸が条例制定を主導した。突如公布し、即日施行された。全七条からなり、一切の秘密結社、集会を禁止したほか、許可された屋外での集会も、必要に応じて警察官が禁止できるとした。三年以内、皇居の三里以内からの退去を命ずる規定に基づき、星亨、尾崎行雄、片岡健吉、中江兆民らが公布後数日のうちに東京から追放された。あまりの悪法に非難が相次ぎ、九八年六月に廃止された。

この命令に基づき、運動の指導者ら五七三人（升味準之輔『日本政治史』）が事実上、東京から追い出され、大同団結運動にブレーキがかかります。星も退去させられ、横浜に移ります。政府はこの日、東京市内各所に、巡査・憲兵を総動員して、民権派の青年（壮士）たちの反乱の警戒にあたりました。

伊藤首相は、再び高揚した民権運動の鎮静化を図るため、保安条例に加えて「人事」を巧妙に使います。八八年二月、井上馨の後任の外相に大隈重信を迎えて、民権派の切り崩しと改進党抱き込みをはかったのです。大隈は入閣の条件として、国会開設数年中に政党内閣制に移行するよう求めましたが、伊藤にかわされました（岡義武『明治政治史』）。

枢密院議長に転じた伊藤の後任、黒田清隆首相★は八九年三月、大同団結派の中心にいた後藤象二郎を逓相（逓信大臣）に起用します。後藤の入閣は、憲法への批判が高まるのを未然に防ぐ狙いもありましたが、民権派は後藤の「裏切り」に激高し、これを契機に運動は四分五裂（しぶごれつ）の状態に陥ります。

帝国議会の権限は

一方、枢密院の憲法制定作業も、民権派の動向を無視できませんでした。憲法原案の第三八条は、「帝国議会ハ政府ノ提出スル議案ヲ議決ス」と、政府にだけ議案の提出権を認めていました。

これに対して、伊藤は、両議院とも「法律案を提出することを得」との修正案を出

●最初の仮議事堂

し、議会の法案提出権を認めます。さらに政府への建議や天皇への上奏、請願書を受理する権限も、議会に与えました。これらの措置は、民権派の主張に配慮し、政府と議会との正面激突をできるだけ回避するためだったとみられています。

帝国議会は、貴族院と衆議院の二院制をとりました。貴族院は、皇族と華族、および勅任（ちょくにん）の議員（国家の功労者、学識者、多額納税者）からなり、衆議院は公選された議員で組織されます。両院は、衆議院の予算先議権を除いて、その権限は同等でした。

「凡（すべ）テ法律ハ、帝国議会ノ協賛ヲ経ルヲ要ス」と定め、法律は議会の同意（両院の可決）が必要としました。天皇の緊急勅令も次の議会で承諾を得られなければ効力を失いました。予算案の決定もこれと同様、議会の「協賛」を必須としました。しかし、議会で予算が成立しない場合、政府は前年度の予算を執行★できるとし、その分、議会の政

◉黒田清隆内閣

薩摩出身の黒田清隆は、一八八八年四月三〇日、改進党系の指導者・大隈重信外相をはじめ、伊藤内閣の閣僚をそのまま引き継いで内閣を発足させた。同年七月には、長州出身の井上馨を農商務相として入閣させる一方、翌八九年三月には大同団結運動のリーダー後藤象二郎を閣内に取り込み、反政府運動の分裂を図った。結果的に重臣たちによる挙国一致型の内閣を形成した。

◉予算議定権めぐる論争

憲法草案では、政府と議会の意見が対立して来年度予算が議決されず、または予算に関して協議が整わない場合、「勅裁」（天皇の裁断）を経て、内閣の責任で予算を施行するとしていた。これは、お雇い外国人ロエスレルの考え方に基づいていたが、井上毅は、「ビスマルク流の専制主義に立つもので、予算審議も議院も有名無実化する」と猛反発。結局、前年度予算施行権の規定にとどまった。

府に対する統制力は弱められました。
また、皇位継承に関する事項は、皇室典範に譲り、議会の権限外でした。統帥権などの軍事大権、宣戦・講和・条約などの外交大権は、天皇の専権として、議会は全く関与できませんでした。

紀元節に憲法発布

大日本帝国憲法（明治憲法）は、黒田内閣のもと、一八八九（明治二二）年二月一一日の紀元節に発布されました。皇室典範も同日、制定されました。

憲法は、「天皇」「臣民権利義務」「帝国議会」「国務大臣及枢密顧問」「司法」「会計」「補則」の全七章七六条からなっていました。憲法付属の法令として議院法、貴族院令、衆議院議員選挙法なども公布されました。

その日、宮中賢所で親祭が行われ、明治天皇は、皇室典範と憲法典の制定を「皇祖高宗の神霊」に上申する告文を読み上げました。

発布式には、皇族、黒田首相と各大臣、各国公使らが出席し、天皇の勅語に耳を傾けました。

天皇は「朕が祖宗に承くるの大権に依り、現在及び将来の臣民に対し、この不磨（すり減ってなくならないこと）の大典を宣布す」と述べました。

さらに「帝国議会は明治二十三年をもってこれを召集し、議会開会の時をもってこの憲法をして有効ならしむるの期とすべし」としたうえで、「在廷の大臣は、朕がた

●明治憲法の公布（発布式）

めにこの憲法を施行するの責任に任ずべく、朕が現在及び将来の臣民は、この憲法に対し永遠に従順の義務を負うべし」と結びました。

天皇はそのあと、この欽定(きんてい)憲法を黒田首相に授けました。

当日は、夜来の雨が雪に変わり、明治天皇は、皇后と同じ馬車に乗って、泥濘(でいねい)の道を、陸海軍の観兵式のため青山練兵場に向かいました。宮城正門では、小学生たちが万歳三唱で天皇皇后を迎えたほか、沿道でも大衆が歓喜の声を上げました。

新聞によると、各地で旗行列など祝賀行事が行われ、国旗が品切れになったそうです。新聞各紙は、憲法が秘密のうちに準備されてきたため、盛んに憲法報道合戦を演じました。

式典の前に天皇は、憲法制定に功績のあった伊藤博文に旭日桐花大綬章(きょくじつとうかだいじゅしょう)を授与。また、叙位、贈位、大赦も行われ、西郷隆盛に正三位(しょうさんみ)が授けられました。

外相の大隈重信は、同月二一日、自宅で府県会議長を相手に「憲法の妙は運用いかんにあることなれば、法文の規定が不充分なりとて、さのみ不服を唱えるに当たらず」と表明し、自ら主張してきた議院内閣制の規定はなくとも、この憲法ならば「政党内閣の実を見ること難しきにあらざるべし」と語りました。

森有礼の暗殺

ドイツ人医師のベルツは、憲法発布についても日記にしたためていました。

東京全市は、十一日の憲法発布をひかえて、その準備のため、言語に絶した騒ぎを演じている。到るところ、奉祝門、照明（イルミネーション）、行列の計画。だが、こっけいなことには、誰も憲法の内容をご存じないのだ。（二月九日）

そして当日は、「残念ながらこの祝日は、忌まわしい出来事で気分をそがれてしまった」と書きました。文相・森有礼（ありのり）の暗殺です。森が一年前、伊勢神宮に参拝したとき、靴のままで神聖な場所に入ろうとし、そこにかかっていた御簾（みす）をステッキで持ち上げた、という理由で暗殺されたのだと、ベルツは続けています。

森は、アメリカ、清国、イギリスに各公使として駐在し、条約改正など外交問題の処理にあたってきました。その間、学術団体「明六社（めいろくしゃ）」の初代社長として思想啓蒙（けいもう）活動をしています。伊藤内閣の文相に就任すると、儒教主義重視の教育政策を転換し、知育中心の近代的学校制度の確立を目ざしていました。

森を刺殺したのは国粋主義者の西野文太郎（にしのぶんたろう）でした。元老院議官・尾崎三良（おざきさぶろう）の自叙伝によると、遭難の一報は、発布式のさなかにもたらされました。尾崎も同席の「隣人より耳語（じご）（耳打ち）」されてそれを知り、後は「互いに相耳語して、全員の知る所」となりましたが、「古今未曽有（みぞう）の大典」ゆえ、「公然とすることを憚（はばか）り、耳目互いに相応照するのみ」でした。

●森有礼

選挙人は人口の一%

九〇年七月一日、日本で初めての衆議院議員総選挙が実施されました。八九年二月に公布された衆議院議員選挙法に基づいて、定員は三〇〇、一人区二一四、二人区四三で、一人区は単記、二人区は二名連記制で行われました。

選挙人は満二五歳以上の男子で、直接国税（地租と所得税）一五円以上を納めた人に限られました。その数は約四五万人（九〇年七月現在）にすぎず、総人口の一・一%でした。

被選挙人の資格は、満三〇歳以上の男子で、納税要件は選挙人と同じでした。今日のような立候補制はとらず、推薦選挙でした。このため、議員となる意思がない人が当選するケースが考えられたため、例えば福沢諭吉は、選挙前日の『時事新報』に「投票辞退」の広告を出しました（久保田哲『帝国議会』）。

また、現在のような秘密投票ではなく、被選挙人の姓名のほか、選挙人の住所氏名を記して捺印（なついん）する記名投票でした。開票では誰が誰に投票したのかが朗読されたといわれます。

総選挙での棄権率は六・一%にとどまり、大半の有権者が投票していました。選出した議員三〇〇人の中で、士族出身者は一一〇人、平民出身者は一九〇人でした。選挙の結果★、政党派は、自由党系が最も多数でした。選挙後の離合集散もあり、第一回議会が招集された時の各政党の勢力分野は、立憲自由党130、立憲改進党41、政府支持

●初の衆議院議員総選挙で選ばれた議員の顔ぶれ

の大成会79、同じく国民自由党5、無所属45になります。

一方、貴族院は、皇族男子、満二五歳以上の公・侯爵は自動的に議員になりました。多額納税者議員と伯・子・男爵議員はそれぞれ互選され、国家の功労者などから勅選される議員を加え、二五二人の貴族院議員が出そろいました。

アジアで最初の議会である第一回帝国議会は、同年一一月二五日に召集され、日本の議会政治の幕が切って落とされます。

◉第一回総選挙の結果

第一回総選挙の開票結果は、『議会制度百年史（院内会派編）』によると、大同倶楽部54、立憲改進党43、愛国公党36、九州連合同志会24、自由党17、自治派12、国権派12、保守中正派6、京都府公民会5、広島政友会4、宮城政会4、群馬公議会3、京都公友会1、無所属79だった。このうち、旧自由党系の大同倶楽部、愛国公党、九州連合同志会、自由党はそれぞれ解散し、九〇年九月、立憲自由党が結成された。

第3章　帝国主義と植民地

第3章関連年表

1492	10月　コロンブス、バハマ諸島に上陸
1510（永正7）	11月　ポルトガルのインド総督アルブケルケ、インドのゴア占領。翌年、マラッカ占領
1521（永正18・大永元）	3月　世界周航中のマゼラン船隊、フィリピンに上陸 8月　スペインの征服者コルテス、アステカ帝国の首都を陥落
1532	11月　スペインのピサロ、インカ皇帝を捕え首都占領
1549	7月　ザビエル、布教のため日本の鹿児島に上陸
1571	5月　スペインの遠征隊、フィリピンのマニラ占領
1592	4月　豊臣秀吉の朝鮮侵略始まる（文禄の役。―93年。2度目の慶長の役は97―98年）
1600（慶長5）	9月　徳川家康の東軍、関ヶ原に西軍を破る 12月　イギリス東インド会社設立
1602	3月　オランダ東インド会社設立
1607	5月　イギリス、ヴァージニア植民地を建設
1608	7月　フランス人がカナダ・ケベック要塞を建設
1639	7月　徳川幕府、ポルトガル船の来航禁止、鎖国の完成
1661	ポルトガル、インドのボンベイを英国に移譲
1664（寛文4）	9月　オランダ、英軍に降伏、ニューアムステルダムを明け渡す。ニューヨークと改称
1733	2月　ジョージアを最後にイギリス13植民地成立
1740	12月　オーストリア継承戦争始まる（―48年）
1755（宝暦5）	7月　北米の英仏植民地間でフレンチ・インディアン戦争開始（―63年）
1756	8月　プロイセンとオーストリアとの七年戦争開始
1757（宝暦7）	6月　プラッシーの戦い。英軍が仏軍を撃破。イギリスのインド支配の基礎固まる
1763（宝暦13）	2月　七年戦争の講和条約で、イギリスはカナダ、ミシシッピ川以東を領有
1770	8月　英探検家クック、英国の豪州領有を宣言
1773	12月　ボストン茶会事件。米独立革命の契機
1775	4月　米植民地軍の対英独立戦争が勃発
1776	7月　アメリカ独立宣言を採択
1789	4月　ワシントン、初代米大統領に就任
1819（文政2）	2月　イギリス、シンガポールを獲得 アメリカ、スペインよりフロリダ取得
1840	5月　英艦隊、広州封鎖。アヘン戦争本格化
1853（嘉永6）	7月　米ペリー艦隊、浦賀に来航 8月　露のプチャーチン、艦隊率いて長崎に来航 10月　ロシアとオスマン帝国とのクリミア戦争勃発。英仏両国、ロシアに宣戦（―56年）
1856	10月　アロー号事件。第2次アヘン戦争勃発
1857（安政4）	5月　インド大反乱（セポイの乱）（―59年） 6月　ムガル帝国滅亡 12月　英仏両軍、広州を占領

1860（安政7・万延元）	10月 ロシア、ウラジオストクに軍港建設 英仏両軍が北京に入城し、北京条約締結 11月 リンカーン、米大統領に当選
1861（万延2・文久元）	2月 ロシア軍艦が占領を企図して対馬に来泊 8月 英東インド・中国艦隊司令長官、幕府老中と会談し、ロシア艦を退去させる旨伝える
1868	10月 タイのチュラロンコン、ラーマ5世として即位
1875（明治8）	11月 イギリス、スエズ運河会社の株を買収 5月 日本とロシア、千島・樺太交換条約に調印 9月 日本軍艦、江華島守備兵と交戦（江華島事件）
1877	1月 ヴィクトリア英女王、インド皇帝に即位
1881	9月 エジプトで立憲制を求めるウラービー革命
1882	5月 ドイツ、オーストリア、イタリア三国同盟成立
1884（明治17）	8月 清国、フランスに宣戦布告 11月 アフリカ分割に関するベルリン会議開催
1885	1月 スーダンにマフディー国家成立
1887	10月 フランス領インドシナ連邦成立
1889（明治22）	2月 大日本帝国憲法発布 6月 大隈外相の条約改正案に反対高まる 10月 伊藤枢密院議長、大隈の条約改正案に反対して辞表提出 大隈外相、玄洋社社員の爆弾テロで負傷 条約改正交渉の延期を決定 12月 内閣官制公布。首相の権限縮小 第1次山県有朋内閣成立

1890（明治23）	5月 府県制・郡制を公布 10月 「教育ニ関スル勅語」（教育勅語）公布 11月 第1回帝国議会召集 山県が施政方針演説。「主権線」「利益線」表明
1891（明治24）	1月 内村鑑三、第一高等中学校始業式で、教育勅語に拝礼せず問題化 2月 衆議院、歳出に関し政府の同意を求める動議を、自由党土佐派などの賛成で可決。3月、予算成立 4月 ロシア皇太子ニコライ、長崎に到着 5月 第1次松方正義内閣成立 滋賀県大津で、日本人巡査津田三蔵がロシア皇太子に切りつけ傷害（大津事件） 大審院長児島惟謙、謀殺未遂罪で津田に無期徒刑の判決 12月 樺山資紀海相が蛮勇演説
1892（明治25）	1月 伊藤博文、新党組織計画を上奏。中止 2月 第2回総選挙。品川内相主導の選挙干渉で混乱 5月 衆議院、選挙干渉問責決議案可決。衆議院は停会 7月 松方内閣が総辞職 8月 第2次伊藤博文内閣成立 11月 民法及び商法施行延期法公布（民法典論争）
1893（明治26）	1月 米人のクーデターでハワイ王政廃止 2月 「和協の詔勅」。予算案修正可決 7月 陸奥外相提出の条約改正案を閣議決定 11月 星亨衆議院議長に対する不信任上奏案可決
1894（明治27）	3月 第3回総選挙 7月 日英通商航海条約に調印。領事裁判権を撤廃

1　欧米列強、世界分割へ動く

帝国主義とは何か

明治日本が国際社会に船出した一八七〇―八〇年代から第一次世界大戦の勃発まで、世界は「帝国主義」の時代でした。この「帝国主義」という言葉は、当時、日本では「大日本帝国憲法」や「帝国大学」という名称があったように、決して悪いイメージではなく、欧米先進国へ追いつくためのプラスのシンボルとして使われていたようです。

帝国主義については、実のところ多様な定義があります。政治史家の岡義武は著書『国際政治史』で、帝国主義とは「最広義に用いられる場合には、国家がその支配または勢力を、対外的にでき得る限り拡大しようとする試み」であり、「政治史上の歴史的概念として考えるならば、民族国家の対外的膨張であり、その主要な推進力は資本主義である」と述べています。

ロシアの革命思想家・レーニン（一八七〇―一九二四年）は、第一次世界大戦の最中、『資本主義の最高の段階としての帝国主義』（『帝国主義論』）と題する書物を書きました。

●レーニン（一九〇〇年、国立国会図書館ウェブサイトから）

帝国主義とは、このタイトルそのままに、資本主義の最高段階、あるいは独占段階において必然的にもたらされるもの、ということになります。

同書の中に次のような一節があります。

最新の資本主義の基本的特徴は、巨大企業から成る独占団体が支配者になることである。独占団体がこの上なく堅固になるのは、原材料の供給源を一つ残らず手中に収めるときである。植民地を領有しさえすれば、独占の成功は完全に保証される。資本主義の発達につれて、原材料をめぐる争いが世界中で激化し、植民地獲得競争が熾烈になる。

（『帝国主義論』角田安正訳）

一九世紀後半、欧州諸国やアメリカでは、石油と電力を動力源とする第二次産業革命が進行中でした。重化学工業部門の建設には、巨額の資本と設備が必要になるので、各企業は協同して巨大企業を形成します。これら巨大企業は、銀行と結びついて独占・金融資本を形成し、国外に資源や市場を求めたのです。

レーニンより一五年も早く、帝国主義について書いた日本人がいました。社会主義者の幸徳秋水★（一八七一―一九一一年）です。『二十世紀の怪物　帝国主義』（山田博雄訳）という書物を一九〇一年に著しました。

秋水は、帝国主義とは「『愛国心』を経とし、『軍国主義（ミリタリズム）』を緯として織りなされた政策」だと定義しています。さらに、帝国主義とは「大帝国の建設」を意味し、それは軍事力によって他国の土地を侵略し、他者の財産を奪い取り、他国

●幸徳秋水（国立国会図書館ウェブサイトから）

の人民を殺戮（さつりく）し、または奴隷とする。これは「切取強盗（きりとり）」（強盗致傷）の振る舞いそのものではないか、と批判しました。

一九世紀末、日本も、日清戦争に勝利して帝国主義国の仲間入りをします。秋水は、その結果として、「東洋の礼儀正しく善良な国の二千五百年の歴史は、黄梁一炊（こうりょういっすい）の夢（粟飯（あわめし）を炊きあげるほどの短い間の夢）となってしまうだけであろう」と警鐘を鳴らしました。

植民地争奪の幕開け

ここで「植民地」についても、一応、その定義をみておきましょう。植民地の歴史は、古代ギリシャ・ローマにまで遡（さかのぼ）りますが、一般的に辞書には「ある国からの移住者によって開発・形成された地域」「ある国の経済的・軍事的侵略によって支配され、政治的・経済的に従属させられた地域」（『明鏡国語辞典』）が植民地とされています。

一五世紀以降、ヨーロッパ人が新航路を開拓した「大航海時代」は、ポルトガルが一五一〇年、インド西部の港町ゴアを植民地にし、次いでマラッカを占領、マカオを中国貿易の拠点としました。ポルトガル人を乗せた船が九州南方の種子島に漂着し、日本に鉄砲が伝来したのはこの頃のことです。

スペインは、コロンブスが「新大陸」を発見したあと、アメリカ大陸に軍隊を送り込み、一五二一年、探検家のコルテスがアステカ王国をやぶってメキシコを征服、同じくピサロがインカ帝国を滅ぼしました。七一年には、ルソン島のマニラを植民地と

●ポルトガル人がインドのゴアに建設した大聖堂（ゴア州政府提供）

して、ここにスペインによるフィリピン支配が緒に就きます。

ラテンアメリカ（中南米と西インド諸島）は、大半がスペインの植民地になりますが、ブラジルだけは、ポルトガル領として存在感を示します。もっとも、一九世紀になると、メキシコ、ブラジルなど多くの国が相次いで独立します。

オランダ・イギリス・フランス

一七世紀半ばから一八世紀にかけては、重商主義（国家の保護・干渉によって国富を増大させる）政策をとる主権国家が植民地の争奪を演じました。

オランダは一七世紀初頭、東インド会社を設立してジャワ島に進出。ポルトガル商人やイギリス勢力を追い払い、香辛料貿易を独占しつつ支配地域を拡大し、二〇世紀初頭にはインドネシア全域を占領します。

イギリスは一七五七年、インド東部の「プラッシーの戦い」で、敵対するフランス

●一九世紀初頭のジャワ島バタビア（現在のジャカルタ）の情景（大英図書館蔵）

◉幸徳秋水

高知県生まれ。自由民権運動に加わり、一八八七年に上京、保安条例で東京を追われ、大阪で中江兆民に師事した。『万朝報』などの記者となり、社会主義に関心をもち、安部磯雄、片山潜らとともに一九〇一年、日本最初の社会主義政党・社会民主党の結成に参加したが、同党はすぐに禁止された。〇三年に日露戦争に反対して堺利彦らと『万朝報』を退社し、平民社を創立。週刊『平民新聞』を発刊して非戦論を展開した。〇五年にアメリカに渡り、翌年帰国すると、アナーキズムを唱えた。一〇年、大逆事件に連座して検挙され、翌年死刑に処された。

を打ち破ってインド植民地支配の基盤を築くと、七七年にはインド帝国を成立させます。さらに一八一九年、シンガポールを獲得したあと、マレー半島のペナン、マラッカなどと併せて海峡植民地をつくりました。

北アメリカ大陸では、フランスが一七世紀初めからカナダなどに進出したのに対して、イギリスは、東岸のヴァージニアに最初の植民地を設け、一八世紀前半までに、さまざまな移住者らが、大西洋沿岸地帯に一三の植民地を建設しました。英仏両国は、アメリカでも「植民地戦争」を繰り返し、最終的に勝利したイギリスは、カナダとミシシッピ以東のルイジアナなどを手に入れます。

一七七五年、植民地側は、イギリス本国軍を相手に独立戦争に突入します。フランス、スペインの参戦とロシアのエカチェリーナ二世が提唱した武装中立宣言によって、イギリスは国際的に孤立。これを追い風に、ワシントン★（一七三二―九九年）を総司令官とする独立軍が本国軍を打ち破りました。八三年、アメリカ合衆国は、パリ条約で独立の承認を受けると、その後は、英仏両国やスペイン、メキシコなどから土地を買収・併合するなどして、現在のような広大な国土を形成していきます。

猛烈な領土拡大

一九世紀後半から始まる帝国主義国家の対外膨張は、過去にないスピードで進行しました。

欧州諸国は、一八七六年から一九〇〇年までのわずか二四年の間に、七六年当時に欧州諸国が保持していた植民地総面積の約二分の一にあたる広さの土地を、新たな植民地として獲得しました（岡『国際政治史』）。とくにアフリカと太平洋海域に進出し、約三〇年近くの間に、これら地域をほぼ分割所有してしまいます。

アフリカ大陸の総面積に占める欧州諸国の植民地の比率は、七六年の段階では一一％でした。ところが、一九〇〇年にはそれが九〇％に達したのです。帝国主義諸国がいかにすさまじい勢いでアフリカを蚕食したのかがわかります。一八世紀のアフリカは、新大陸や欧州への奴隷の供給地としてあり続け、アフリカ人はその間、人権を蹂躙されてきました。そして一九世紀初め、奴隷貿易が法律で禁止されると、今度は、帝国主義と植民地主義によって土地を奪われることになったのです。

他方、帝国主義国が関心を向けた太平洋地域では、イギリスが、一八世紀後半、オーストラリアを領有します。当初は流刑植民地で

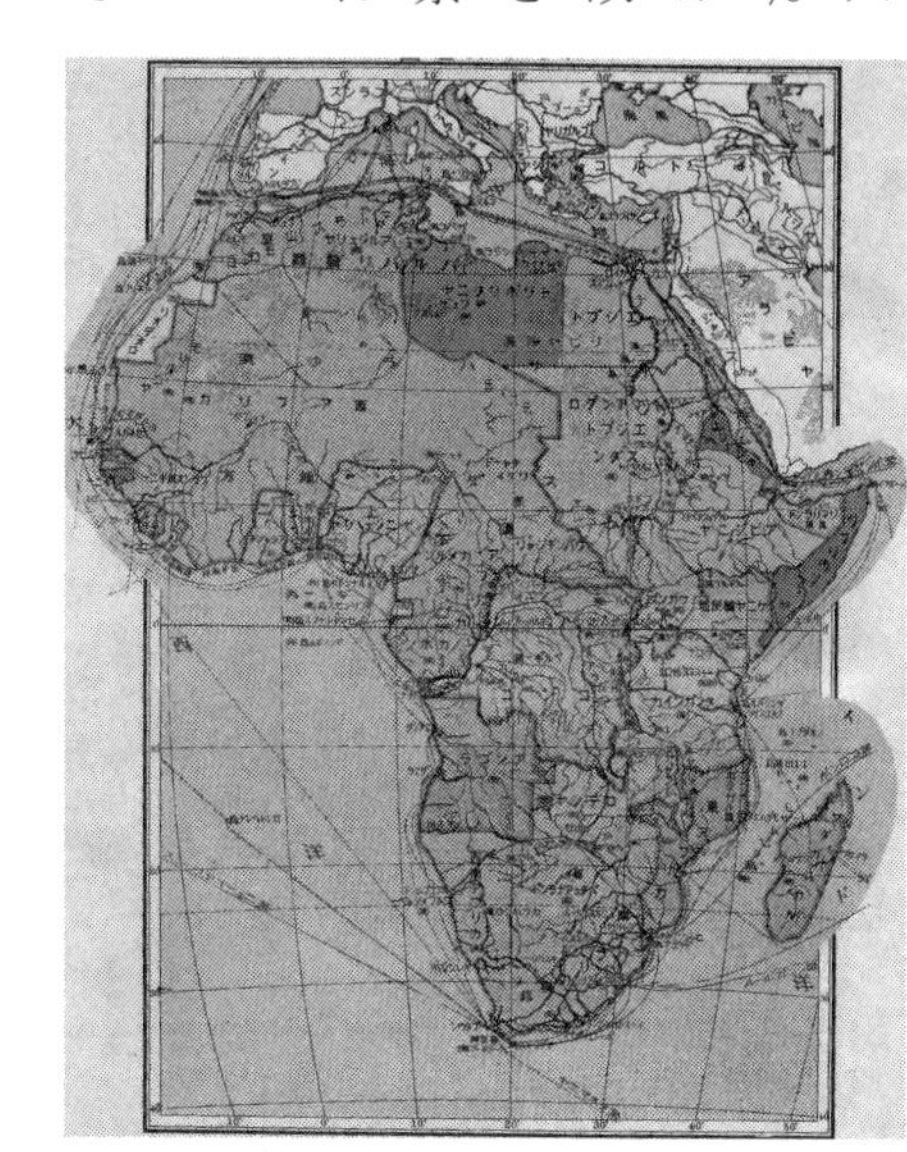

●列強によるアフリカ分割（二〇世紀初頭、国立国会図書館ウェブサイトから）

◉ジョージ・ワシントン

フランス人とインディアンの同盟軍を相手に、英軍と米植民地軍が戦って勝利した「フレンチ・インディアン戦争」で活躍。独立戦争が始まった直後、アメリカ植民地で組織する「第二回大陸会議」（一七七五年）で、全植民地総司令官に任命された。ワシントンが率いる陸軍は、イギリスの正規軍を相手に苦戦しながらも、八一年、フランス軍とともに、イギリス軍を包囲・降伏させた。戦後、栄職を捨て帰郷したが、新憲法発布とともに初代大統領に推された。「建国の父」と呼ばれ、首都ワシントン、ワシントン州をはじめ多くの名がその姓に由来する。

したが、自由移民が増え、金鉱も発見されて急速に発展します。一八四〇年、ニュージーランドも領有し、二〇世紀はじめにはともに自治領とします。

ドイツも、ビスマルク諸島やカロリン、マリアナ、マーシャル、パラオの諸島を獲得しました。アメリカは一八九八年にスペインとの戦争に勝利し、スペインからフィリピン、グアムを獲得する一方、ハワイも併合しました。

アフリカの分割

イギリスは一八七五年、スエズ運河建設で財政難に陥ったエジプトから、運河会社の株を買収するなど介入を強めます。これに抵抗する運動が広がると、八二年、エジプトを軍事占領し、スーダンにも侵入しました。

一方、イギリスは、植民地相のジョセフ・チェンバレン（一八三六―一九一四年）が、ケープ植民地（南アフリカのイギリス植民地）の首相、セシル・ローズ★（一八五三―一九〇二年）を支援して、オランダ系住民などボーア人が建てたトランスヴァールとオレンジ両国を相手に、南アフリカ戦争（ボーア戦争、一八九九―一九〇二年）を引き起こします。これら地域に金鉱が発見されて以来、ローズはこれに着目していました。戦争に勝利したイギリスは、両国を併合し、一九一〇年、ケープ、ナタールを合わせて南アフリカ連邦が成立。アフリカ人は、南アフリカ全土で実質的に独立を失うことになります。

南アのアパルトヘイト（人種隔離）政策（一九九一年、差別立法撤廃）は、国民党が政権を握った一九二四年にすでに構想され、実施に移されていきます（宮本正興・松田素二

●アフリカ大陸を股にかけるセシル・ローズ

編『新書アフリカ史』)。

チェンバレンは、ボーア人との和解に尽力したとされますが、彼にとって植民地経営とは「イギリスの失業率を下げる最も良い方法」であり、「国内の商品に新しい市場を提供すること」でした。こうしてイギリスは、エジプトから南アフリカまでの間を、ひとつながりのイギリス植民地とするアフリカ縦断政策をとります。

さらに、カイロ(エジプト)とケープタウン(南アフリカ)とカルカッタ(インド)の三都市を結んで、インド洋の制海権と通商航海の独占的地位を狙う3C(三都市の頭文字)政策も採用します。これらの政策は、チュニジアからサハラ砂漠を横断してジブチ、マダガスカルと連結するフランスの戦略とぶつかり、軍事的緊張を高めることになりました。

ベルギーは、国王・レオポルド二世のもとで、アフリカ南部・コンゴ各地の首長らと保護条約を結び、一八八五年までにコンゴ川流域をおさえました。ドイツ首相のビスマルクが、各国の利害調整のために「ベルリン会議」(八四—八五年)を呼びかけ、ベルギーは、国王を首長とする「コンゴ自由国」の設立が認められます。

◉セシル・ローズ

イギリス出身の南アフリカ政治家。イギリスで牧師の子として生まれ、一八七〇年、南アフリカに移住した。オックスフォード大学を卒業したのち、ケープ植民地議会議員になった。ダイヤモンド・ラッシュに乗って鉱山会社を経営し、鉱山の買収、併合を繰り返し、九〇年にはトランスヴァールのダイヤモンド鉱業をほぼ独占。同年、ケープ植民地の首相になった。ローズは、併合した地域を自分の名前にちなんでローデシアと命名した。

この会議には、イギリス、ドイツ、フランス、イタリア、アメリカ、ロシア、オランダ、オーストリア＝ハンガリー、スペイン、ポルトガル、スウェーデン＝ノルウェー、オスマン帝国、ベルギーの一三か国が参加しています。会議では、アフリカ植民地化の原則が定められます。一つは、最初に領有した国は、それを他国に通告すれば領有権を認められること、もう一つは、地域の実効支配が確立されていることを植民地化の条件としました。このアフリカ側を無視した一方的な原則は、アフリカ分割を一層加速させることになりました。

アフリカの抵抗運動

アフリカが短期間に征服されたのは、なぜだったのでしょうか。

その理由の第一は、アフリカ人の陣営が相互に激しく対立し、列強の侵略に対して、力を合わせて戦えなかったことです。第二は、弓矢と槍(やり)などの武器では、連射式重機関銃などヨーロッパの近代兵器にかなうはずはなく、非力なアフリカ各国は容易に武力制圧されたことでした（宮本・松田『新書アフリカ史』）。

しかし、アフリカでも列強支配に対する抵抗運動が起きていました。これらは、後に高まる民族運動のさきがけになります。

一八八一年、エジプトの青年将校アフマド・ウラービー大佐が、「エジプト人のためのエジプト」をスローガンに、立憲制の確立や議会開設、外国支配の排除を唱えて反乱を起こしました。八二年には、新政権が成立しますが、イギリスによって押しつ

●アフマド・ウラービー（一八八五年、大英図書館蔵）

ぶされます。ウラービーはセイロン（現スリランカ）に流されます。

エジプト独立のために戦ったウラービーの名と「セイロン幽囚」は日本にも伝えられました。コロンボは、日本―ヨーロッパ間の帝国航路（エンパイアルート）の寄港地でもあり、同志社を創設した新島襄や『佳人之奇遇』の著者・東海散士（柴四朗）、横浜税関官吏の野村才二らが、ウラービーを訪ねて面会しています。ウラービーは、彼らに対し、日本は優れた陸軍と海軍を維持していくように、また、西洋文明を学ぶ前にまず国内の民生の向上に努めるようにと忠告しました（木畑洋一『帝国航路を往く』）。

エジプトに隣接するスーダンでは、ムハンマド・アフマド（一八四四―八五年）を指導者とするマフディー★（アラビア語で「導かれた者」の意味）派が、エジプト・イギリスの支配に抗して立ち上がり、八五年にはエジプト勢力を駆逐しました。その後、マフディー国家が一三年間続きますが、九八年、英・エジプト連合軍が制圧に乗り出し、スーダンはイギリスの統治下におかれました。

●ムハンマド・アフマド（大英図書館蔵）

◉マフディー運動

スーダンのムハンマド・アフマドは、一八八一年にマフディー（いわゆる救世主）と称して貧農や牧畜民らを組織し、エジプト支配に抵抗するジハード（聖戦）を敢行した。エジプトを占領下におさめたイギリスは八五年、ゴードン将軍（一八三三―八五年）が率いる軍隊を派遣したが、マフディー軍はハルツームに攻め入り、籠城中のゴードンを戦死させた。ゴードンは、中国を舞台にしたアロー戦争で北京占領に参加し、太平天国の乱では、上海の居留地防衛や蘇州奪回で活躍した軍人。その「英雄」を死に追い込んだことは、欧州諸国に衝撃を与えた。

ベル・エポックの世界

アフリカや太平洋諸国が植民地化されていく時期は、ヨーロッパにとって、「良き時代」を意味する「ベル・エポック」の時代でした。玉木俊明『ヨーロッパ繁栄の一九世紀史』によると、ベル・エポックとは、ナポレオン戦争が終結した一八一五年から、第一次世界大戦勃発（一九一四年）までのおよそ一〇〇年間を指します。

当時、列強が領有していた植民地の面積（単位・一〇〇万平方キロメートル）をみると、一八七六年ではイギリスが二二・五、次いでロシアが一七・〇、フランスが〇・九。イギリスとロシアが圧倒的で、ドイツやアメリカ、日本は皆無でした。それが一九一四年になりますと、イギリスは三三・五、ロシアは一七・四、フランスが一〇・六です。ドイツは二・九、アメリカ・日本が各〇・三になっています（レーニン『帝国主義論』）。フランスの場合、八〇年代から植民地拡大政策をとり、イギリスと競い合ってアフリカなどに大植民地を築いたのでした。

ベル・エポックの時代に、欧州では、国民国家の下、市民の生活水準が向上し、人々は砂糖やコーヒーの嗜好品（しこうひん）や、増大した余暇時間を楽しんでいました。しかし、これらの豊かな生活は、アフリカ・アジアなどの植民地の犠牲の上に成り立っていたと言っても過言ではありませんでした。

当時、欧州のアフリカ探検家たちは、好奇心（Curiosity）、文明化（Civilization）、キリスト教化（Christianization）、商業（Commerce）、植民地化（Colonization）の「五つのC」を

●一九世紀末、パリの夜会の情景（ベロー作、オルセー美術館蔵）

動機にアフリカに挑みました。その後、植民地経営に乗り出したヨーロッパ人の多くは、唯一の優れた、ヨーロッパの制度や価値、宗教や知識をアフリカ人に分け与えることは「文明人の崇高な使命」であると考えるようになりました（『新書アフリカ史』）。

しかし、そこには、文明の進んだヨーロッパ人が、遅れたアジア・アフリカの未開人を支配するのは当然のこととする、上から目線の差別的な思想と行動が色濃くみられたのです。

2　日本はいかに生き抜くか

植民地化を免れた国

欧州の帝国主義勢力がアフリカを席巻(せっけん)する中で、植民地化を免れたのは、リベリア共和国とエチオピア帝国でした。

リベリアは、西アフリカの南西部にあって大西洋に面しています。アメリカ植民協会が、解放された黒人奴隷をここに入植させ、一八四七年、入植者たちは、米国憲法に基づく憲法を制定し、建国・独立を宣言しました。アメリカから移住してきたアフリカ人の統治は、先住のアフリカ人の反発だけでなく、イギリス、フランスなど欧州列強の武力干渉にあいます。しかし、リベリア政府は、アメリカとの関係を強化し、財政援助や防衛協力を受けながら主権を維持します。

アフリカ大陸の北東部に位置するエチオピアは、八九年に帝位に就いたメネリク二世★（一八四四―一九一三年）が、イタリア、イギリス、フランスの圧力をかわしつつ、軍隊の近代化を図ります。中でもイタリアの保護領化要求に対して、メネリク二世は、軍事力を背景にこれをはねつけ、九六年の「アドワの戦い」でイタリア軍を撃破し、

●アドワの戦いに臨むメネリク二世（大英図書館蔵）

エチオピアの独立を勝ち取りました。

他方、アジアでは、タイの東のベトナムがフランスの植民地、タイの西のミャンマーがイギリス植民地となる中で、タイが、東南アジアでは唯一、独立を守りました。

タイでは、明治維新期の一八六八年に即位したチュラロンコン国王★（一八五三—一九一〇年）が、官僚制の導入や軍隊の創設など近代化改革を推進しました。イギリスやフランスは、双方がにらみ合う形でタイには軍事進出しませんでした。加えて、欧州諸国にタイのコメ貿易の参入権などを与えたことが、植民地化の危機を回避する決定的な要因になったといわれます（岩崎育夫『入門 東南アジア近現代史』）。

●チュラロンコン国王（Wellcome Collection）

◉メネリク二世

エチオピア中央部のショア王国の生まれ、一八六五年に王位に就いた。エチオピア皇帝の座をめぐり北部出身のヨハネス四世と対立したが、これを譲り、自らは八九年に即位した。イタリアと条約を結び武器供与などを受けたが、外交上の束縛を嫌ってヴィクトリア英女王に書簡を送り、イタリアとの開戦に踏み切った。一九一〇年まで在位し、鉄道・道路建設など近代化政策を進めた。

◉チュラロンコン国王

ラーマ五世。一八六八年から一九一〇年まで、明治天皇とほぼ同時代に在位した。タイ（当時シャム）の植民地化を防ぐため、中央集権的な近代国家の創出をめざした。「チャクリー改革」と呼ばれた近代化政策は、財政、法律、国民教育、徴兵制、郵便・電信など広範囲にわたった。一九一七年に創立されたタイ最初の総合大学は、国王の名を冠している。

日本の僥倖と危機感

日本も、幕末から明治維新期にかけ、西欧列強によって植民地化されずに済んだ国でした。その理由は、さまざま挙げられています。

最近では、歴史学者井上勝生が著書『開国と幕末変革』で、植民地化の危機について、日本と列強間で「軍事力の圧倒的な格差があるなかでは、一般論として、危機がなかったとはとてもいえない。この点は、疑問の余地がない。しかし危機は、日本が条約を結んで通商を始めてからは、比較的、小さかった」と書いています。

当時、アジアでは、清国と英仏間の第二次アヘン戦争（アロー戦争、一八五六―六〇年）や、イギリス支配に反抗したインド大反乱（セポイの反乱、五七―五九年）、そしてフランスの侵略に対するベトナムの頑強な抵抗（六七―八五年）など「大反乱」が相次いでいました。

国際関係史が専門の南塚信吾は、近著『「連動」する世界史』の中で、「日本はこの『アジアの大反乱』の側面支援を受けて、外国の武力介入なしに『積極的開国』と『維新』を準備することができた」と述べています。同書によれば、「列強の中では、アメリカ、ロシア、プロイセン、イタリア、オーストリアは、東アジアに関心を向けるゆとりがなかった。イギリス、フランスの場合も、インド・インドシナ・中国などの政策が優先しており、日本は二義的な意味しかなかったから、大きな軍事介入は回避していた」ということで、それは日本にとって僥倖（ぎょうこう）でした。

●アロー戦争での戦闘（大英図書館蔵）

しかし、欧米の関心と軍事力が、いずれ日本やその周辺に向けられることはないのか。

実際、開国から三〇年以上が経つ明治二〇年代に入っても、日本は、不平等条約の改正を果たせず、真の独立にはほど遠い状況にありました。このため、独立への危機感は、当時の日本人の間に広く共有されていたとみられます。ただ、その危機感は、列強による軍事的侵略が間近というよりも、「政治・経済さらに文化をも含めて、日本が段々、西洋列強に従属させられていくのではないかという危機感」（植手通有「兆民における民権と国権」）に近かったようです。

日本を取り巻く安保環境をみると、清国は、甲申(こうしん)政変（一八八四年）以降、朝鮮への政治的・経済的影響力を強める一方、ロシアはシベリア横断鉄道の敷設を計画（九一年に起工）し、東進を加速しようとします。地政学上、朝鮮半島の動乱が日本の安全保障に直結することは、今も昔も変わりません。とくに超大国の清国やロシアの動向には目が離せませんでした。諸列強が世界的規模でしのぎを削る帝国主義時代を、日本はいったい、どのようにして生き抜いていくのか――これが厳しく問われたのです。

中江兆民の植民地体験

当時、この問いを真摯(しんし)に受け止め、その答えを模索していた日本人がいました。自由民権論者の中江兆民です。兆民は長崎に遊学★した後、岩倉遣欧使節団に加わり、七四年、留学からの帰途、極めて印象的な「植民地体験」をしています。

●中江兆民

インド回りで諸港に立ち寄るなかで、文明を自称するイギリス人やフランス人が、トルコ人やインド人にムチをふるい、犬や豚のように扱っている様子を目撃しました。兆民は八年後、新聞紙上で、この時のことを回顧して、「トルコ、インドの人民もまた人なり」と、途上国の民衆を侮辱する西欧人を厳しく批判することになります。

フランスから帰国すると、兆民は、東京で仏蘭西学舎（のち仏学塾）を開きました。東京外国語学校長や元老院の書記官を務めたあと、八一年、西園寺公望らとともに『東洋自由新聞』を創刊し、社長には西園寺、主筆には兆民が就きました。★しかし、西園寺に対しては右大臣・岩倉具視から辞任の圧力がかかり、太政大臣・三条実美からは「退社は天皇の要求である」旨が伝えられ、西園寺はやむなく社長を辞任しました。

八二年二月から、兆民は、ルソーの『社会契約論』の仏文を漢文に訳した『民約訳解』を仏学塾の雑誌に連載します。これは漢字文化圏の人も読むことができ、その意味で兆民は「東洋のルソー」と呼ばれることになります。

その後、自由党の機関紙『自由新聞』の社説を担当したほか、さまざまな著書・訳書を著した兆民は、八七（明治二〇）年五月、三人の男が自由民権の伸張や日本の独立維持をめぐり、政治的論議を交わす『三酔人経綸問答』を発刊します。社会主義者の幸徳秋水は、兆民を「常に革命の鼓吹者たり」と言い、仏文学者の桑原武夫は、「自由民権の参謀長であった」と評しています。同書は、そんなジャーナリスト、政治思想家である兆民が全力を注入して書き上げたものでした。

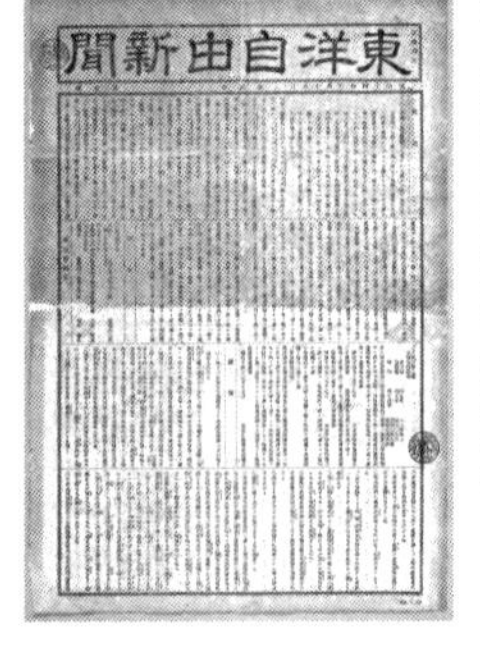

●『東洋自由新聞』の第一号

●『民約訳解』

『三酔人経綸問答』

『三酔人経綸問答』（鶴ヶ谷真一訳）の登場人物は、「民主主義者（民主家）」の洋学紳士と、「侵略主義者（侵伐家）」の豪傑君と、南海先生の三人です。同書は、紳士君（洋学紳士）と豪傑君が、ヘネシーのブランデー（金の斧の洋火酒）を手みやげに南海先生の家を訪ね、杯を重ねながら議論するところから始まります。

●ルソー（Wellcome Collection）

◉中江兆民と西園寺公望

中江と西園寺と松田正久（のち衆議院議長、西園寺内閣の司法相）は、留学したフランスで、友達付き合いをしていた。先に帰国した中江と松田は、留学から帰国したばかりの西園寺を誘って、民権派の『東洋自由新聞』を刊行した。西園寺が社長を引き受けたことと、西園寺がフランスで急進共和派のクレマンソー（のちフランス首相）らと交遊していたこととの関連性を指摘する向きもある。が、西園寺は晩年、「ほんの遊戯気分」だったとしており、中江らが「政府の弾圧に対する防波堤として、名門公家の西園寺に期待」したものとみられている（伊藤之雄『元老　西園寺公望』）。

◉兆民と龍馬

兆民は、土佐藩の留学生として長崎に派遣されていた当時、海援隊を組織して長崎にいた坂本龍馬を知り、尊敬するようになった。幸徳秋水『兆民先生』によると、兆民は「彼を見て何となくエラキ人なりと信ぜるが故に、平生人に屈せざるの予も、彼が純然たる土佐訛りの言語もて、『中江のニイさん煙草を買ふて来てオーせ』などと命ぜらるれば、快然として使ひせしことしばしばなりき」と語っていた。兆民は六二年、一六歳のとき、土佐藩校に入学し、漢学、英学、蘭学を学んだ。長崎留学は一九歳の時で、英学修業のためだったが、そこでフランス学を学んだ。留学生監督は岩崎弥太郎だった。

紳士君は、政治における「進化の法則」の第一歩は「君主宰相による専制政治」、第二歩が「立憲制度」、さらに一歩進んだところに、自由と平等をあわせ持つ「民主制」があると論じます。この中で、紳士君は、モンテスキューやスチュアート・ミルやジャン＝ジャック・ルソーやサン＝ピエールらに言及、さらにカントの『永久平和論』に触れつつ、民主制というものは、戦争をやめ、平和を確立するために欠かせない、と説きます。

では、危機が差し迫る日本は、いったいどうしたらいいのでしょうか。

紳士君は、英仏などアジア・アフリカで植民地支配を強める大国に、「弱小国」日本が武力をふるうのは、卵を岩に投げつけるようなものだ。この際、日本は、海軍・陸軍の軍備を撤廃する。そして日本を自由、民主、平等の非武装・民主国家にすることが、独立への唯一の道である旨を力説します。これに対して、豪傑君は、「君は頭のネジかすっかりゆるんだに違いない」と声を荒らげ、「もし、凶暴な国が、日本の軍備撤廃を機に来襲してきたらどうするのか」と反問します。

紳士君は、「そんな国は決してない。万が一あれば、彼らに退去を促し、それを聞かずに鉄砲を向けるなら、弾を受けて死ぬだけのこと」と応じます。紳士君の言説は、まるで戦後の日本国憲法第九条（戦争放棄、戦力不保持・交戦権否認）や非武装中立論を想起させます。

次いで、豪傑君が持論を述べます。彼はまず、非常な危機に瀕している小国・日本が、急に大国になろうとしても、なれるものではない、と切り出します。日本に対する自己認識は紳士君と一緒でした。

●『三酔人経綸問答』

しかし、ここからが違います。豪傑君は、他国に併合される前に、日本国中から兵を募って——とくに平和に嫌気がさしている守旧派を先兵として送り、軍艦を買って、こちらから他国に侵攻し、大国をひとつ切り取らなければならないと主張します。それは、防衛のための対外侵略というべき説でした。対象国の名こそ挙げていませんが、清国を念頭に置いていたようです。

紳士君が理想主義だとすれば、豪傑君は現実主義の立場からの力の行使。両君の対外構想は真っ向から対立し、豪傑君は、帝国主義時代の国際情勢を延々と説きます。★

回復的民権と恩賜的民権

ここに至って、南海先生が、いよいよ語り始めます。先生は、紳士君の論について「純粋を極めた正当なもの」で「濃密な酒のようなもの」と評し、豪傑君の論は「卓

◉「豪傑君」の国際情勢認識

豪傑君は、国際情勢について、まず、ロシアが警戒しているのはプロイセンだとしたうえで、「孛（プロイセン）仏の兵一日欧洲の野に交わるに於ては、魯（ロシア）軍は則ち砂塵を捲起して東方に溢出せん。果たして此の如くなる時は、孛仏兵争の禍は欧洲大陸に局するに非ずして、亜細亜海中の諸島も、亦其の余燄を被るを免れずして、英国艦隊の掠拠する所は、独り巨文島に止まらざるや疑い無きなり。之を要するに、孛と仏とは欧洲に在りて力を角して、魯と英とは亜細亜に出でて雄を競うこと、これ今日の大勢なり」（原文）として、一八八五年のイギリス東洋艦隊による巨文島占拠事件に言及しつつ、欧洲の戦乱とアジアでの覇権争いは直結していることを指摘した。

越したあざやかな奇説」で「劇薬」であると述べます。

しかし、紳士君の説は「全国民の一致協力」がなければ、また豪傑君の説は「君主宰相の独断専行」がなければ実現できず、「現在に役立てるのは難しい、架空の構想」として切り捨てます。とくに紳士君があがめる「進化」の神は、時と場所とをわきまえずに政治を行うことを憎む。専制から一挙に、国民の知識に見合わない民主制に移行することは、国民を恐れさせ、戸惑わせるだけだと語ります。

続けて南海先生は、民権については二種類があると、得意げに弁じます。一つはイギリス、フランスの「回復した民権」（回復的民権）です。これは下から進んで獲得したものです。もう一つは「賜った民権」（恩賜的民権）で、上から恵み与えられたものです。この恩賜的民権は、上から恵まれたものなので、回復的民権とは異なり、こちらが思いのままに、その分量の多少を決めることができません。

とはいえ、先生は、恩賜的民権を直ちに回復的民権に代えることは、物事の踏むべき順番をたがえると指摘。今は、賜った民権であれ、その本質は変わらないのであるから、これを失わないように守り、確かなものにすることが大切だと語ります。これは、一八八九年に発布される帝国憲法のことをさしていると言われています。

先の安保政策に関する紳士君と豪傑君の主張は、まったく相いれないものにみえました。しかし、先生が見るところ、「病原は同じ」です。その病原とは、「過慮（思い過ごし）」または「疑心暗鬼」です。二人は「ヨーロッパの列強が千の堅牢な戦艦をともなって来襲するに違いない」と考え、正反対の論を導いているにすぎないというのです。

この先生の分析に不満な二人は、「もし、強引に襲ってきたら」と質(ただ)します。先生は、「徹底抗戦。ときにゲリラ戦によって、神出鬼没、変幻自在に戦う」と答えながらも、こちらが日頃から武力の強化を図れば、自力防衛は難しくないと答えます。そして先生は、「ともかく立憲制度を確立し、上は陛下の尊厳と栄光を、下は民の幸福を確かなものにする。上院下院を設置し、外交は努めて友好を重んじ、国の威信をそこなうことがない限り、けっして国威と武力を誇示しない」と、話を締めくくりました。

この三人の登場人物の中で、大酒飲みの南海先生の酔態ぶりは、兆民そのものだったようです。だが、残り二人を含めて三人とも、兆民の分身であって、それぞれの立場から「論」を展開しているというのが、多くの識者の見方です。

兆民は、『三酔人経綸問答』を書き終えた一八八七年の暮れ、保安条例によって「東京退去」を命じられます。大阪に移った兆民は、『東雲(しののめ)新聞』を発刊します。兆民は、深紅のトルコ帽をかぶり、この新聞の印半纏(しるしばんてん)を着て、健筆をふるっていたそうです。兆民は、初めての衆院議員総選挙で、大阪四区から議員に選ばれ、現実政治の中へ踏み出していきます。

3　内と外にらむ首相演説

「民党」と「吏党」

第一回帝国議会は一八九〇（明治二三）年一一月二五日に召集されました。同年七月の衆議院議員総選挙で当選した議員たちが登院しました。所属会派は、「弥生倶楽部」、「大成会」、「議員集会所」、無所属でした（『議会制度百年史』）。大成会は、開幕前の八月に結成された会派で、「中立不偏の大道」を唱え、政府支持の立場をとっていました。これに対して、弥生倶楽部は立憲自由党、議員集会所は立憲改進党の各院内会派で、反藩閥・民権派の両党が合計一七四議席と、定数三〇〇の過半数を制していました。

この両党とこれに同調する勢力のことを「民党」、大成会など藩閥政府・与党の立場をとる勢力が「吏党（りとう）」と呼ばれました。

黒田首相の「超然主義」

帝国憲法発布翌日の八九年二月一二日、首相の黒田清隆は、鹿鳴館（ろくめいかん）に地方長官を集

●第一回帝国議会開院式

めて訓示します。この中で黒田は、施政上の意見が人々の間で異なる以上、「政党なる者の社会に存立するは、情勢の免れざる所」と指摘して、こう続けました。

「しかれども、政府は常に一定の方向を取り、超然として政党の外に立ち、至公至正の道に居らざるべからず。各員、不偏不党の心をもって人民に臨み、もって国家隆盛の治を助けんことを勉むべきなり」(『歴代内閣総理大臣演説集』)。

また、枢密院議長の伊藤博文も、同月一五日、議長官邸で府県会議長を前に、「今後、議会を開き、政事を公議輿論に問わんとするにあたり、遽に議会政府すなわち政党をもって内閣を組織せんと望むがごとき、最も至険の事たるを免れず」と述べました(『伊藤博文演説集』)。

この両演説は、近く開幕する議会や政党に対する、政府の基本姿勢を表明したもので、今後とも、議会や政党の統制は受けず、藩閥が政権を独占していくとの宣言でした。これを「超然主義」と言います。

もっとも、黒田内閣の実態は少し違っていたようです。というのも、同内閣は、「政党の外に立つ」と言いつつ、閣内には、立憲改進党の指導者である大隈重信や、新党「自治党」の創設を進めていた井上馨がいたほか、大同団結運動の後藤象二郎に至っては、超然主義演説の約一か月後に、政党内閣実現の第一歩と考えて入閣しました。このため、黒田内閣は、「超然内閣」というよりも「政党を包含する内閣」という方がよかったのです(坂野潤治『明治憲法体制の確立』)。

また、伊藤の場合、「超然主義では議会は乗り切れない」と心配する周囲の声に、「ドイツのビスマルクを見ろ。ビスマルクなどは、政党なるものはもっていないじゃないない

●黒田清隆

●伊藤博文

か。政府が誠心誠意やりさえすれば、いかなる政党といえども反対せぬ」と反論したというエピソードが残されています。

しかし、伊藤にしても、その演説内容は、「政党内閣の即行という急進論の否定」であって「議会政府それ自体を排斥しているわけではない」（瀧井一博『伊藤博文』）と言われます。伊藤演説の「遽（にわか）に……」という表現には、いずれ政党が力をつければ、という含みがあり、将来の政党内閣まで否定しているわけではなかったのです。

大隈の爆弾テロ

国会開幕を前に、政府の前に立ちはだかる難題に条約改正がありました。野党はこれを政府攻撃の材料にしてきました。

八八年二月、井上馨から改正交渉のバトンを引き継いだ外相・大隈重信は、外国人の土地所有権容認、列国の領事裁判権の五年後廃止、外国人法律家の任用は大審院（帝国憲法下で最高の裁判所）の判事に限る、との方針で各国個別に交渉を進めました。

この結果、八九年二―八月にかけてアメリカ、ドイツ、ロシアとの調印にこぎつけます。しかし、大隈案が英紙『タイムズ』に掲載され、これが日本の新聞に転載されると、再び「屈辱的」という批判が巻き起こります。とくに、外国人判事の任用については、官吏の任用は日本国民に限るとした帝国憲法第一九条に抵触するという意見も出て、世論は沸騰します。★

閣内でも反対論が出て紛糾しますが、黒田首相と大隈外相は強硬論を吐いて閣内は

●テロ事件後、静養する大隈重信（前列中央）

混乱し、結論が出ません。そんな最中の同年一〇月一八日、大隈は、閣議からの帰途、東京・霞が関の外務省門前で、爆弾テロに遭い、重傷を負って片足を失います。犯人は、国権派団体「玄洋社（げんようしゃ）」社員の来島恒喜（くるしまつねき）で、来島はその場で短刀で自殺しました。

黒田は、辞表を提出し、山県有朋（やまがたありとも）★を後継首相にするよう上奏します。しかし、山県は応じず、明治天皇は同月二五日、首相臨時代理として、三条実美内大臣を指名しました。三条は、すでに調印を終わっていた米、独、露の各国と交渉して、条約改正をとりやめにします。これは異例の措置でした。

◉大隈条約改正案と世論

旧自由党系の民権派や保守的な国家主義的団体が大隈案を批判したのに対して、改進党は大隈擁護で団結し、大論争が繰り広げられた。反対派から政府に出された建白書は一八五通、署名者総数五万六八五七人。これに対して、賛成派の建白書は一二〇通、署名者総数六七五九人。賛成派の署名者数は反対派に比べてかなり少ないが、建白書の数はそれほど変わらない。改進党は一通あたりの署名者を少なく、建白書の数を多くして、反対派と同等であることを演出しようとした。しかし、世論の大勢は明らかに反対に傾いていた（真辺将之『大隈重信』）。

◉山県有朋の戦歴

長州藩・萩（はぎ）城下に生まれた山県は、高杉晋作が六三年に編成した「奇兵隊」に直ちに参加。軍監として、四国連合艦隊との間に砲火を交えたが惨敗し、敵弾によって負傷した。さらに「俗論派」を藩政から追放するための内戦、六六年の幕府による長州再征も奇兵隊で戦い抜いた。戊辰戦争では北陸道鎮撫総督兼会津征討総督の参謀に任ぜられ、越後から会津に転戦したが、新政府の論功行賞（賞典禄）では、大村益次郎一五〇〇石に対し、山県は六〇〇石にとどまった。西南戦争には征討参軍として出征し、日清戦争では第一軍を率いて現地に赴いた。

八九年一二月二四日、勅令である「内閣官制」が発布されます。これは、従来、「内閣職権」で首相に与えた強大な権限（大宰相主義）を大幅に縮小したのが特徴でした。

内閣官制の落とし穴

内閣官制では、首相は内閣の「首班」とされました。その権限は、国務大臣が天皇を輔弼（ほひつ）する手続き面で統一を保つため、ある程度、他の大臣に優越することは認めました。しかし、首相を含めて国務大臣は、憲法上、あくまで平等であり、首相は「同輩中の首席」にすぎませんでした（佐藤功『日本国憲法概説』）。これにより、内閣総理大臣は、「監督・指揮者」という強い立場から、単なる「調整役」へとパワーダウンすることになりました。

この改正は、黒田首相が条約改正問題で頑強に抵抗し、内閣が機能不全に陥ったことへの反省から、首相の専制的な政治手法を制御する狙いがあったといわれます。また、「大政の方向を指示し、行政各部を総督」するという「内閣職権」の規定のままだと、帝国憲法第五五条「国務各大臣ハ天皇ヲ輔弼シ、ソノ責ニ任ズ」（単独輔弼責任の原則）に抵触するおそれが出たためでした。

そもそも、明治憲法には「内閣」「内閣総理大臣」の規定はありませんでした。その代わりの「内閣官制」で、このように首相の権限を弱めたことは、閣僚が辞めずに居座った場合は、首相に打つ手がなく、閣内不一致で内閣が瓦解してしまう要因になりました。戦後の現行憲法では、これを改め、首相に国務大臣の任免権を認めるなど

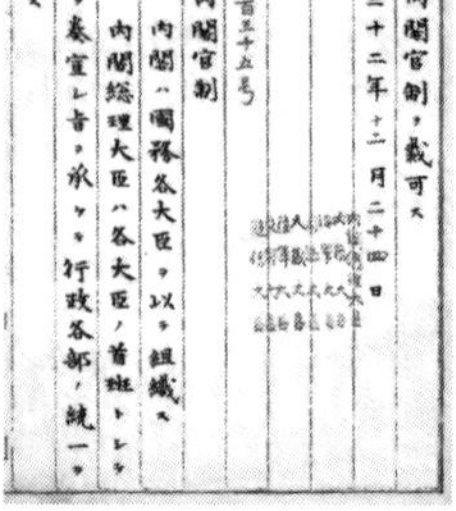

●内閣官制（国立公文書館蔵）

「首長」たる地位を明確にしました。

山県有朋内閣の成立

第一次山県内閣★が八九年一二月二四日、成立しました。

明治時代に入り、藩命でヨーロッパを巡って帰国した山県は、新政府の兵部少輔として軍制改革にあたり、陸軍大輔として徴兵制を断行、七三年には初代の陸軍卿、七八年には参謀本部長になります。敬愛していた西郷隆盛の征韓論にはくみせず、台湾征討でも、「対清戦争を回避すべきだ」と主張。七七年の西南戦争では、西郷軍と戦い、鹿児島・城山が陥落した時には、痛恨きわまる歌を詠んでいます。山県は歌人でもありました。

戦争から凱旋した山県は、東京・目白に広大な土地を購入し、造園して「椿山荘★」と名付けます。山県は、自分のことを「一介の武弁（取るに足らない武人）」と語るのが

●奇兵隊軍監時代の山県有朋（一八六九年撮影）

◉第一次山県有朋内閣

内閣の顔ぶれは次の通り。▽総理・山県有朋　▽外務・青木周蔵　▽内務・山県有朋　▽大蔵・松方正義　▽陸軍・大山巌　▽海軍・西郷従道　▽司法・山田顕義　▽文部・榎本武揚　▽農商務・岩村通俊　▽逓信・後藤象二郎　▽班列（無任所）・大木喬任。外相には外務次官の青木を、農商務相には農商務次官の岩村を充てた。九〇年五月、山県兼務の内相に海相西郷を移し、海相の後任には樺山資紀を任命した。同時に榎本文相に代えて内務次官芳川顕正を任じ、岩村農商務相を駐米公使の陸奥宗光に代えた。山県は初の帝国議会に備えて政府の強化を迫られていた。

口癖でした。しかし、内務卿—内務相に在任して、軍事部門のみならず、政治への視野を広げました。保安条例を発動して民権派を弾圧する一方、地方自治制度の整備にもあたりました。また、山県は超然主義の信奉者でもありました。

これまで幕末からの維新政局では脇役にとどまっていた山県が、いよいよ主役となって第三代の内閣総理大臣の大任を担うことになったのです。

「主権線」と「利益線」

九〇(明治二三)年一二月六日、山県首相は、第一回帝国議会の施政方針演説に臨みました。

山県は演説の中で、明治二四年度予算案について、歳出の大部分は「陸海軍の経費」であるとし、今や「国家の独立を維持し、国勢の伸張を図ること」が「最緊要」の課題であると強調します。そのうえで、「国家独立自営の道」は、第一に「主権線」を守護すること、第二に「利益線」を保護することにあると表明します。

主権線とは「国の疆域(きょういき)(領域)」、利益線とは「その主権線の安危に、密着の関係ある区域」であると定義。「列国の間に介立(かいりつ)(独り立ち)して一国の独立を維持」するには、主権線を「守禦(しゅぎょ)(守って敵の侵入を防ぐこと)」するだけでは決して十分とはいえず、必ず利益線を保護しなくてはならぬ、と力説。この予算案で軍事に巨費を計上しているのも、この趣意にほかならず、として議会側の理解を求めました。

●当時の椿山荘(国立国会図書館ウェブサイトから)

「利益線の焦点は朝鮮」

この施政方針演説の山県の真意は、同年三月に閣僚たちに回覧した山県の意見書「外交政略論」（『日本近代思想大系　対外観』に所収）によく表れています。この中で、山県は、我が国の「利益線の焦点は実に朝鮮にあり」と断定して以下のように述べます。

シベリア鉄道が完工すれば、ロシア軍は露都（ペテルブルグ）から十数日をもって黒竜江に到達する。朝鮮は「多事」になって、東洋に一大変動が生じる。そうすれば、朝鮮の独立維持の保障はなく、日本の利益線に急劇なる刺衝（突き刺すこと）を感じることになる。

他方、カナダ横断鉄道の完成により、イギリスが東洋に至る距離も短縮される。西欧各国の遠略が東洋に進むとき、「東洋の遺利（取り残された利益）財源は、まさに肉の群虎の間に在るが如し」である。アフガニスタンで事が起こらなければ、

●極東ハバロフスク近くのシベリア鉄道建設現場（一八九五年頃、アメリカ議会図書館蔵）

◉椿山荘

山県有朋は、東京・目白台で「つばきやま」と呼ばれていた約一万八〇〇〇坪の土地を購入し、庭と邸宅をつくり、「椿山荘」と命名した。作庭にも一家言を有した山県は、高低差のある回遊式庭園を構想し、細部の意匠まで指揮したという。一九四五年の空襲で灰塵に帰したが、戦後復興され、現在は結婚式場・ホテル。山県別邸の京都・「無鄰菴」、神奈川・小田原の「古稀庵」の庭園と並び山県三名園といわれる。

> 必ず朝鮮海に起こる。我が国の平和の維持が困難になるのは、まさに数年の間のことだろう。
>
> もし、朝鮮が独立を保ち得ず、第二の安南（ベトナム）、ビルマとなるならば、日清両国はともに危うくなり、「我が対馬諸島の主権線は、頭上に刃を掛くる」の形勢を迎える。

そのうえで、山県は、朝鮮の永世中立化構想に言及し、こう強調します。

> 欧州にはスイスのように恒久中立国がある。将来にわたり朝鮮の独立を保持しようとするならば、朝鮮を公法上、恒久中立化するのがよく、そのためには清国、イギリス、ドイツの関係国が中立を保障しなければならない。そこで今、我が国の利益線を守るために、外政上、必要不可欠なものは、第一に兵備の充実、第二に愛国教育である——と。

そして、今後、国の独立を完うしようとすれば、それは「空言」ではなしえず、これからの二〇年間は、「嘗胆座薪（苦い胆をなめ、固い薪の上に座るなど苦労を重ねること）」の日となることを覚悟しなければならないと結んでいます。

この山県の意見書については、本土防衛を超えての安保構想であり、その後の日本の対外膨張の原点とされることが多いようです。ただ、演説の時点に立ち返ると、朝鮮半島有事はそれ以前から日本の存亡に深くかかわるものでした。その地政学上の危機感を共有する山県ら政治指導者が、日本の「完全独立」のため、軍事力中心の安全保障はもとより、外交戦略をも併せ考えていた点は注目したいところです。

4 「教育勅語」と「御真影」

開明派と復古派

明治の教育界では、フランスの学校制度にならった「学制」が一八七九年に廃止され、新たに「教育令」が出されます。これは、自由主義に立つアメリカ型の教育制度で、文部大輔・田中不二麿（一八四五―一九〇九年）が主導し、「自由教育令」と称されました。これに対して、天皇側近の侍補・元田永孚が、維新以降の教育は「智識才芸のみ」と批判し、儒教主体の道徳教育の充実を求める「教学聖旨」（「教学大旨」と「小

●元田永孚

◉田中不二麿

尾張藩士。維新後、新政府に出仕し、一八六九年、大学御用掛。岩倉使節団に随行し、欧米の教育事情を調査研究した。この調査内容は帰国後『理事功程』（一五巻）として刊行された。七四年に文部大輔となって学制改革にあたり、アメリカから招聘した文部省顧問モルレーの協力を得て「日本教育令案」を起草した。七九年、学制を廃して公布された教育令（学校制度全般に関する基本法令）は、アメリカの教育制度がモデルで、地方の教育の自主性を重視しており、教学聖旨派などから批判を浴びた。のち司法卿、枢密顧問官、法相を歴任した。

学条目二件」で構成）をまとめます。

教学聖旨を内示された内務卿・伊藤博文は、法制局書記官・井上毅（こわし）に「教育議」を起草させて反論します。この開明派と復古派の対立は、伊藤が元田を押し切って、教育令がようやく実施されたことは、すでに述べました。

ところが、八〇年一二月、改正教育令が出され、早くも開明路線の転換が図られます。つまり「仁義忠孝」を基本とする「教学聖旨」の理念が息を吹き返すのです。

まず、小学校教科の最下位に位置づけられていた「修身」が、筆頭教科に格上げされ、全学年での履修が義務づけられます。教科書も、八三年に届出制から認可制となり、八六年には検定制に改められました。教員の任用要件に「品格」が挙げられ、民権派教員への締め付けが強化されます。公選制の学務委員制度も廃止され、政府の監督統制が強まります。

ただ、八五年に発足した伊藤内閣の初代文相には、近代化論者の森有礼（ありのり）が起用されます。森は、元田流の儒教主義教育に批判的で、欧米でみられる国家への帰属意識や自発的な愛国心の育成を唱えました。国家の祝日に学校儀式を導入する一方、士気を高めるための「兵式体操」や「運動会」も提唱しました。しかし、既に記した通り、森は、文相在任中の八九年、国粋主義者に襲われて死去します。

井上毅と元田永孚

当時の日本社会は、欧化主義や自由民権思想、復古的な儒教主義など、さまざまな

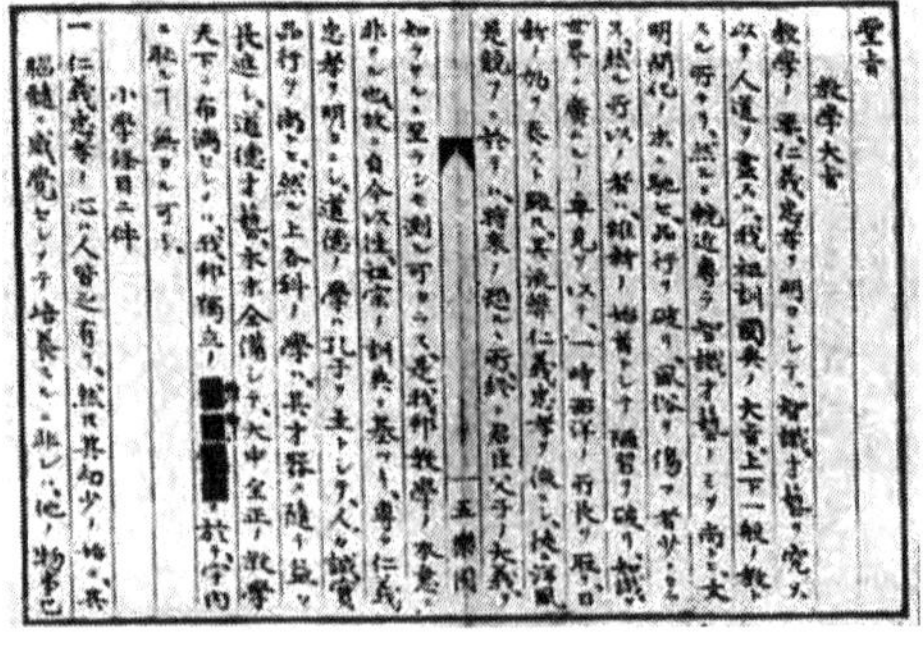
聖旨

教学大旨

小学条目二件

●「教学大旨」

思潮が入り乱れ、教育現場でも混乱が続いていました。このため、国民的統合のための価値観、道徳の基準に何を据えたらいいのかが問われ、福沢諭吉や加藤弘之、杉浦重剛、西村茂樹、内藤耻叟、能勢栄らが「徳育論争」を展開しました。

八二年の軍人勅諭（明治天皇から陸海軍人に与えられた勅諭。忠節、礼儀、武勇、信義、質素を軍人精神の信条として諭している）の起草にかかわった首相の山県有朋は、教育でも同様のことを考えていました。八九年一二月の組閣直後、山県は、各府県知事に発した訓令の中で、「人民のために適当の基準を示し、その偏頗を抑え、向かう所を謬らざらしむること」と強調します。

九〇年二月、各府県知事らが出席した地方長官会議は、榎本武揚文相に対し、「徳育涵養」の建議を提出し、徳育の根本方針を全国に示してほしいと要望します。

明治天皇は同年五月、内閣改造の親任式で、文相に起用した芳川顕正に、徳育の基礎となる箴言（教訓を含んだ短い言葉）の編纂を命じます。芳川は、『西国立志編』で知られる洋学者の中村正直（女子高等師範学校校長）に草案づくりを依頼。首相の山県は、中村作成の案文を法制局長官・井上毅に見せて意見を求めました。

井上は、立憲政体では「君主は臣民の良心の自由に干渉しない」ものであり、勅語は、政治上の命令と区別して、社会上の「君主の著作」とすべきであると答えました。結局、教育勅語は、井上自身が起草することになり、教学聖旨論争では対立した枢密顧問官・元田がこれに協力します。天皇の意向も取り入れ、何度も修正が重ねられた末、案文が確定しました。

●井上毅

教育勅語の公布

九〇（明治二三）年一〇月三〇日、明治天皇は、山県首相と芳川文相に「教育ニ関スル勅語」★を下賜しました。この教育勅語は、井上の主張の通り、勅令ではなく「君主の著作」とされました。

朕思うに、我が皇祖皇宗が国の基礎を定めたのは遥か昔に遡り、その事業は偉大だった。道徳を確立し、手厚い恵みを臣民に与えた。我が臣民が忠孝を重んじ、全臣民が心を一つにして代々美風をまっとうしてきたことは、我が国体の誇るべき特色であり、教育の基本もまた、そこにある。

爾ら臣民は父母に孝行し、兄弟は仲良く、夫婦は睦まじく、朋友は互いに信じ合い、自らは慎み深く節度を守り、博愛を衆に及ぼし、学問を修め技能を習うことで、知能を啓発し、立派な人格を磨き、進んで公益に尽くし、この世で為すべき務めを拡げ、常に国憲を重んじ法律に従い、ひとたび国家に大事が起きれば、正しく勇ましく公のために奉仕し、天地と共に永久に続く皇運を扶翼せよ。このようにするならば、爾はただに朕の忠良なる臣民というばかりでなく、爾の祖先の遺風を世に明らかにする孝道を発揮することになる。

ここに述べた道徳は、いずれも我が皇祖皇宗の遺訓であり、子孫である天皇と臣民が共に従い、守るべきものである。これらの道徳は古今を通じて誤りなく、

●教育勅語

教育勅語

勅語

朕惟フニ我カ皇祖皇宗國ヲ肇ムルコト宏遠ニ德ヲ樹ツルコト深厚ナリ我カ臣民克ク忠ニ克ク孝ニ億兆心ヲ一ニシテ世世厥ノ美ヲ濟セルハ此レ我カ國體ノ精華ニシテ教育ノ淵源亦實ニ此ニ存ス爾臣民父母ニ孝ニ兄弟ニ友ニ夫婦相和シ朋友相信シ恭儉己レヲ持シ博愛衆ニ及ホシ學ヲ修メ業ヲ習ヒ以テ智能ヲ啓發シ德器ヲ成就シ進テ公益ヲ廣メ世務ヲ開キ常ニ國憲ヲ重シ國法ニ遵ヒ一旦緩急アレハ義勇公ニ奉シ以テ天壤無窮ノ皇運ヲ扶翼スヘシ是ノ如キハ獨リ朕カ忠良ノ臣民タルノミナラス又以テ爾祖先ノ遺風ヲ顯彰スルニ足ラン

斯ノ道ハ實ニ我カ皇祖皇宗ノ遺訓ニシテ子孫臣民ノ倶ニ遵守スヘキ所之ヲ古今ニ通シテ謬ラス之ヲ中外ニ施シテ悖ラス朕爾臣民ト倶ニ拳々服膺シテ咸其德ヲ一ニセンコトヲ庶幾フ

明治二十三年十月三十日

御名御璽

世界に行き渡らせて道理に反することではない。朕は爾ら臣民と共に、これを常に忘れずに守り、皆で一致して立派な人格を磨くことを念願するものである。

（ドナルド・キーン『明治天皇（三）』角地幸男訳）

「一旦緩急アレハ義勇公ニ奉シ」

このように勅語は、まず、国民が忠孝を重んじてきたのは、「国体ノ精華（誇るべき特色）」であり、これを「教育ノ淵源（基本）」と位置づけています。そのうえで、「父母ニ孝」など儒教的な徳目だけでなく、博愛、公益など西洋生まれの近代的な徳目を、臣民が守るべき道徳として列挙。このあと「一旦緩急アレハ義勇公ニ奉シ」と続け、

◉「教育ニ関スル勅語」原文

教育勅語の原文は左記の通り。

朕惟フニ、我カ皇祖皇宗、國ヲ肇ムルコト宏遠ニ、徳ヲ樹ツルコト深厚ナリ。我カ臣民、克ク忠ニ克ク孝ニ、億兆心ヲ一ニシテ、世々厥ノ美ヲ済セルハ、此レ我カ國體ノ精華ニシテ、教育ノ淵源亦實ニ此ニ存ス。爾臣民、父母ニ孝ニ、兄弟ニ友ニ、夫婦相和シ、朋友相信シ、恭倹己レヲ持シ、博愛衆ニ及ホシ、学ヲ修メ業ヲ習ヒ、以テ智能ヲ啓發シ徳器ヲ成就シ、進テ公益ヲ廣メ世務ヲ開キ、常ニ國憲ヲ重シ國法ニ遵ヒ、一旦緩急アレハ義勇公ニ奉シ、以テ天壌無窮ノ皇運ヲ扶翼スヘシ。是ノ如キハ、獨リ朕カ忠良ノ臣民タルノミナラス、又以テ爾祖先ノ遺風ヲ顯彰スルニ足ラン。

斯ノ道ハ、實ニ我カ皇祖皇宗ノ遺訓ニシテ、子孫臣民ノ倶ニ遵守スヘキ所、之ヲ古今ニ通シテ謬ラス、之ヲ中外ニ施シテ悖ラス。朕爾臣民ト倶ニ拳々服膺シテ、咸其徳ヲ一ニセンコトヲ庶幾フ。

以上を実践することによって「皇運ヲ扶翼（皇室の運命をたすけること）スヘシ」と強調しています。

八九年二月発布の帝国憲法では、皇室を我が国の「機軸」と位置づけましたが、教育勅語の多くの徳目も、皇祖皇宗の遺訓であると強調していました。文部省は、勅語公布後すぐに各学校へ謄本の下付を開始します。半年後にはほぼ勅語が行き渡り、各校は、父母・住民参加のもと、厳粛に奉読式が挙行されました。

文部省は九一年一一月、小学校教則大綱で、修身★は、教育勅語の旨趣に基づき、徳目を授けるものとし、特に「尊王愛国の志気」の涵養を求めました。こうして子供たちは、勅語に挙げられた徳目を修身の時間に学ぶことになります。

教育勅語は簡潔でしたが、とても難解でした。子供たちは、親孝行の徳目程度はわかっても、あとはほとんど理解できず、先生たちも教えるのに困りました。このため、東京帝大教授・井上哲次郎（一八五五―一九四四年）によって政府の公式な解釈書『勅語衍義』が書かれました。このほか、六〇〇を超える種類の解釈書が世に出回りました。

内村鑑三の不敬事件

第一高等中学校（一高）では、九一年一月九日、教育勅語の奉読式が行われました。倫理講堂の中央には、「天皇皇后両陛下の御真影」が掲げられ、その前の卓上に、明治天皇が自ら署名した「宸署」と称される教育勅語が置かれていました。これから教員および生徒五人ずつが順次、勅語の前に出て「低頭」し「奉拝」する段取りです。

文科大學教授井上哲次郎著
文學博士中村正直閲
勅語衍義
東京書肆　敬業社　哲眼社　發兌

●『勅語衍義』

教員でキリスト者の内村鑑三★（一八六一―一九三〇年）は、順番が来ると、頭をちょっと下げましたが、低頭しませんでした。

自分の信じるキリスト教の神以外に礼拝してはならない。そんなキリスト者としての良心の発露と言われますが、単なる敬礼のつもりで出席した内村が、礼拝すべしと命じられて躊躇し、頭を少し垂れた、という説もあります。

この出来事で騒ぎ出したのは、同校の生徒や教員たちでした。新聞でも報道され、

●内村鑑三（一八八七年撮影）

◉修身教育

修身は、『大学』の「修身斉家治国平天下」に由来している。天下を治めるには、まず自分の身を修め、次に家庭を平和にし、次に国を治め、次に天下を治める順序に従わなければならないという意味（『広辞苑』）。儒教的道徳に立つ修身科が一八八〇年に小学校に設けられた。九〇年に教育勅語の発布により、「忠君愛国」の臣民道徳が示されると、修身教育もこれに基づき、全教育の中心にすえられた。一九四五年一二月、占領軍の指令により廃止された。なお、教育勅語は、一九一〇年以後に使用された国定修身教科書の冒頭に掲げられていた。カタカナで読みが付いており、先生は児童に全文を丸暗記させ、暗唱させることができた（高橋陽一『くわしすぎる教育勅語』）。

◉内村鑑三

高崎藩士の子として江戸藩邸に生まれる。札幌農学校卒業後、渡米してアマースト大学などで学んだ。不敬事件後、窮境に陥り、著述家の生活に入り、『基督信徒のなぐさめ』（一八九三年）、『余は如何にして基督信徒となりし乎』（九五年）などを著した。足尾鉱毒事件を批判するとともに、日露開戦を前に戦争絶対反対論を『聖書之研究』に発表した。内村は身長一七五センチの長身、当時としては並外れた体格の持ち主で、日本人離れをした容貌をしていた。その墓碑には〈I for Japan；Japan for the World；The World for Christ；And All for God.（われは日本のため／日本は世界のため／世界はキリストのため／すべては神のため）〉と刻まれている（関根正雄編著『内村鑑三』）。

内村は「不敬漢」「国賊」などと非難の声を浴び、自宅に投石される事態となりました。校長は、「教育勅語に『低頭』することは宗教的礼拝ではなく、天皇への尊敬の意の表明だ」として、内村に「再拝」するよう求めました。これを受け、内村もやり直しに応じますが、インフルエンザで病床にあったため、同年一月末、同僚のキリスト者が内村に代わって頭を下げました。

ところが、内村の知らないうちに辞表が提出され、内村は二月、一高を追われます。夫の看病と心労で倒れた内村の妻は四月に亡くなりました。内村に対しては、「キリスト教は、日本の国体に合致しない」という国粋主義者からの批判だけでなく、キリスト教会側からも「再拝」を糾弾する声が上がりました。

内村は、キリスト教徒が教育勅語に敬礼しないことが不敬であるという非難に対して、こう答えました。

> 畏れ多くも、我が天皇陛下が、勅語を下し賜わりし深意を推察し奉るに、天皇陛下は、我ら臣民に対し、これに礼拝せよとて賜わりしにあらずして、これを服膺（心にとどめて忘れないこと）し、即ち実行せよとの御意なりしや疑うべからず
>
> ……

御真影で天皇神格化

教育勅語とともに、「天皇親政」のイメージを広げる役割を果たしたのが、天皇の

●明治天皇の「御真影」

公式の肖像画である「御真影★」でした。国家の祝日において、学校では、天皇・皇后の御真影への拝礼と勅語奉読が行われました。

文部省は八九年一二月から各学校に御真影を下げ渡し、その際、学校では「御真影拝戴式」が行われました。同省は九一年七月、御真影の「最敬礼の式は、帽を脱し、体の上部を前に傾け、頭を垂れて手を膝に当て……」と細かな指示を出しています。

明治天皇は即位したあと、全国を巡幸しました。そこでは、国民統合のシンボルとして「見せる天皇」の演出がなされました。しかし、この役割も終わりを迎え、これからは生身の天皇に代わって「御真影」が日本全国に配られることになりました。この結果、「天皇が見えにくくなるとともに、天皇をめぐるタブーが強調されてゆき、同時に、天皇の神格化」が進みます。御真影は、まさに礼拝の対象になり、神聖なものとみなされていくのです（佐々木克『幕末の天皇・明治の天皇』）。

大正・昭和期になると、全国の学校では、教育勅語の謄本と御真影を保管する「奉安殿」が校庭の一部に建てられ、登下校の際、子供たちは奉安殿の方に向かって拝礼するようになります。勅語や御真影を火災から守るため、火の中に身を挺して飛び込

●東京都中野区桃園尋常高等小学校の奉安殿

◉明治天皇の御真影

首相兼宮内相だった伊藤博文は、一八八六年頃、明治天皇に写真撮影をお願いした。天皇には「軍服写真」しかなく、外国との交際上、元首の肖像が必要だったからだ。ところが、天皇は伊藤の頼みを拒んだ。このため、イタリア人画家・キヨッソーネが、天皇行幸の際に、隣室からのぞいて天皇の顔をスケッチ。キヨッソーネは、それをもとに肖像画を描き、その絵をカメラマンが写真撮影したものが「御真影」になった。

んで死亡したり、火災で焼失した責任をとって自殺したりする教員の悲劇も起きました。儀式の勅語奉読で、緊張のあまり読み間違えてしまった校長は進退伺を出しました。儀式は、厳かな雰囲気の中で進められ、何か「ありがたいもの」を賜ったという感覚だけが児童らの心に残りました。

勅語は「排除・失効」

発布から六〇年近くを経た、敗戦後の一九四八(昭和二三)年六月、衆議院と参議院がそれぞれ「教育勅語等排除」と「教育勅語等の失効確認」に関する決議を可決しました。衆院決議では、教育勅語や軍人勅諭、その他の教育に関する諸詔勅の「根本理念が、主権在君並びに神話的国体観に基づいている事実は、明らかに基本的人権を損ない、かつ国際信義に対して疑点を残すもととなるため、ここに衆議院は院議をもってこれら詔勅を排除し、その指導原理的性格を認めないことを宣言する」としました。

現在の国の教育指針は、日本国憲法を踏まえた教育基本法に則っています。しかし、こうして決別したはずの勅語ですが、一九七〇年代以降、主に保守政界から復活論や再評価論が出てきます。近年も、ある閣僚が「道義国家を目ざすという教育勅語の精神は取り戻すべきだ」と国会で答弁するのを耳にしました。教育勅語を論じるには、それをしっかり読むことはもちろん、勅語が天皇中心の国体の教義を広める役割を担い、忠君愛国の「軍国少年」を多数生み出した過去の歴史を、よく知ることが大切です。

5 富国強兵vs民力休養

藩閥政府と民党激突

第一回帝国議会（会期は九〇年一一月二九日―九一年三月七日）は、一八九〇（明治二三）年一一月二五日、召集されました。代議士たちは、人力車か徒歩で仮議事堂★に登院しました。薩摩・長州閥中心の非政党（超然）内閣と、自由民権派の流れをくむ立憲自由党・立憲改進党などの「民党」（野党）とが、真っ向からぶつかり合います。

◉仮議事堂

議会開設に備えて、明治政府は、東京・霞が関から日比谷一帯を、議事堂を中心に、一大官庁街にしようと計画した。しかし、実現せず、九〇年一一月の第一回議会召集直前、仮議事堂を内幸町（現在の経済産業省あたり）に完成させた。ところが、その二か月後の九一年一月二〇日、仮議事堂は、火災のため全焼。会期中だったため、急きょ衆議院は虎ノ門の旧工部大学校、貴族院は華族会館などを利用して審議を続けた。半年後、その同じ場所に同じ構造で再建された第二次仮議事堂も、一九二五年に再び出火して焼け落ち、第三次仮議事堂が建設された。現在の国会議事堂につながる帝国議会議事堂が完成するのは一九三六年のことである（村瀬信一『帝国議会』）。

山県有朋内閣は、この議会に歳出総額八三三二万円に上る一八九一（明治二四）年度予算案を提出しました。このうち、陸海軍所管の経費が二一八二万円、歳出全体の約二六％を占め、富国強兵政策に基づく軍事費優先の予算でした（『大蔵省史』）。これに対して、民党側は、「政費節減・民力休養」（行政経費を削減し、地租軽減などの減税に回して国民を休ませよ）を掲げ、帝国憲法で獲得した予算議定（審議）権（憲法第六四条）を武器に予算修正を勝ち取ろうとしました。

衆議院予算委員会（大江卓委員長）は、九〇年一二月二七日、官吏の俸給・手当の削減を軸に、約八八〇万円に上る減額修正案をまとめます。ただ、軍事費や公共事業費、国債償還費は対象にしませんでした。政府側は、一時、地租軽減を受け入れて妥協を図ろうとしますが、結局、憲法第六七条（大権に基づける既定の歳出は、政府の同意なくして削減できない）を論拠に修正要求を阻止します。

首相の山県は、民党攻勢の異様な高まりに衆議院解散の覚悟を固めます。

しかし、九一年二月二〇日、議会の風向きが一変します。立憲自由党内から造反者が現れたのです。彼らは、旧愛国社系の林有造（一八四二―一九二一年）、片岡健吉、植木枝盛ら、名だたる旧民権活動家を含む二六人で、「土佐派の裏切り」★と称されました。造反グループは、立憲自由党を脱党（のち自由倶楽部結成）して修正協議に加わり、六三一万円の予算削減で妥協し、予算案は三月二日、衆議院を通過、同六日に貴族院で成立します。

これには政府側が「衆院を解散するぞ」と威嚇する一方で、立憲自由党議員に対して水面下の切り崩し工作を行った結果でした。また、議会開設当初から予算が成立し

●林有造

ない事態は、国内外の評価をおとしめるとして、政府と野党の双方がともに譲歩したことも確かです。

第一回議会では、五三件の提出法案のうち、わずか六件しか成立しませんでした。山県内閣は、議会閉幕後に総辞職し、その後、組閣命令が出た伊藤が固辞したため、同内閣の蔵相だった松方正義が九一年五月六日、新内閣★を組織しました。

◉土佐派の裏切り

自由党の土佐派幹部らが蔵相と密談したあと、同派の予算案に対する態度が急変したとされる。脱党者は、高知は片岡健吉、林有造、植木枝盛、竹内綱の四人であり、千葉の五人のほか岡山、愛媛、埼玉、群馬など一一県の議員に及んでいた（山本四郎『日本政党史』）。これに対し、自由党の中江兆民は、憤りをあらわにし、「無血虫（冷酷な人をののしっていう言葉）の陳列場」と題する文章を発表して、腰砕けの議員を痛罵し、議員辞職届を中島信行衆議院議長に提出した。辞表には「小生、アルコール中毒を発し、歩行艱難、何分採決の数に列し難く、よって辞職仕候」とあった。

◉第一次松方正義内閣

松方内閣の顔ぶれは、▽総理・松方正義　▽外務・青木周蔵　▽内務・西郷従道　▽大蔵・松方正義　▽陸軍・大山巌　▽海軍・樺山資紀　▽司法・山田顕義　▽文部・芳川顕正　▽農商務・陸奥宗光　▽逓信・後藤象二郎　▽班列・大木喬任。松方は蔵相を兼務した。松方の閣僚選任前に大津事件が発生したため、前内閣の閣僚が留任して事件処理にあたった。その見通しがついた後、大山陸相は高島鞆之助に、次いで青木外相は榎本武揚に、さらに西郷内相が品川弥二郎に、山田司法相が田中不二麿にそれぞれ交代した。いずれも事件にかかわる省のトップとして責任をとったものだ。

海相の蛮勇演説

第二回帝国議会（会期九一年一一月二六日―一二月二五日）は、さらに荒れ模様になります。

自由党は、板垣退助を党総理にして立て直しを図り、板垣は、改進党指導者の大隈重信と会談して結束を固めました。民党側は、政府の重要法案を相次いで否決するとともに、明治二五年度予算案の歳出を九・五％減額する厳しい修正案を提出しました。とくに軍艦製造費二七五万円、製鋼所設立費二二五万円のカットを含んでいました。松方内閣は、民党側の軟化を誘うため、買収工作を進めますが、なかなか効果が上がりません。

海軍予算の削減要求に立腹した海軍大臣・樺山資紀（かばやますけのり）★（一八三七―一九二二年）は、九一年一二月二二日の衆院本会議で、「今まで海軍が国権を汚したことがあるか」と問うて、こう言い放ちます。

> 現政府はかくの如く、内外国家の艱難（かんなん）を切り抜けて、今日まで来た政府である。薩長政府とか何政府とか言っても、今日、国の安寧を保ち、四千万の安全を保ったということは誰の功であるか。

民党を正面から非難・挑発した樺山の演説は、「蛮勇（ばんゆう）演説」と呼ばれました。しかし、

●樺山資紀

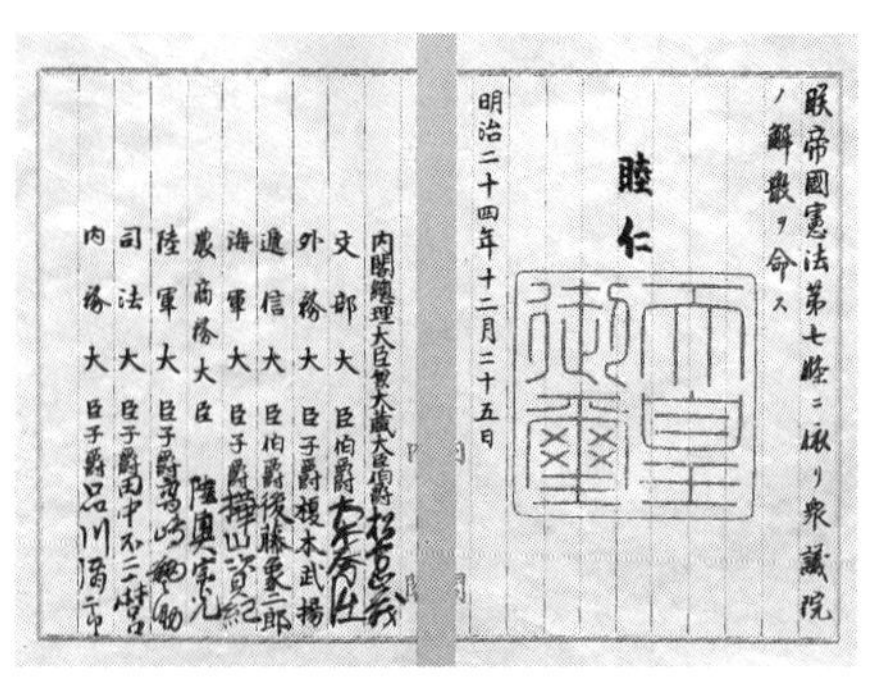

朕帝國憲法第七條ニ依リ衆議院ノ解散ヲ命ス

睦仁　御璽

明治二十四年十二月二十五日

内閣總理大臣兼大蔵大臣伯爵 松方正義
文部大臣伯爵 大木喬任
外務大臣子爵 榎本武揚
逓信大臣伯爵 後藤象二郎
海軍大臣子爵 樺山資紀
農商務大臣 陸奥宗光
陸軍大臣子爵 高島鞆之助
司法大臣子爵 田中不二麿
内務大臣子爵 品川彌二郎

●解散の詔勅（国立公文書館蔵）

公然と「薩長政府」を誇示した薩摩閥の樺山に対して、野党陣営は猛反発し、本会議場は大混乱に陥りました。

一二月二五日、衆議院は、民党が主張する予算大削減案を可決。これを受けて松方は衆議院の解散を奏請し、第二回議会は解散されます。この結果、二五年度予算は不成立となり、憲法の規定に基づいて前年度予算が施行されることになります。

仕込杖持参の「暴力議会」

当時の初期議会では、血の気の多い「壮士」らが、議院内外で暴力事件を起こしていました。とくに自由党では、「院外団」が議員団より優位に立ち、議員たちを突き上げていました。あまりの暴力事件の多発に、政府は保安条例を適用し、約六〇〇人の壮士を東京から追い出したほどです。

衆議院議員・尾崎行雄（おざきゆきお）（一八五八―一九五四年）が著した『咢堂自傳』などによると、

●尾崎行雄

◉樺山資紀

薩摩出身。薩英戦争、戊辰戦争、台湾征討に従軍し、西南戦争では熊本鎮台参謀長として籠城した。七八年に陸軍大佐、近衛参謀長を経て警視総監となった。八三年には陸軍少将から転じて海軍大輔。海上勤務の経験がないまま、海軍少将、中将へと昇格し、軍務局長、次官を務め、第一次山県、第一次松方両内閣でそれぞれ海相を務めた。予備役編入後、日清戦争では海軍軍令部長として現役復帰し、九五年には海軍大将、同時に初代台湾総督になった。第二次松方内閣で内相、第二次山県内閣で文相を歴任した（『ブリタニカ国際大百科事典』）。

犬養毅（一八五五―一九三二年）や島田三郎、高田早苗、植木枝盛らも襲撃されて負傷し、高田はなんとか一命をとりとめ、植木は包帯姿で登院するありさまでした。

当時は、本会議場の傍聴席から議席に馬糞が投げられたり、議員同士が議場で殴り合いをしたりしていました。中でも「第二議会の会議中、突然『助けてくれッ』という悲鳴がおこり、全員、ハッと立ちあがったが、悲鳴の主の姿が見えない。ようやく井上角五郎君がイスの下からぬっと現れ、『ハーゲマン（頭がはげていた鈴木萬次郎君のあだ名）が俺を殴ってイスの下に押し込めたのだ』……」と、議場を舞台にとんだ活劇が繰り広げられていました。

また、犬養は、「政府は多くの乱暴者を雇っているし、民党の側のもんは、『今日は殴られるか、明日は斬られるか、突かれるか』と思いながらやっていた。議院の内外ともに殺気立って、頗る物騒千万、院内の帽子掛の下には、みんな申し合わせた様に仕込杖を忍ばせていた」と語っています（升味準之輔『日本政党史論　第二巻』）。

第一回議会から、議席を占め続ける「憲政の二柱の神」の犬養と尾崎ですが、駆けだしの代議士時代には、こんな「暴力議会」の洗礼を受けていたのでした。

選挙大干渉の嵐

さて、第二回の衆議院議員総選挙は、九二年二月一五日に実施されます。そこで松方内閣が打った手が選挙干渉でした。民党の選挙運動は徹底的に取り締まって落選を図り、吏党の違法行為には目こぼしをして候補を支援する策に出たのです。

枢密院議長の伊藤博文は、選挙干渉に反対して、松方内閣の脆弱ぶりに警告を発します。そして事態を憂慮する明治天皇に対して、自ら下野して新たな政党結成に乗り出すことを上奏しますが、天皇の反対を受けて断念します。

選挙干渉は、品川弥二郎内相（一八四三―一九〇〇年）、白根専一内務次官が主導し、府県知事を通じて全国各地の役人や警察官らを大量動員しました。とくに東京や大阪、板垣の地元の高知、大隈の出身地である佐賀をはじめ、富山、石川、熊本、鹿児島などでは苛烈を極めました。

政府は政党間の対立抗争では憲兵らを派遣する一方、吏党は壮士たちを使って暴力行為や買収を行わせました。長野県では、通常は五―一〇円だった買収額が、投票前夜には五〇円にまではねあがったということです（山本四郎『日本政党史（上）』）。

当時の新聞報道によりますと、投票箱の争奪戦も展開されました。

> 高知県高岡郡戸波村に於いて、（政府系の）国民派が千名ばかり、投票箱を奪わんとして自由派と闘い、自由派一名即死、二名負傷せしより、自由派怒って進撃せしに、国民派は火を民家に放ち……
>
> （『東京日日新聞』）

福岡県では民権から国権に転回した「玄洋社」のメンバーが、白刃を連ねて民党に挑んだと伝えられます。政府側の調査によりますと、選挙期間中、全国の死者は二五人、負傷者は三八八人に上りました。また、佐賀県第一区から立候補した松田正久（第二回議会の衆院予算委員長）が、選挙干渉のあおりを受けて落選するなど、複数の党幹

●品川弥二郎

●錦絵「高知県民吏両党の激戦」（高知市立自由民権記念館蔵）

部が苦杯をなめました。

松方内閣崩壊

しかし、これだけ選挙干渉をしても、政府側は勝てませんでした。

選挙後、伊藤博文・枢密院議長は、選挙干渉に関係した官吏全員の罷免(ひめん)を松方らに要求します。陸奥宗光(むつむねみつ)・農商務相は、選挙干渉と弾圧を痛烈に批判して大臣の地位を去り、責任を追及された品川内相も辞任します。

第三回帝国議会(会期九二年五月六日—六月一四日)が召集されます。各党の議席は、民党側の自由党92、立憲改進党38で、吏党の中央交渉部(旧大成会)は84。民党は、自由・改進両党を合わせても過半数に達しませんでしたが、無所属などに民党寄りの議員もおり、民党の優勢は変わりませんでした。

衆議院では、九二年五月一二日、選挙干渉を理由に政府弾劾(だんがい)上奏案が提出され、わずか三票差で否決されます。だが、同様に内閣大臣を問責する決議案は可決されます。松方首相は「政府が干渉した事実は全くない」と強弁し、議会は同月一六日から七日間の停会を命じられました。

松方は、責任をとって辞職しない理由について、「国務大臣は議会の決議によって進退するものではない」と、超然主義の立場を鮮明にします。もともと、松方は、当初から藩閥長老らの二重支配のもとにあり、「黒幕内閣」「緞帳(どんちょう)内閣」と揶揄(やゆ)されるなど弱体ぶりが否めませんでした。政権末期は、伊藤周辺から「泥に酔うたる鮒(ふな)のごとく……今日明言したる事は、明日は忘れたるごとく」と陰口をたたかれていました。

品川の後任の内相・河野敏鎌(こうのとがま)は、議会終了後、選挙干渉に責任のある白根内務次官や福岡県知事らを更迭しました。しかし、選挙干渉を松方に進言した高島鞆之助(とものすけ)陸相と樺山海相（ともに薩摩出身）は、この人事に憤激して辞任。これを支持した軍部は、後任の陸相・海相を推薦せず★、結果として松方内閣は七月三〇日、総辞職に追い込まれました。

民法典論争

第三回帝国議会では、九三年一月から全面的に施行されるはずだった民法の施行を延期する法案が提出されました。延期派と断行派が激しく衝突し、とくに貴族院の審議は紛糾しました。

政府は、フランスの法学者ボアソナードを招いて、フランス法をモデルに各種の法

●ボアソナード

◉軍部が内閣をつぶす先例

一八八五年、内閣制度のもとの陸軍大臣、海軍大臣は、官制上、武官でなければならないと定められた。その後、武官に限られなかった時期もあったが、武官専任制のために、内閣と軍部との間で意見の不一致が生まれた場合、軍部はこれまでの軍部大臣を辞任させ、後任者を推薦しないことにより、軍部の意向に沿わない内閣を倒すことが出来た。また、この推薦権を通して、場合により内閣の政策をコントロールできるようになる。松方内閣の崩壊は、軍部が内閣の死命を制する最初の例になった（岡義武『明治政治史』）。

典を起草し、八〇年にまず刑法を、九〇年には、民法と商法、民事・刑事訴訟法をそれぞれ公布しました。

政府は、条約改正のためにも、商法や民法などの近代的な法典の施行を急がなければなりません。

ところが、民法をめぐっては、編纂段階から論議があり、公布後は、個人主義的な色彩が濃いとして法の施行に慎重な意見が強まります。とくに、帝国大学法科大学教授・穂積八束★（一八六〇—一九一二年）が論文「民法出デテ忠孝亡ブ」を発表。この民法は日本の伝統的な家族道徳を破壊するものだとして施行に強く反対し、延期論の先頭に立ちました。

これに対して、フランス法学派が断行論を主張し、司法相・田中不二麿らも至急実施の必要性を強調しました。田中は、大津事件で辞任した山田顕義の後任で、司法相就任の際、入閣の条件として法典の断行を挙げ、松方首相も同意していました。大木喬任文相も断行派で、大審院長児島惟謙ほか同院判事二九人が連署して法典実施の建議書を提出します。

ボアソナードは、天皇の大権をもって発布した法典を全面修正することは、天皇の威厳をそこね、条約改正にも悪影響を及ぼすと指摘しました。しかし、延期派は、「新法典は倫常（人の守るべき道）を壊乱す」などと激越なる反対論を展開して譲りませんでした（大久保泰甫『ボアソナアド』）。

結局、論争は議会に持ち込まれ、民法と商法の施行を、九六年まで延期する法律が成立しました。田中は司法相を辞任します。

●穂積八束

施行延期を受けて、政府は民法の改正作業を進め、家父長的な「家」制度を定めた改正民法が成立し、九八年までに施行されます。改正法では、一家の長（戸主）である父親は、家族を扶養する義務を負うと同時に、家族に対する絶大な支配統率権をもちました。これは、九〇年に施行・発布された帝国憲法・教育勅語で定まった「国体」の基礎としての家族制度とされ、その後の日本社会や家族のあり方に大きな影響を与えます。

ボアソナードが民法典の起草を司法卿から任せられたのは、七九年のことでした。自らの法典が葬られたことにボアソナードは落胆し、「余は十数年以来日本法典編纂のために畢生（ひっせい）の力を致せしものなるに、今日議会が法典実施延期を可決したるは、日本人民は余を見棄てたるものにして、余亦（また）日本に用なし」と述べたと伝えられます。しかし彼は、気を取り直して、穂積らには誤謬（ごびゅう）迷妄ありと、反論文を書き上げています。九五年三月、政府との契約を終えたボアソナードは、横浜からフランスへ帰国の途につきました（大久保『ボアソナアド』）。

◉穂積八束

一八八三年、東大政治学科を卒業してドイツに留学。帰国後の八九年、東大教授となって憲法を担当した。民法典論争に際して著した小論「民法出デテ忠孝亡ブ」は、「日本は祖先崇拝の家族国家で、家は家長の権力のもとに、国は天皇の権力のもとに団結し、それによって国際的な生存競争に勝ち残ることができる。民法草案の個人主義は、この団結を解体させる」と論じた（『国史大辞典』）。穂積はまた、君主絶対主義の立場から美濃部達吉の「天皇機関説」を排撃した。貴族院議員、宮中顧問官。法学者で枢密院議長を務めた穂積陳重の弟。

6　大津事件とロシア帝国

ロシア皇太子襲撃

一八九一（明治二四）年五月一一日、日本を震撼させる事件が起きました。来日中のロシア皇太子・ニコライ★（一八六八―一九一八年、のちの皇帝ニコライ二世）が、日本人の巡査に襲撃されて負傷したのです。

皇太子は九〇年一一月、首都サンクトペテルブルクを発ち、エジプトやインド、上海などを漫遊し、九一年四月二七日、ロシア軍艦六隻を従えて長崎に到着しました。日本滞在後は、今回の外遊の主目的であるウラジオストクに向かう予定でした。当地では、シベリア鉄道のウラジオストク―ハバロフスク間の起工式が行われることになっていました。

日本政府は、非公式な親善訪問にもかかわらず、ニコライ皇太子を国賓待遇として歓迎し、皇太子は、長崎で大歓迎を受けたあと、鹿児島、神戸を経て五月九日には京都入りし、見物と買い物を楽しみます。

事件は、琵琶湖遊覧を終えた皇太子が、人力車で京都に帰る途中、滋賀県の大津で

●長崎で人力車に乗るロシア皇太子ニコライ（一八九一年五月撮影）

●津田三蔵

起きました。沿道警戒中だった巡査の津田三蔵が突然、抜剣して皇太子の頭部めがけて斬りつけました。津田は、車夫たちに取り押さえられましたが、皇太子は頭部に二か所、大きな傷を負いました。

津田の動機は、ロシア皇太子の来日が、ロシアによる先々の日本「横領」に備えた地勢視察であると信じ込み、さらに天皇謁見の前に各地を訪問するのは「大逆無礼」というものでした。なお、二人の車夫には、犯人逮捕に力を尽くしたとして、ロシア皇帝から勲章と一時金二五〇〇円、毎年一〇〇〇円の年金が贈られています。

明治天皇の誠意

松方正義内閣は、発足から五日後に起きた凶変に、緊迫した空気に包まれます。狼狽した閣僚からは、領土要求などロシアの報復行動を懸念する声もあがりました（楠精一郎『児島惟謙』）。

●大津事件の現場の図

◉ロシア帝国最後の皇帝

ニコライ二世（在位一八九四―一九一七年）は、日清戦争に勝利した日本に「三国干渉」し、日露戦争では日本に敗北した。一九一四年、第一次世界大戦に参戦したが、二月革命によって退位に追い込まれ、一八年七月、その一家は全員、ボルシェビキの手で処刑された。ロシア帝政は、北方戦争でスウェーデンに勝利したピョートル一世（大帝）が一七二一年、「ロシア帝国」を宣言したのが始まり。ニコライ二世は、このロシア帝国最後の皇帝として生涯を終え、一六一三年にミハイル・ロマノフを祖として成立したロマノフ朝の支配も幕を閉じた。

明治天皇は急報を受けると、ニコライ皇太子に宛てて、日本人襲撃に「憤懣憂慮」の念を示し、併せて速やかな回復を祈る親電を打ちました。親電は、ロシア皇帝のアレクサンドル三世にも発せられました。

天皇は松方に対して、早急に暴行者を処罰し、「(日露)善隣の好誼を毀傷」することのないよう勅語を下しました。さらに五月一二日、天皇自ら京都に向けて出発し、一三日には皇太子を宿泊先のホテルに見舞うとともに、停泊中のロシア艦に引き揚げる皇太子の身を護りながら神戸まで同行しました。天皇は一九日、皇太子からロシア艦での宴に招かれると、周囲の心配を押し切って招待に応じます。

皇太子の日程は、不測の事態のため二週間短縮され、一行はその日のうちにウラジオストクに向けて出航します。ニコライ皇太子は、この日の日記に「この興味深い国を去るのは非常に悲しいというのは不思議だ。この国のすべてが最初から私の気に入り、五月一一日の事件でさえも悲哀や不快感を残していない」と書いています（保田孝一『最後のロシア皇帝　ニコライ二世の日記』）。二三日にウラジオストクに到着すると、皇太子一行から天皇の厚意に感謝を表する電報が送られてきました。

これに先立つ一五日の御前会議では、ロシア皇帝に謝罪特使を送ることが決まりますが、後日、ロシア側から辞退の意向が伝えられ見送られました。アレクサンドル三世とニコライ皇太子がみせた冷静沈着な対応と、明治天皇の誠意に満ちた対応が、両国関係の決定的な悪化を防いだのでした。

●事件現場の写真（一九二六年頃）

●ニコライ皇太子（アメリカ議会図書館蔵）

「犯人は極刑に処すべし」

政府内では、ロシア側の納得を得るためにも、犯人の津田三蔵は速やかに処刑されるべきだという意見が大勢でした。

伊藤博文は、犯人の処刑に関し、異論が百出し収拾がつかない時は、法律の効力を停止できる「戒厳令を発するも可なり」と主張しました。また、後藤象二郎・逓相と陸奥宗光・農商務相は、刺客を雇って津田を暗殺し、病死としてしまえばよい、と伊藤に提案し、叱責されています。さらに、外相の青木周蔵（一八四四―一九一四年）が、ニコライ皇太子の来日中、もしも皇太子の身に危害が加えられたら、刑法第一一六条の「皇室に対する罪」によって処刑することをロシア公使と密約していたことが明らかになりました。

「津田死刑」を前提に考えると、刑法一一六条を適用するほかありませんでした。ただ、問題は、「天皇、三后（太皇太后、皇太后、皇后）、皇太子に対し危害を加え、又は加えんとしたる者は死刑に処す」という同条の「皇太子」が、外国の皇太子にも適用できるのかどうかにありました。

五月一二日、松方首相と陸奥農商務相は、大審院（帝国憲法下で最高の裁判所）トップの児島惟謙★（名は「いけん」とも。一八三七―一九〇八年）を官邸に呼びます。松方から意見を求められた児島は、「謀殺（殺人）未遂であり、通常人の法律によって裁くべし」と答えます。

●青木周蔵

●児島惟謙

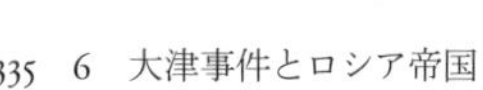

松方は、「現在は皇太子なるも、他日は露国の皇帝たるべし。通常人の法律をもってすれば、露国の感情を損し、国家の大事を惹起する。内閣は、刑法一一六条をもって死刑と評議し、司法相も同意した」と押し返し、陸奥も「刑法一一六条は当然、外国の皇帝皇族を包含するもの」として再考を求めます。

しかし、児島は「内閣がいかに評議したとしても、法律の精神に反する解釈には断じて応じられない」と反論。これに対し、松方は、「国家存在せずんば、法律も生命なし」と、法律の字句にこだわらず、国家の存続を優先すべきだと迫ります。

それでも児島は譲りません。「国際戦争の敗戦国が、法律はもちろん自国の主権をも放棄して顧みざること、欧州諸国にその例ありといえども、今日の我が国は、これらの悲しむべき先例を踏襲すべき最後の秋にもあらざるべし」と言い切って、会談は物別れに終わります（児島惟謙『大津事件日誌』）。

「司法権の独立」

同月一三日から大津地方裁判所で取り調べが始まり、二七日には大審院判事が出張して特別法廷が開かれました。この間、政府の閣僚や児島は、七人の各判事に対し、それぞれの立場から指示と説得を続けました。

結局、津田三蔵に対して同日、普通人に対する謀殺未遂として無期徒刑（無期懲役）の判決が下されました。政府の裁判干渉は阻止され、「司法権の独立」が守られました。

ただ、判事らに対する児島の説得工作は、大審院長の職務権限を明らかに逸脱していました。加えて児島は、自説通りの判決に見通しがたつと、検事総長の三好退蔵との連名で、山田顕義司法相に電報を送り、「刑法一一六条の適用の見込みはないので、あとは緊急勅令を速やかに発せられるほかはない」旨を伝えていました。つまり、緊急勅令ならば死刑であっても異議をはさまないと告げていたのでした。

事件後、青木外相のほか、内相の西郷従道、山田司法相は辞任します。

「恐露病」を発症

この間、国民世論は大きく揺れ動きました。

事件翌日からは、皇太子の回復を祈って、政・官はじめ各界から見舞い電報が発せられ、民衆からは数々の慰問の品が寄せられました。また、休業する会社もあれば、休校措置をとる学校も出る一方、料亭は門を閉ざし、遊郭は鳴り物を停止しました。神社・仏閣では平癒祈願が行われ、「罪を償う」として自決する女性も現れました。これらは、大国ロシアの「怒り」をやわらげ、戦争に発展することのないように祈る気持ちのあらわれでした。

◉児島惟謙

伊予国宇和島城下（現在の愛媛県宇和島市）に生まれた。討幕運動に参加し、明治維新後は司法省に出仕し、江藤新平司法卿に嘱目（しょくもく）された。一八七六年に名古屋裁判所長、その後、大審院民事乙局長、長崎控訴裁判所長、大阪控訴院長を経て、九一年五月六日に大審院長に就任、その直後に大津事件に遭遇した。

大津事件について、ジャーナリストの徳富蘇峰は、「恐露病発作中の出来事なり」と評しました。日本人をとらえていた「恐露病」は、一体、いつから現れたのでしょうか。

思い起こせば、幕末の一八六一年二月、ロシアの軍艦が日本海の要衝の地である「対馬」にやってきて、軍事基地建設のための土地の租借を要求、長期間にわたり占拠し、徳川幕府を驚愕させる事件がありました。七三年、大久保利通と西郷隆盛が「征韓論」で対決しましたが、大久保は「対外的に最も警戒すべきはロシアであり、朝鮮との戦争はロシアを利するだけ」として、西郷の派遣に反対していました。

作家の二葉亭四迷★（一八六四―一九〇九年）は、日露両政府が七四年に樺太・千島交換条約を締結した際の、ロシアへの敵愾心をあおる国内世論が、自分の進路を決めたと言っています。二葉亭によれば、当時の「慷慨愛国というような輿論」と「維新の志士肌と言うべき私の思想傾向」とがぶつかり合い、いずれ「将来、日本の深憂大患となるのはロシア」に決まっている。これを今のうちに防いでおくにはロシア語が一番必要だと考えて、東京外国語学校露語科に入学（一八八一年）したというのです（小田切秀雄『二葉亭四迷』）。

ロシア通だった初代駐露公使・榎本武揚は、対露国境交渉を仕上げて帰任するにあたり、あまりにもロシア人を恐れる「日本人の臆病」を覚ますため、通例の海路でなく、あえてシベリアを横断して帰国したと記しています（麻田雅文『日露近代史』）。

●二葉亭四迷

ロシアの脅威と世論

日本近代史学者で、大正期には大審院判事も務めた尾佐竹猛（一八八〇―一九四六年）は、著書『大津事件』で、事件当時の日本の「国情」をこう述べています。

「世界第一の陸軍国で、領土は全世界の六分の一を蔽有」し、「幕末にはしばしば我が北海を荒し」ていたロシアが、「今また西比利亜（シベリア）大鉄道を敷設するとあっては、ロンドン市民がチェッペリン（第一次世界大戦で使われたドイツの飛行船）の襲撃を受けたときの驚き以上に恐れ慄いたのも無理もなかった」。

日本の新聞・雑誌も、ロシア勢力が朝鮮に及び、日本を威嚇するのではないかと、ロシア脅威論を書き立てていました。学校ではこんな唱歌が歌われていたそうです。

西に英吉利、北に露西亜、油断するなよ国の人、表に結ぶ条約も心の底は測ら

●尾佐竹猛

◉二葉亭四迷

坪内逍遥を知り一八八七年、言文一致体のリアリズム小説『浮雲』を書き、近代小説のさきがけをなした。さらにツルゲーネフの作品『あひびき』『めぐりあひ』を翻訳した。その後、筆を断ち、東京外国語学校の教授などを経て、満州に渡った。一九三九年に『其面影』、四〇年に『平凡』を著して文壇に復活。朝日新聞の特派員としてペテルブルクに派遣され、ロシアからの帰国の途上、インド洋上で死去した。その筆名は、『浮雲』を坪内の名を借りて出版したことに、「くたばって仕舞え」と自らを罵倒したのが由来（二葉亭四迷『予が半生の懺悔』）。

れず、万国公法ありとても、いざ事あらば腕力の、強弱肉を争うは覚悟の前の事たるぞ。

ただ、輿論は気まぐれです。事件後しばらくして、ロシアの報復的な動きがないとみるや、今度はロシア側におもねって法解釈を曲げようとした日本政府に批判の矢が向けられます。ロシアへの不安感や恐れがナショナリズムに転化したかのようでした。ところで、当時のロシアの脅威は、一体、どの程度のものだったのでしょうか。大谷正著『日清戦争』によりますと、大津事件の三年前の八八年五月、ロシア皇帝の命を受けて開かれた朝鮮問題の特別会議では、「朝鮮の獲得は、我々に如何なる利益も約束せぬばかりか、必ずや極めて不利な結果をもたらすであろう」と判断していました。このため、ロシア政府としては、甲申事変（一八八四年）の失敗で朝鮮への介入を控えている日本政府と協調し、朝鮮の現状維持を図ることに努めるべきだと結論づけていました。

アレクサンドル三世

大津事件発生時のロシアの皇帝はアレクサンドル三世（在位一八八一―九四年）でした。七三年、日本の岩倉使節団が訪露した際に謁見したのは、前皇帝のアレクサンドル二世（在位一八五五―八一年）で、彼は、一八六〇年代からインドとアフガニスタンに権益をもつイギリスに対抗して、中央アジアに本格的に進出していました。東アジア

●アレクサンドル三世（アメリカ議会図書館蔵）

でも、英仏の清国進出をにらみつつ、六〇年には清と条約を結んで沿海州を獲得。ウラジオストクに軍港を建設し、樺太にも進出しました。七五年、日本との樺太・千島交換条約で樺太全島を領有しました。

ナロードニキ（人民主義者）の爆弾テロで暗殺されたアレクサンドル二世を継いだ次男のアレクサンドル三世は、革命運動を弾圧するとともに、ユダヤ人に対して農村移住を禁じるなど抑圧策をとります。そして父帝が進めてきた農奴解放などの「大改革」は後退することになりました。

九〇年には、長男のニコライ皇太子を帝王教育のため、世界周遊の旅に出し、ウラジオストクでのシベリア鉄道起工式に派遣しました。このロシア防衛とシベリア開発を目的とする「大シベリア幹線」は、ロシアがイギリスに対抗するための極めて重要なプロジェクトでした。これまでロシアの東アジアへの進出は、イギリスの制海権下にある海洋を経なければなりませんでしたが、シベリア鉄道の敷設は、この制約を取り払い、ロシア軍や物資を大量に極東に運ぶことができるからです。★

●ニコライ二世とその家族

◉シベリア鉄道と日本

シベリア南部を東西に横断するシベリア鉄道は、当初、ウラル地方のチェラビンスクと日本海のウラジオストク間の約七四〇〇キロメートルを結んだ。一八九一年に着工され、一九一六年に全線が開通した。現在は、モスクワとウラジオストク間約九三〇〇キロメートルの路線を指している。ロシアによるシベリア鉄道敷設に対し、山県有朋陸軍大将は、一八八八年の軍事意見書で、「露国の志」は「侵略」にあり、鉄道竣工の日は、「露国が朝鮮に向て侵略を始むるの日」だと警告、その後もこうした見解を繰り返し表明した（麻田雅文『日露近代史』）。

鉄道建設は、その多くをフランスからの借款に負っていました。フランスは、ドイツ主導の「ビスマルク体制」下、国際的孤立を余儀なくされていました。フランスとロシアは、ビスマルク宰相の辞任とともに互いに接近し、第三国からの攻撃に共同対処するための露仏同盟を締結します。これに対して、ドイツはオーストリア、イタリアとの三国同盟関係を強化し、ここに二つのブロックが形成され、ヨーロッパ情勢は一つの転機を迎えます。

アレクサンドル三世は九二年、蔵相にウィッテ（一八四九―一九一五年）を起用し、外国資本を導入した重工業化を推進。ロシアは約一〇年を経て世界有数の工業大国に成長します。

アレクサンドル三世の死去を受け、ニコライ皇太子が、二六歳の若さで即位したのは九四年一一月のことです。大津事件から三年が経（た）っていました。

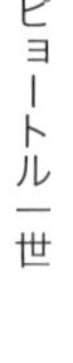

●ピョートル一世

7　不平等条約の改正成る

伊藤「元勲」内閣

松方正義内閣の総辞職を受けて、一八九二（明治二五）年八月八日、第二次伊藤博文内閣★が成立しました。陸相に大山巌（おおやまいわお）を充て、内相は井上馨、法相は山県有朋、逓信相は黒田清隆でした。

この内閣は、いわゆる「元勲（げんくん）」（のち元老）を主要メンバーにしたことから「元勲内閣」と呼ばれました。「元勲」とは、明治維新に大きな勲功をあげ、明治に入ってから新しい国づくりを主導した政治家をさします。

彼らは、天皇を補佐して、首相の選出や条約改正をはじめとする外交、戦争指導な

● 「元勲内閣」の顔ぶれ。上から右回りに伊藤博文、大山巌、井上馨、山県有朋、黒田清隆

◉**第二次伊藤博文内閣**

内閣の顔ぶれは、▽総理・伊藤博文　▽外務・陸奥宗光　▽内務・井上馨　▽大蔵・渡辺国武　▽陸軍・大山巌　▽海軍・仁礼景範　▽司法・山県有朋　▽文部・河野敏鎌　▽農商務・後藤象二郎　▽逓信・黒田清隆。伊藤はこの内閣で、藩閥支配体制の維持、軍備拡張計画と条約改正の実現を図ろうとしたが、民党の激しい抵抗にあった。

どにあたるわけですが、明治天皇が「ポスト松方」選びで、伊藤と山県と黒田に下問し、その後、井上馨にも意見を求めたことが、元老制度の始まりとされています。
日清戦争後、「元勲」という名称は「元老★」にとってかわられ、伊藤博文（長州）、山県有朋（同）、黒田清隆（薩摩）、井上馨（長州）、松方正義（薩摩）、西郷従道（同）、大山巌（同）、西園寺公望（公家出身）の八人が、元老と呼ばれることになります。

天皇「和協の詔勅」

元勲の伊藤が松方の後継首相として、再度の登板に踏み切り、「元勲総出」の内閣を組織したのは、初期議会で掲げた「超然主義」が揺らいだことに強い危機感を抱いたためとみられています。

しかし、伊藤内閣の行く手は、第四回議会（九二年一一月―九三年二月）で民党（野党）が軍艦建造費を含む大幅な予算削減を要求したことによって阻まれます。清国を仮想敵として海軍拡張を急務とする政府としては、これに同意できるはずがありません。九三年二月七日、内閣弾劾上奏案が可決され、政府と議会は全面対立に陥ります。

このため、伊藤首相は、天皇に甲・乙二案を示して勅裁を仰ぎました。甲案は、天皇が議会に対して、政府との「和衷協同（心を同じくして力を合わせること）」のための交渉を命じ、これが不調に終わった場合は、衆議院の解散を命じる。乙案は、無条件の即時解散、というものでした。

明治天皇は二月一〇日、「和協の詔勅」（在廷ノ臣僚及帝国議会ノ各員ニ告グ）を発し、

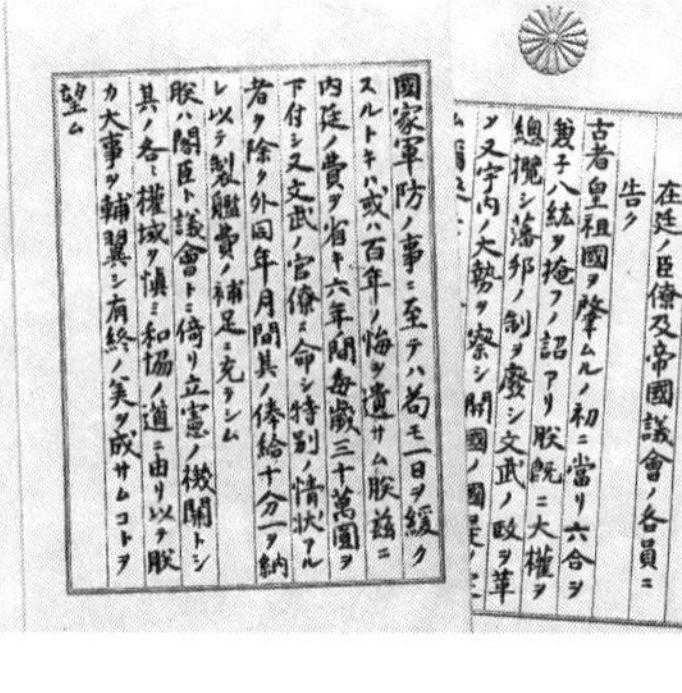
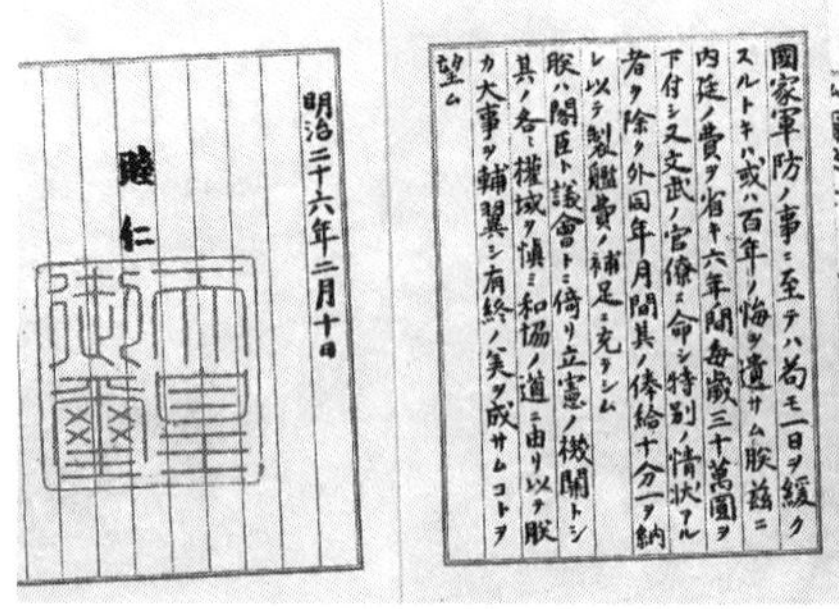

在廷ノ臣僚及帝國議會ノ各員ニ告ク
古者皇祖國ヲ肇ムルノ初ニ當リ六合ヲ
兼子八紘ヲ掩フノ詔アリ朕既ニ大權ヲ
總攬シ藩邦ノ制ヲ廢シ文武ノ政ヲ革
メ又宇内ノ大勢ヲ察シ開國ノ國是ヲ

國家軍防ノ事ニ至テハ苟モ一日ヲ緩ク
スルトキハ或ハ百年ノ悔ヲ遺サム朕茲ニ
内廷ノ費ヲ省キ六年ノ間毎歳三十萬圓ヲ
下付シ又文武ノ官僚ニ命シ特別ノ情状アル
者ヲ除ク外同年月間其ノ俸給十分ノ一ヲ納
レ以テ製艦費ノ補足ニ充テシム
朕ハ閣臣ト議會トニ倚リ立憲ノ機關トシ
其ノ各々權域ヲ慎ミ和協ノ道ニ由リ以テ朕
カ大事ヲ輔翼シ有終ノ美ヲ成サムコトヲ
望ム

明治二十六年二月十日
睦仁
天皇御璽

●「和協の詔勅」（部分）（国立公文書館蔵）

政府と議会に和協の道を促し、国家国防は一日でも緩むと「百年の悔い」を遺すので、今後六年間、宮廷費から毎年三〇万円、文武官の俸給一割分を国庫に還納させ、製艦費に充てるよう求めました。この〝聖断〟を受けて、政府と民党は妥協に動き、軍艦建造費はほぼ復活し、事態はようやく収まります。

星議長の議員除名

議会開幕以来、藩閥政府と政党との対立構図は、衆議院で過半数をもつ民党（野党）が政府予算を大幅に削減すると、政府は衆議院を解散して反撃しました。ところが、政府・吏党（与党）側は、総選挙で選挙大干渉をしても、過半数の議席を獲得できませんでした。

一方、民党側は、公約の地租軽減を実現するためには、衆議院と貴族院の両院で法律案を可決しなければなりません。しかし、藩閥の支配下にあった貴族院に法案の成

◉元老

一八九〇年代半ば以降、首相が天皇に辞表を提出すると、天皇から下問を受けた元老（元勲）たちが内閣の存続の可否を決め、退陣を可とすれば後継首相を選定し、天皇に推薦した。これを受けて、天皇は必ず、その人を首相に任命するという慣例が作られた。元老は、明治憲法上、非公式な組織にもかかわらず、天皇の諮問を受ける公式機関として、首相の選定だけでなく、内政・軍事・外交・財政面で天皇に上奏したり、内閣に助言したりした。元老は八人を数えたが、八人が同時に元老であった時期はなかった（伊藤之雄『元老』）。

立を阻止されるため、地租改正（減税）は果たされませんでした。

こうして政府と議会との攻防は行き詰まり、自由党は、政府に接近を始めます。スローガンの「民力休養」は、政府の許容する範囲にとどめ、余った予算は鉄道建設や土木事業に振り向けるという「民力育成」で、徐々に政府に歩調を合わせていきます。第四回議会の閉会後、政府との提携に動こうとする自由党に対し、改進党は反発を強め、議会開設以来、共闘関係にあった「民党」内部に亀裂が生じます。

九三年一一月二五日に召集された第五回議会では、開会翌日の二九日、自由党領袖の星亨・衆議院議長に対する不信任決議案が本会議で可決されました。

星は、政府と自由党の接近を策し、改進党攻撃を繰り返してきました。米・株式取引所関係者の顧問弁護士として、取引所法の成立に絡み、賄賂を受け取ったのではないか、という疑惑が取り沙汰されていました。これに対して、星は、議長の任免権は天皇にあるうえ、「やましいところはない」と、議長席に座り続けました。吏党四派は、天皇に星解任を求めるとともに、懲罰動議を繰り返しました。それでも星は登院を続け、一二月一三日、院議侮辱を理由に衆議院議員を除名されます。

●星亨

外相・陸奥宗光

一方、第二次伊藤内閣の外相・陸奥宗光（一八四四―一八九七年）は、条約改正交渉を本格化させ、外務次官・林董、政務局長・栗野慎一郎、通商局長・原敬（のちの首相）らが陸奥をバックアップします。

陸奥は、御三家である紀州徳川家の重職にあった父親が、政争によって失脚し、江戸や京都で苦学するうち、坂本龍馬や勝海舟らと出会い、海援隊の一員として活動しました。維新後は明治新政府に出仕し、兵庫・神奈川県知事などを歴任、大蔵官僚として地租改正に取り組みます。

しかし、西南戦争で政府転覆を企てた林有造ら土佐立志社系の人々の陰謀に加担したとして、有罪判決を受けます。山形と宮城の獄舎で四年余りを過ごし、その間、「功利主義」で知られるイギリスの思想家・ベンサムの著作や、漢籍などをよみふけりました。

釈放後、旧知の伊藤博文らの勧めもあり、約二年間、ヨーロッパに遊学。イギリスで議会政治や国際法、オーストリアでプロイセン憲法について勉強しました。八六年に帰国すると、外務省に入り、駐米公使としてメキシコとの日墨修好通商条約を締結しました。陸奥に同行した亮子★夫人（一八五六―一九〇〇年）は、その美貌ともてなしぶりがワシントンの社交界で評判をよび、米紙にも取り上げられました（佐々木雄一『陸

●陸奥宗光と亮子夫人

◉陸奥亮子

新橋の芸妓出身で、一八七二年に宗光と結婚した。亮子は、宗光が政府転覆計画に加担したとして獄中にあった四年余りと、出獄後の二年間にわたる宗光の欧米外遊中、妻として家をとりしきった。陸奥は、外遊先から亮子に宛てて細やかな手紙を何通も書き送っていた。その中で、宗光は、ヨーロッパにおける女性の社会進出について熱心に語り、健康と教養の大切さを説いて、運動を欠かさずよく歩くこと、『日本外史』『十八史略』『源氏物語』『徒然草』などしっかりとした書物や新聞を読むよう亮子に薦めていた（瀧井一博『明治国家をつくった人びと』）。

奥宗光』)。

陸奥は帰国後、第一次山県内閣に農商務相として入閣し、第一回衆議院議員総選挙で和歌山一区から当選しました。陸奥は、そのシャープな頭脳から「剃刀(カミソリ)大臣」と呼ばれるようになり、第一次松方内閣でも同相に留任しました。政府側が、薩長の有司専制を批判した経歴のある陸奥を大臣に起用したのは、その政治的な能力の高さを買ったのと、「旧自由民権派」に人脈をもつ陸奥を議会対策で使いたいと考えたためと言われます。

「対等」条約を提案

陸奥外相は九三年七月、新しい条約改正草案を内閣に提出しました。「純然たる対等条約」を原則に掲げ、領事裁判の撤廃、内地開放(内地雑居)、普通税率と協定税率の併用を柱としていました。実施するのは、調印から数年後が望ましく、イギリスから交渉を始めることを提案しました。この方針は閣議決定され、元外相の青木周蔵・駐独公使が駐英公使を兼務して、イギリスと交渉を開始することになりました。

条約改正問題では、外国人の居住、旅行、営業などを居留地に制限せず、自由化する「内地雑居」の是非が論点に浮上していました。歴史学者の小宮一夫の整理によると、内地雑居反対派(時期尚早派)は、その理由として、経済競争が激化し、日本経済が欧米資本に乗っ取られる危険性や、キリスト教が日本国内に蔓延(まんえん)し、欧米人との文化摩擦が起きる可能性、さらには低賃金の中国人労働者の大量流入による失業の増加などを挙げていました。これに対して、賛成派の大半は、欧米人に限って内地雑居を認めるとし、とくに「万国公法の通義」からこれを実現しなければならないとしていました。

条約改正問題が、再び、賛否両論の渦中に投じられるきっかけは、九三年二月、内地雑居を認める条約改正上奏案が、自由、改進両党などの賛成多数により衆議院で可決されたことでした。同年七月に政府の改正案が閣議決定されると、内地雑居に「反対」ないし「時期尚早」とする議員たちは、一層反発を強めます。

一〇月初め、彼らは「大日本協会」を発足させて反対運動を展開。西郷従道を会頭、品川弥二郎を副会頭とする「国民協会」がこれに賛同します。自由党を脱党した大井憲太郎らの「東洋自由党」、そして従来、内地開放を唱えていたはずの改進党も加わって「対外硬派」が形成され、政府包囲網を敷きます。

星亨が衆議院を追われる直前の同年一二月八日、条約励行建議案が第五回議会に提出されます。条約励行とは、条約で明確に定められていないことは、一切、外国人に認めないという意味でした。具体的には、外国人に許されていない不動産所有や国内旅行などを可能にしていた「抜け道」を塞いで、条約の厳格な運用を求めれば、外国人は不都合を覚えるので、条約改正の圧力になる——という主張でした。この裏には、日本人の排外感情に訴えて支持を得ようとする計算もあったようです。

しかし、イギリスで大詰めの条約改正交渉を進めていた政府としては、このような排外法案は阻止しなければならず、陸奥外相は、「建議案の撲滅鎮圧」のため、議会

●西郷従道（国立国会図書館ウェブサイトより）

の停会を求めます。一二月二九日、陸奥は停会明けの衆議院で演説し、「鎖国攘夷的」な建議案は「維新以来の国是の基礎である開国主義に反する」として撤回を要求し、議場は騒然とします。

伊藤首相は翌三〇日、建議案の可決を阻止するため、衆議院を解散しました。政府はまた、集会及び政社法に基づき、大日本協会の解散を命じました。貴族院では近衛篤麿（あつまろ）、谷干城（たてき）ら三八人が九四年一月、伊藤首相に対し、政府による条約励行論抑圧に抗議しました。貴族院にも反伊藤勢力が生まれたのです。

領事裁判権を撤廃

政府は、九四年三月の総選挙の後に開かれた第六回議会で、内閣不信任案可決に追い込まれ、六月二日、三度目の衆議院解散が命じられます。

その政局大波乱の中、七月一六日、ロンドンで日英通商航海条約★が調印されます。朝鮮をめぐる日清対立によって両国が派兵し、日清戦争が始まる直前のことでした。

調印の際、キンバレー英外相は、日英間での対等条約の成立は、「日本の国際的地位を向上させる点で、清国において何万の軍を破ったよりも重大であろう」と、青木公使に語りました。日本政府にすれば、議会の「対外硬派」を抑え込むには妥結を急ぐ必要がありました。また、イギリスが日本の要求に譲歩したのは、露仏同盟を結ぶロシアの動きをにらみ、対日関係の改善が急務と判断したためとみられています。

新条約によって、五年後に領事裁判権は撤廃され、内地開放が実現することになり

●近衛篤麿

ました。関税自主権の一部も回復され、これにより、条約改正はおおむね達成されたのでした。政府は続いてアメリカ、イタリア、ロシア、ドイツ、フランスなどと新条約に調印し、九九年七月に同時施行されます。

陸奥改正で残された関税自主権の回復は、一九一一（明治四四）年に小村寿太郎（こむらじゅたろう）外相によって実現され、嘉永年間にアメリカの「黒船」によって開国を迫られて以来、半世紀以上を経て、欧米諸国とようやく対等の関係が樹立されることになります。

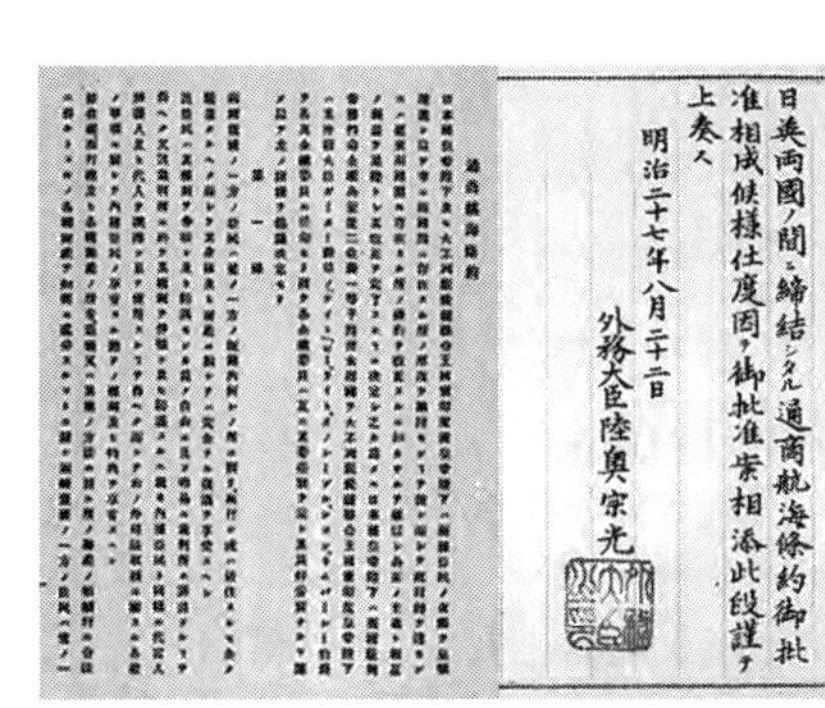
日英両國ノ間ニ締結シタル通商航海條約御批准相成候樣仕度因テ御批准案相添此段謹テ上奏ス

明治二十七年八月二十二日

外務大臣陸奥宗光

●日英通商航海条約批准の上奏文冒頭（右）と条約（部分）（国立公文書館蔵）

◉日英通商航海条約

安政五か国条約以来の不平等条約を改正し、日本が初めて法権を回復した条約。ロンドンで駐英公使・青木周蔵とキンバレー英外相によって調印された。九四年八月二四日批准、同二七日公布、発効は五年後の九九年七月一七日とされた。それまでに日本は民法・商法を修正して公布・施行することになった。内容は、日本の内地開放を代償として領事裁判権を撤廃するとともに、関税自主権を部分的に回復させた。「陸奥条約」とも呼ばれる。

第4章　日清対立、遂に戦争

第4章関連年表

年	月	事項
1882（明治15）	7月	壬午軍乱
	8月	済物浦条約調印
1884	12月	甲申政変
1885	4月	天津条約締結
1889	3月	清国、光緒帝の親政始まる
1893	5月	防穀令事件、朝鮮政府の損害賠償で妥結
1894（明治27）	2月	朝鮮の全羅道・古阜で民衆反乱
	3月	金玉均、上海で暗殺される
	3月	全琫準ら東学党蜂起（甲午農民戦争）
	5月	東学農民軍、全羅道首府・全州占領。朝鮮国王高宗、袁世凱に清軍派兵を要請
	6月	日本政府、混成1個旅団の朝鮮派兵を閣議決定 大本営を参謀本部内に設置。9月、広島に移す 清国公使、属邦保護のため出兵する旨を陸奥外相に通告。陸奥、朝鮮を清国の属邦と認めず 清軍、牙山に上陸。日本軍、仁川に上陸 全州和約（東学農民軍と朝鮮政府との講和） 陸奥外相、清国公使に東学反乱の共同討伐・朝鮮内政の共同改革を提案。清国拒絶。陸奥、日本は内政改革実現まで撤兵せずと通告 露、朝鮮の撤兵要求に応じるよう日本に勧告
	7月	日英通商航海条約調印 大島圭介朝鮮公使、清・朝の宗属関係破棄などを要求する最後通牒を朝鮮政府に提出

年	月	事項
1894	7月	日本軍が朝鮮王宮を占拠。朝鮮軍を武装解除 朝鮮に金弘集政権成立。甲午改革開始 日本艦隊、豊島沖で清国軍艦を攻撃。英輸送船「高陞」号撃沈（豊島沖海戦）
	8月	天皇、清国に宣戦の詔勅。光緒帝、宣戦諭旨 日・朝の両国盟約（攻守同盟）に調印
	9月	日本で第4回総選挙 第1軍、平壌総攻撃開始、占領 連合艦隊、清国北洋艦隊を撃沈（黄海海戦）
	10月	臨時議会、広島に召集。臨時軍事費予算成立 第1軍、鴨緑江渡河、九連城を占領
	11月	井上馨朝鮮公使、高宗に内政改革の同意要求 第2軍、旅順口を占領
	12月	伊藤博文首相、威海衛・台湾攻略作戦を提案 山県有朋第1軍司令官解任
1895（明治28）	1月	日本政府、尖閣諸島を日本領土に編入
	2月	清国講和使節来日。日本、交渉拒絶 第2軍、威海衛を占領 北洋艦隊司令官丁汝昌、連合艦隊に降伏
	3月	伊藤・陸奥両全権、下関春帆楼で李鴻章全権と会談（下関講和会議） 日本軍、澎湖諸島に上陸、占領 李鴻章、狙撃されて負傷。日清休戦条約調印
	4月	日清講和条約調印（朝鮮の独立承認、遼東半島・台湾・澎湖諸島の割譲、賠償金2億両など）

1895	4月	露・独・仏3国公使、遼東半島の清国への返還を外務次官（陸奥外相病気）に勧告。三国干渉
	5月	日本政府、遼東半島の全面放棄を閣議決定
		台湾島民反乱。台湾民主国を宣言。日本軍、台湾北部に上陸、6月台北占領
		明治天皇、広島から還行。凱旋パレード
	7月	仏・露、清に共同借款、英・独も翌年共同借款
	10月	日本軍守備隊、壮士らが大院君を擁しクーデター、閔妃を殺害。日本政府、公使三浦梧楼を召還
	11月	遼東半島還付条約調印。報償金3000万両
1896（明治29）	2月	朝鮮国王、露公使館に入り親露政権樹立
	3月	立憲改進党を中心に合同し進歩党結成
	5月	朝鮮問題に関する日露協定成立（小村寿太郎・ウェーバー覚書）
		ロシアのニコライ2世の戴冠式
	6月	露清秘密同盟条約に調印
		山県特派大使、ロバノフ露外相と、朝鮮に関する議定書に調印（山県・ロバノフ協定）
	9月	第2次松方正義（松隈）内閣成立
1897（明治30）	3月	貨幣法公布（金本位制の成立）
	12月	自由、進歩両党が内閣不信任案提出、衆院解散
1898（明治31）	1月	第3次伊藤博文内閣成立
	2月	米戦艦「メイン」号、ハバナ港で爆沈
	3月	独、清から膠州湾租借権と膠済鉄道敷設権獲得
		日本で第5回総選挙
		露、清から旅順・大連の25年間租借権と東清鉄道の敷設権を獲得

1898	4月	仏、清から広州湾租借権と雲南鉄道敷設権獲得
		アメリカとスペインとの戦争開始
	5月	米艦隊、フィリピンでスペイン艦隊撃破
	6月	英、清から九龍半島、威海衛を租借（7月）
		清国で康有為提唱の「戊戌変法」（百日維新）
		アギナルド、フィリピンの独立を宣言
		アメリカ、ハワイを併合
		自由、進歩両党合同し、憲政党を結党
		元老会議で伊藤の新党結成に山県が反対。伊藤は首相を辞任、後継に大隈重信、板垣退助を推す
		第1次大隈内閣（初の政党内閣）成立
	8月	スペイン軍降伏、米軍がマニラ占領
	10月	尾崎行雄文相、共和演説事件で辞職
		憲政党分裂し、大隈内閣崩壊
	11月	第2次山県有朋内閣成立
	12月	米西戦争終結。アメリカ、フィリピン・グアム・プエルトリコ領有
		地租条例改正（地租増徴法）公布
1899（明治32）	2月	アメリカ、フィリピンとの戦争開始
	3月	文官任用令改正。政党員の猟官防止
	9月	ヘイ米国務長官、中国の「門戸開放」宣言
1900（明治33）	3月	治安警察法公布
		衆議院選挙法改正。選挙権の納税資格を直接国税10円に引き下げ
	5月	陸海軍官制改正。軍部大臣現役武官制を導入
	9月	立憲政友会結成。総裁伊藤博文
	10月	第4次伊藤内閣成立

1　日清戦争の起源

ある「床屋政談」

日清戦争前夜、東京の庶民の間でこんな「床屋政談」が交わされていました。

「朝鮮が東学党の乱でめちゃくちゃになればどうなるのかな？　つまり、日本にとって良いか悪いか？」

「隣国がみだれて、こちらが良いはずはない。迷惑なことだ」

「いや、隣国の動乱は、我が大日本帝国の対外進出の好機ではあるまいか」

「清国は頑迷にも、いまだ朝鮮にたいする宗主権を主張しつづけている。げんに袁世凱(えんせいがい)という青二才が、ソウルでわがもの顔に振る舞っているではないか。あの青二才、朝鮮政府にあれこれと吹きこんでいる。吹きこむのは、みな清国に有利なことに決まっておるわ」

「東学党が朝鮮政府の手に負えなくなれば、袁世凱は清国に出兵を要請するようにしむけるじゃろう」

「清国が出兵すれば、朝鮮における我が国の権益が危うくなる。それはいかん。断乎、阻止せねばならん」

「いや、そうではない。清国の出兵は、我が国の思う壺ではないか。……いいか、天津条約によれば、日清両国が朝鮮に出兵するときは、たがいに通告しなければならんことになっている。清国が出兵すれば、我が国に出兵の口実ができたことになる」

「そうか。……血がおどるのう」

「これをチャンスにしなければならないぞ」

「朝鮮、みだれるべし！」

（陳舜臣『小説日清戦争――江は流れず』）

作家の陳舜臣は、この小説の中で、日清両国の開戦に至るプロセスに深い洞察を示しているのですが、この「床屋政談」からも、当時の朝鮮半島の動きや日本国民のナショナリズムの高まりがうかがえます。

朝鮮、琉球めぐり衝突

歴史を遡りますと、日本と中国との間では、一三世紀後半、「元」の軍勢が高麗軍とともに九州地方を襲う「蒙古襲来」（元寇）があり、鎌倉幕府を震撼させました。逆に、一六世紀末には、豊臣秀吉が朝鮮に出兵し、「明」は援軍を派遣しました。

一九世紀後半、西欧列強がアジアに進出してくると、維新政府も清朝も、朝鮮半島の地政学上の位置に改めて着目し、安全保障問題に敏感になりました。そうした中、日清両国政府が、相互に「対等」な条約（日清修好条規）を締結したのは、維新後の一八七一（明治四）年のことでした。日本側がこれをテコに日朝の国交再開を画策したのに対して、清国側の狙いは、日清両国の相互不可侵、とくに日本の朝鮮侵攻を抑止することにありました。

西郷隆盛が自ら使節となって訪朝して、国交要求が入れられず、殺されたときは武力行使に出るという「征韓論」（一八七三年）は、「無用の戦争」を懸念する大久保利通によって阻止されました。ところが、日本政府は翌七四年、「無主の地」台湾に派兵し、一部を占領します。清国側は、日清修好条規に反すると憤慨して、日清関係は緊迫の度を増し、大久保が北京を訪ねて談判し、開戦の危機を回避しました。

七五年になると、日本政府は、朝鮮近海に軍艦を派遣するという「砲艦外交」によって、「不平等」な日朝修好条規（江華条約）の締結を迫り、朝鮮を開国させました。同条約は、朝鮮を「自主」の国と明記し、清国の朝鮮に対する宗主権を退けました。さらに、日本政府は、清国と両属関係にあった琉球王国を清国から断絶させる「琉球処分」（七九年）を断行し、台湾出兵と同様、清国をいたく刺激することになりました。

こうして清朝と他国との宗属関係を断とうとする日本と、これを拒む清国との対立は深まります。当時の日清関係は、「西洋近代の国際関係と前世紀以来の東アジア世界秩序との軋轢という様相」を呈し、とくに清朝にとっては「国際関係に準拠する日本の行動が、自らの世界秩序を破壊するにひとしい」ものとなります（岡本隆司『日中関係史』）。

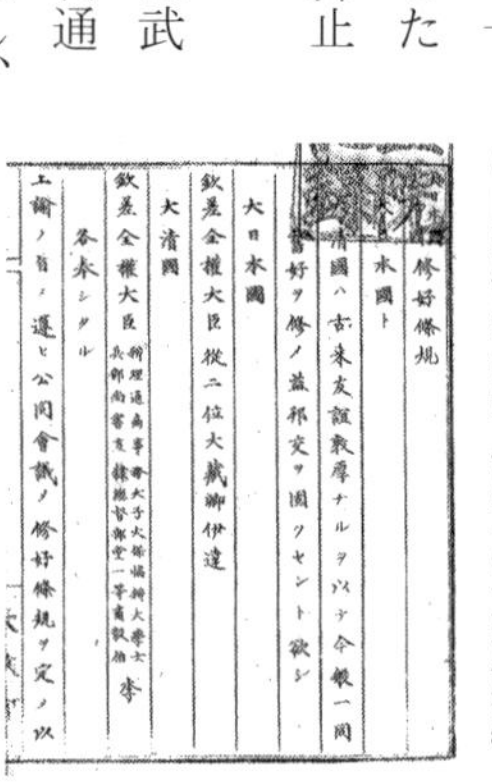
修好條規
大日本國ト
大清國ハ古来友誼敦厚ナルヲ以テ今般一同
旧好ヲ修メ益邦交ヲ固クセント欲シ
大日本國
欽差全權大臣從二位大藏卿伊達
大清國
欽差全權大臣 辦理通商事務太子太保協辦大學士 兵部尚書直隸總督部堂一等肅毅伯 李
各奉シタル
上諭ノ旨ニ遵ヒ公同會議ノ修好條規ヲ定メ以

●日清修好条規（国立公文書館蔵）

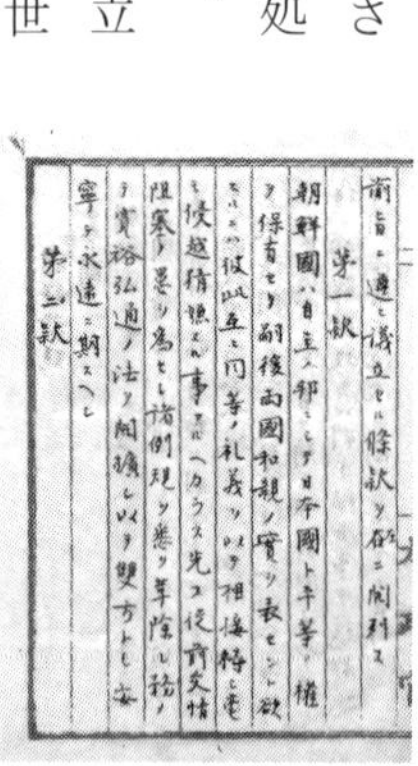
[illegible]旨ニ遵ヒ議立セル條款ヲ左ニ開列ス
第一款
朝鮮國ハ自主ノ邦ニシテ日本國ト平等ノ權
ヲ保有セリ嗣後両國和親ノ實ヲ表セント欲
スルニハ彼此互ニ同等ノ禮義ヲ以テ相接待シ毫
モ侵越猜嫌スル事アルヘカラス先ツ從前交情
阻塞ノ患ヲ為セシ諸例規ヲ悉ク革除シ務メ
テ寛裕弘通ノ法ヲ開擴シ以テ雙方トモ安
寧ヲ永遠ニ期スヘシ
第二款

●日朝修好条規（国立公文書館蔵）

朝鮮で相次ぐ動乱

日本はその後も、朝鮮を独立自主の国として扱う方針をとり続けます。これに対して、清国は、朝鮮を「属国」としながら、内政・外交は朝鮮の「自主」を認める、という二重基準の対応をとります。

八二年、朝鮮の閔（ミン）氏政権の対日・開化政策に反対する民衆暴動が起き、日本公使館を襲撃・包囲します。この「壬午軍乱」では、日清両国が軍隊を派遣し、清国は、事変の首謀者として大院君（テウォングン）を上海に連行し、混乱を収拾しました。日本国内では日清対決をあおる世論が起こりますが、政府は、朝鮮政府との間で、賠償金の支払いや公使館に護衛兵の駐留を認めさせる「済物浦条約」を成立させました。

その後、清国が朝鮮の属国化を強める中、朝鮮国内では、親日派（独立党）と親清派（事大党）との主導権争いが激化します。このうち、金玉均（キムオッキュン）ら親日急進派が八四年、駐朝日本公使と結んでクーデターを起こし、日清の武力衝突に発展します。しかし、この甲申政変は、清国軍の介入によって、わずか三日で粉砕されました。この独立党支援の挫折を機に、日本国内で提起されたのが福沢諭吉の「脱亜論」でした。

八六年には、清国の北洋艦隊★がその威容を誇示しようと、長崎に来航した際、水兵による暴行事件が発生しました。日本国内に険悪な空気が流れましたが、両国による直接対決には至りませんでした。

●金玉均（国立国会図書館ウェブサイトから）

天津条約体制

甲申政変後に日清両国の実力者である伊藤博文と李鴻章(りこうしょう)との間で結ばれたのが、「天津条約」（八五年）でした。日清両政府はこの中で、日清両軍の撤兵と、朝鮮に重大な事変が起きて派兵を要する時は相互に事前通知することで合意しました。お互いに派兵を抑制する狙いがありました。

壬午・甲申のクーデター事件で、清国は朝鮮への「支配権」をめぐる日本との競合で優位に立ちました。朝鮮進出を図ろうとするロシアへの警戒を強めていた日本政府は、ロシアの動きを阻むためにも、清国との「和親協力」を必要としていました。

甲申政変で武功をあげて頭角を現したのが、「床屋政談」にも出てきた「青二才」、当時まだ三〇歳代の袁世凱★（一八五九―一九一六年）でした。八〇年代後半、清国は袁世凱を通じて朝鮮の内政や外交に大きな影響力を行使します。これに対し、甲申政変に肩入れして失敗した日本は、内向きにならざるを得ませんでした。日清両国が朝鮮の不可侵・保全を担保するかたちになった「天津条約体制」は一〇年近く続きました。

「防穀令」で波乱

天津条約によって日清の軍隊が撤退したのと入れ替わるように、両国の商人が朝鮮に進出し、摩擦が起きていました。

●袁世凱（国立国会図書館ウェブサイトから）

日本商人は、大量の穀物（コメや大豆）の対日輸出を図り、これを阻止する朝鮮側との間で紛争が絶えませんでした。穀物の買いあさりは品不足を招いて価格を跳ね上げ、民衆の生活を圧迫しました。他方、朝鮮の地方官は、文字通りの「苛斂誅求（かれんちゅうきゅう）」によって不正蓄財に走り、これに反発する農民たちの反乱が相次いでいました。

地方官は、凶作対策として食料輸出を禁止する「防穀令（ぼうこくれい）」を出す権限がありました。ただ、防穀令を発出する時は、一か月前に、日本領事館にその旨を通告しなければなりませんでした。ところが、八九年の防穀令では、このルールが守られませんでした。このため、日本商人らは損害を受けたとして、その解除と賠償請求を申し立てます。日朝交渉は難航して外交問題に発展し、九三年五月、日本政府の強硬姿勢を前に、朝

●全琫準（中央）

◉北洋艦隊

一八九一年九月、清国北洋艦隊の丁汝昌提督（司令官）は、旗艦「定遠」に座乗し、「鎮遠」「経遠」「来遠」「致遠」「靖遠」の新鋭艦六隻で品川港に入った。八六年に次いで二度目のデモンストレーションだった。北洋艦隊を創建した李鴻章が、その根幹にすえた「定遠」「鎮遠」は、八四年にドイツの造船所で建造された甲鉄砲塔艦で、排水量七三三五トン、速力一四・五ノット、三〇・五センチ砲砲塔の鋼鈑の厚さが三五センチ、東洋一の巨艦だった（池田清『日本の海軍』）。

◉袁世凱

一八八〇年、広東水師提督の幕下に入り、八二年の壬午軍乱を機に朝鮮に進駐、軍乱鎮圧後も朝鮮にとどまり、軍事教官として軍制を改編した。八四年の甲申政変で日本軍と交戦し、日本勢力をソウルから駆逐した。その後、一時帰国したが、清国が拉致した大院君のソウル護送を李鴻章から命じられた。八五年、朝鮮の対外交渉と通商問題を一手に引き受ける重職に就いたが、日清戦争で形勢不利とみると帰国した。李鴻章の死後、直隷総督、北洋大臣に就任。後年、中華民国の初代大総統になる。

鮮側が賠償金を支払ってようやく決着しました。

東学農民軍が全州制圧

朝鮮で「東学」が農民たちの間に広がったのは、農民の困窮生活と社会不安が背景にありました。「東学」というのは、主にキリスト教など西洋の「西学」に対するもので、儒教や仏教、道教なども取り入れ、「人すなわち天」を根本思想とする民衆宗教です。

一八六〇年に創唱されてから四年後、「邪教」だとして開祖が処刑されましたが、その後も多くの農民の支持を得てきました。スローガンは「斥倭洋倡義」（日本と西洋を斥けて義を倡える）。倭（日本）の排斥を第一に、李朝体制の解体を要求していました。

九四（明治二七）年二月、「東学（党）の乱」（甲午農民戦争）が、全羅道の穀倉地帯である古阜で発生しました。全琫準★（チョンボンジュン、一八五五―九五年）を指導者に仰ぐ、この農民たちの蜂起が、日清開戦の直接の発火点になります。

四月下旬、総決起した東学農民軍は各地に進撃して政府軍を圧倒し、五月三一日には五〇〇〇の軍勢が、全羅道首府の全州を占領しました。これに対し、政府軍が反撃して休戦に至り、農民軍は六月一〇日、内政改革を条件に和約（「全州和約」）に応じ、撤退しました。

東学軍による全州陥落は、国王・高宗らに清国への出兵要請を決意させます。閔氏一族の実力者で兵曹判書（軍部大臣）の閔泳駿が五月三一日、朝鮮駐在の袁世凱に対

●全州を陥落させる東学農民軍（国立国会図書館ウェブサイトから）

して清国の出兵を申し入れ、受諾されます。袁世凱にすれば、これにより、「属邦保護」の機会を得たのでした。

清朝政権内部に変化

清国では、一八八九年から、数え年一九歳の光緒帝（在位一八七五―一九〇八年）が親政を始めていました。咸豊帝の妃で、その死後、政治の実権を握ってきた西太后は、「垂簾聴政」をやめて甥の光緒帝に政権を返還、北京郊外の離宮「頤和園★」に移りま

●光緒帝

◉全琫準

書堂教師で一八九二年ごろ、東学に入教した。九四年二月、古阜の農民を率いて蜂起し、総大将になって全羅道の首府・全州で政府軍と激しく戦った。しかし、農繁期の到来と日清両軍の朝鮮出兵のため、ソウルへの進撃をあきらめ、六月、政府との間に「全州和約」を締結、農民自治機関を設置して幣政改革に着手した。だが、日清開戦後、朝鮮が日本の支配下に置かれると、一〇月に再蜂起。公州攻防戦で敗北し、翌年三月、ソウルで処刑された。民衆に絶大の人気があり、「緑豆将軍」として語り継がれる（『朝鮮人物事典』）。

◉頤和園

北京の北西郊外にある大庭園。一二世紀の金代に造られた行宮（行幸時の仮の宮居）庭園が起源とされる。明代は「好山園」、清の乾隆帝の時代は「清漪園」とも呼ばれた。一八六〇年、天津条約批准を迫る英仏連合軍に焼き払われたが、西太后の命によって復興、頤和園と名付けられた。一九〇〇年には、義和団事件で侵入した八か国連合軍により、またも破壊された。周囲約八キロメートル、万寿山とその南麓にある人造湖、昆明湖に臨み、変化に富んだ風光で知られる。中国現存の庭園としては最大規模のものと言われ、世界文化遺産に登録されている。

した。西太后は一八八六年から、頤和園の造営を始めていました。これには海軍の軍事費が流用されたことから、李鴻章が擁する海軍は、兵器の更新がままならなくなったといわれています。

西太后は、海軍力の増強で李鴻章の政治的発言力が強まったり、戦艦の購入で貴重な銀が海外に流出したりすることを嫌っていました。とくに九四年に予定される自らの六〇歳の「大寿」の祝典に向け、戦争勃発は絶対に避けたいと考えていました（加藤徹『西太后』）。

西太后は隠然たる力を保持していましたが、政権委譲は、清朝の政権構造に変化をもたらしました。西太后に仕えてきた直隷（ちょくれい）総督・北洋大臣の李鴻章の一派と、この重臣たちの政治に不満を抱くグループが光緒帝周辺に結集し、対立するようになります。

李鴻章は、天津条約の調印時、「一〇年もたてば、日本の富強はかなりのものとなろう」と見通すなど、日本の軍備拡張を把握していました。このため、李鴻章は、軍港を整え、世界有数の強力な軍艦をそろえたものの、清国は士官や技師の人材、組織を欠いており、北洋海軍が「実戦に心許（こころもと）ない」ことは彼自身が熟知していました（岡本隆司『李鴻章』）。朝鮮問題の責任者を長期間務めてきた李鴻章が、日清の開戦を回避しようとしていたのに対し、光緒帝やその側近たちは主戦論に立ちます。主戦派には、朝鮮からの援兵要請は、「宗主国・清」をアピールする好機と映っていました。

●頤和園（二〇〇五年四月撮影）

2 開戦前夜の空気

「人目を驚かす」事業

一八九三―九四年にかけ、日本国内では、陸奥宗光外相が推進する条約改正をめぐって帝国議会内に対外強硬派が台頭し、伊藤内閣の「軟弱外交」に激しい攻撃を繰り広げていました。九四(明治二七)年三月一日の総選挙後も、政局の行方は混沌(こんとん)とし、イギリスとの条約改正交渉も難航していました。

陸奥は同月二七日、ロンドンで交渉中の青木周蔵(しゅうぞう)・駐英公使に手紙を出し、「内国の形勢は日また一日と切迫し」、政府が「何か人目を驚かす事業」を明言しなければ、この「騒擾(そうじょう)の人心を挽回」できないと前置きしたうえで、それには「故(ゆえ)もなきに戦争を起こすわけにも参らない故、唯一の目的は条約改正の一事なり」と書いています(井上清『条約改正』)。

条約改正をつぶそうとする国内の排外主義の高揚によって、首相の伊藤博文も陸奥も大ピンチに立たされていたのです。

同月二八日、朝鮮で甲申政変を起こし日本に亡命していた政治家・金玉均が、朝鮮人のテロリストに上海で暗殺されると、日本の国内世論は、朝鮮と清国への反感を募らせます。朝鮮では同年二月、「東学の乱」と呼ばれる農民暴動が勃発し、五月には農民軍による大規模な武装蜂起に発展しました。

同月一二日に召集された日本の第六回議会でも、対外強硬派が、自由党をも巻き込んで内閣弾劾上奏案を可決し、衆議院は六月二日、前年末に続いてまたも解散となります。

東学農民軍に追いつめられた朝鮮政府は、五月三一日、清国の援軍を求めました。これを受けて朝鮮駐在の袁世凱は、本国の李鴻章に派兵を求めますが、それは、「政府と議会の対立がつづく日本の内政は紛糾しており、とても朝鮮に出兵してくる余裕がない」と見極めたからでした（岡本隆司『李鴻章』）。しかし、これは誤算でした。

日本、清国出兵を決定

朝鮮政府の清国への援兵要請については、杉村濬（ふかし）・駐朝鮮代理公使が六月一日、陸奥外相に急報しました。二日の閣議で、その電文を報告した陸奥は、清国の派兵に対抗して出兵し、「日清両国の権力平均（バランス）を維持」する必要があると述べました。閣議では、日本人居留民の保護を目的とする出兵が決定されます。

同日、衆議院が解散されると、新聞は、社説などで清国や朝鮮に対する強硬論を唱えて伊藤内閣を攻め立て、政府は新聞の発行停止処分などで言論統制を図ります。

当時、東京・浅草に住んでいた評論家の長谷川如是閑（はせがわにょぜかん）★（一八七五―一九六九年）は、

●長谷川如是閑

自著『ある心の自叙伝』で、日清戦争直前の日本の空気をこう綴っています。

　花屋敷の梅林のあった辺りには、毎日のように壮士風の男が数人でそのころ流行の「ヤッツケロ節」のような政治的の流行歌を唄って、それを刷った紙片を売っていた。そのなかには「ダイナマイト・ドン」だとか「チャンチャンクソ坊主」などという猛烈なものもあって、いずれも禁止されていたものなので、警官が来ると散ってしまうのだが、ときには私服に捕まって、大格闘となることも珍しくなかった。

日清戦争が近づくにしたがって、東京の市街では、清国人を侮蔑する言葉が使われ、兵士が市中で乱暴を働くことも頻発していました。

◉**長谷川如是閑**
近代日本を代表するジャーリストの一人。材木商の父親が遊園地の「花屋敷」を経営したことから幼年時代は、東京・浅草で育った。東京法学院（現在の中央大学）を卒業後、陸羯南の新聞『日本』に入り、一九〇八年には『大阪朝日新聞』に転じて大正デモクラシー運動を先導した。一八年に起きた同紙の筆禍事件、いわゆる「白虹事件」で退社したが、その後も言論活動を続け、国家主義やファシズムを批判した。一九四八年に文化勲章を受章した。

戦争へ閣内で温度差

六月二日夜、陸奥は外務大臣邸で、外務次官の林董★（一八五〇—一九一三年）、参謀次長の川上操六（陸軍中将、一八四八—九九年）と出兵策について協議し、清国の兵力を上回る規模の混成一個旅団★を派遣する方針で一致します。

林の回顧録によりますと、この日の協議は、「如何にして平和に事を纏むべきかと云うを議するに非ずして、如何にして戦を興し、如何にして勝つべきかを相談したるなり」ということです。川上は、陸軍の主流派の意向を代表しており、陸奥とともに積極的な開戦論者として準備を急ぎます。

陸奥は、自著『蹇蹇録』で、「政府は外交上において、つねに被動者の地位をとらんとするも、一旦事あるの日は、軍事上においてすべて機先を制せん」と書いています。西欧列強に日本の正当性を主張するためにも、清国側を開戦の「主動者」に仕立てる一方、軍事的には清国側に先んじて行動するという意味でした。

五日、天皇直轄の大本営が参謀本部内に設置されます。六日午後、大本営は、歩兵一個大隊の先発を命じ、一〇〇〇余人が広島県の宇品港（のち広島港）を出発、一二日には、漢城（ソウル）の西三〇キロにある仁川港に到着します。

一方、清国政府は三日、朝鮮政府から出兵の公式要請を受けると、李鴻章が北洋陸軍・海軍に対し、朝鮮への派遣を命じます。六日には、黄海に臨む忠清南道北部（漢城の南六〇キロ）の牙山に、海路で北洋陸軍を送り出し、歩兵二〇〇〇人が八日から牙

●林董

●川上操六

山に上陸します。

陸奥「撤兵はできない」

首相の伊藤博文は、出兵を認めましたが、清国との協調を維持し、外交的な収拾を考えていました。伊藤の意を体し、大山巌陸相は朝鮮に派遣する参謀本部のスタッフに、今回は戦争回避のための出兵である旨を強調していました。

当時の駐朝鮮公使は大鳥圭介でした。大鳥は、徳川幕府の歩兵奉行を務め、戊辰(ぼしん)戦争では榎本武揚らと箱館の五稜郭(ごりょうかく)にたてこもり降伏した人物です。

●大鳥圭介

◉林董

佐倉藩蘭方医・佐藤泰然の子として生まれた。幕府留学生としてロンドンで学んだ。帰国後、榎本武揚の箱館戦争に参加し捕らえられた。釈放後の一八七一年、外務省に出仕し、岩倉使節団に随行した。工部省、逓信省、香川・兵庫各県知事などを務め、九一年に外務次官に就任し、日英通商航海条約締結や日清戦争で陸奥外相を補佐した。駐清・駐露各公使を歴任したあと、駐英公使として日英同盟の締結に尽力し、西園寺内閣では外相を務めた。

◉混成一個旅団

当時の陸軍部隊は、上から軍―師団―旅団―連隊―大隊―中隊―小隊からなっていた。日清戦争で派遣が決まった混成一個旅団は、戦時編成の歩兵二個連隊（計六〇〇〇人）のほか、騎兵一個中隊（二〇〇人）、砲兵一個大隊（山砲一二門で編成。五〇〇人）、工兵一個中隊（三〇〇人）、輜重(しちょう)（輸送・補給）兵隊、衛生隊などから構成され、総兵力は八〇〇〇人を超える。清国兵は多くて五〇〇〇人と見積もられていた。

伊藤首相は六月五日、日本に帰国していた大鳥を帰任させるにあたり、平和的手段をもって時局を収拾するよう指示します。これに対して、陸奥外相は、大鳥に対し、「自分が責任をとるので、躊躇せず、百事を決行せられたし」と訓辞。それは林董によれば、「成可は開戦の方策を執るべしと言わぬ計」の口ぶり（『林董回顧録』）でした。

七日、天津条約の規定に基づき、出兵の「行文知照」（文書による通報）が行われました。駐日清国公使は、「朝鮮国王の要請に応じ、属邦保護のため出兵する」旨を陸奥外相に通告しました。これに対し、陸奥外相は、小村寿太郎・駐清臨時代理公使を通じ、日本政府は「未だかつて朝鮮国をもって清国の属邦と認めた事はない」と抗議します。

大鳥公使が一〇日夜、海軍陸戦隊三〇〇人を率いて漢城に帰任しました。ところが、漢城は予想に反して平穏で、清国軍も牙山に滞陣したままでした。農民軍と朝鮮政府による「全州和約」が成立し、内乱は収まっていました。このため、大鳥は「多数の軍隊を朝鮮に送っては、列国からいわれなき疑念を抱かれるので、外交上、得策でない」と、大部隊の派遣を見合わせるように電報を打ちます。

しかし、陸奥は「部隊は返せない」と返電しました。陸奥の『蹇蹇録』によりますと、その理由として、陸奥は、日本国内が「もはや騎虎の勢いにある」中で既定の兵数は変更できないこと、清国の「譎詐権変の計策」（偽りの謀りごと）を警戒すべきことを挙げ、「危機一発」に対処するために、混成旅団を速やかに派兵すべきであると主張しました。

伊藤も開戦に傾斜

伊藤首相は六月一三日の閣議で、朝鮮の内乱を根絶するため、日清が共同してその内政改革にあたる案を示し、その後、駐日清国公使と会談して、その旨を伝えます。

陸奥は同日、今回の出兵が「何事をもなさず、空しく帰国する」に至るならば、それは「はなはだ不体裁」なだけでなく、政策上もうまくいかないと、大鳥公使に打電し、日本軍の漢城への入城実現を求めました。陸奥は一五日の閣議で、清国との内政改革の協議は日本軍を撤兵させないまま行うこと、清国が内政改革に不同意の場合は、日本単独で内政改革を進めることを追加提案し、了承されます。

この提案は、日清の共同撤兵が先決と主張する清国がのめない条件であり、事実上の「最後通牒」といえました。

日本国内では、各政党、新聞とも伊藤内閣を突き上げ、九月の総選挙が近づいてきます。日清の妥協点を探る伊藤首相も、いよいよ撤兵に踏み切れなくなります。清国政府は六月二一日、「内政改革は朝鮮政府自らが行うべきもので、朝鮮自主論をとる日本の内政干渉は不当」として、日本政府の提案を拒否します。

大鳥公使は二八日、朝鮮政府に「清国の属国か否か」と、宗属問題を提起して回答を迫り、開戦の口実をつくろうとしていました。

ロシア・イギリスの干渉

ところが、ここで軍事大国・ロシアと覇権国家・イギリスが干渉に出て、日本の開戦方針に急ブレーキがかかります。

ロシアは六月三〇日、日本と清国の同時撤兵を要求し、これを拒むならば、日本は重大な責任を負うことになると申し入れてきました。日本政府は、ロシアの勧告を何とか断りましたが、軍事干渉を恐れるあまり、日本軍の行動を抑えにかかりました。陸奥はのちに、この時は「肌に粟を生ずる思い」だったと回顧しています。

イギリスは、日清両国に朝鮮の内政改革の条件提示を求めます。しかし、清国が英国の調停を受け入れず、ロシアの軍事干渉もないと判断した日本政府は、七月一一日、開戦準備の再開を決めます。

清国でも、開戦回避に動く李鴻章と主戦論の皇帝周辺とが対立して方針が定まらず、最終的に李鴻章は牙山に増援部隊を派遣する決定を下しました。

七月二〇日、大島公使は、朝鮮の「独立を侵害」する清国軍を退去させるよう朝鮮政府に要求しました。二二日、その拒否回答が届くと、翌二三日未明、日本軍の大島義昌・混成第九旅団長は、旅団の総力を龍山から漢城へと向かわせます。

午前五時頃、歩兵第二一連隊の部隊が王宮に侵入し、朝鮮の警備兵と交戦して国王・高宗を拘束して、閔氏一派を追放しました。さらに高宗の父の大院君を引き込み、二四日には大院君を摂政として、政府の改造に着手。二七日、金弘集を首班とする、親

●錦絵「朝鮮京城之小戦」（静岡県立中央図書館蔵）

日開化派勢力の新政権が樹立されました。金弘集は、修信使として八〇年に来日し、その後、日本や清国との対外交渉の任にあたってきた政治家です。

山県有朋は九〇年一二月、帝国議会で「主権線・利益線」演説を行いましたが、この「利益線」の焦点は、言うまでもなく朝鮮にありました。日本政府は、八〇年代以降、清国を仮想敵とする軍備増強政策を推進し、対外戦争に踏み切れるだけの戦備をおおむね整えてきました。とくに海軍は、清国の北洋艦隊に対抗するため、機動力にすぐれた中小新鋭艦を購入すると同時に、最新の速射砲も備えました。この結果、北洋艦隊に対し、九四年の時点でほぼ同等の戦力バランスに達していたとされます★。

九四年七月二五日、日本の連合艦隊は、牙山付近の豊島沖で清国軍艦を攻撃し、実質的に戦争状態に入ります。

●金弘集

◉日本海軍の戦備

一八九三年の「和協の詔勅」で軍艦建造費がほぼ復活し、「富士」「八島」の両戦艦は一八九九年度に完成する目算はついた。だが、日清戦争には間に合わなかった。これに代わり、海防艦「厳島」、「松島」（両艦ともフランスで九一年に完成）、「橋立」（九四年に横須賀で完成）と、「巡洋艦」（イギリスで九三年完成）の就役が急がれ、北洋艦隊の「定遠」「鎮遠」に対抗できる日本艦隊の主力になった（池田清『日本の海軍』）。

3　両軍、海と陸で激戦

豊島沖海戦

日本政府と大本営は一八九四（明治二七）年七月一九日、清国との開戦を決めます。日本で初めて編成された連合艦隊が二三日、佐世保を出港しました。

連合艦隊の第一遊撃隊の「吉野」「秋津洲」「浪速」の巡洋艦は二五日、朝鮮半島南部西岸に沿って偵察中、豊島（プンド）付近で、清国海軍の巡洋艦「済遠」「広乙」に遭遇して交戦となり、「済遠」は戦場を離脱し、「広乙」は大破、自爆しました。日清の正規軍による戦闘の始まりでした。

「浪速」（艦長＝東郷平八郎・海軍大佐）は、清国兵ら一一〇〇余人と大砲、弾薬を運搬中のイギリス船籍貨物船「高陞」号を撃沈しました。これに対して、イギリス国内から非難が巻き起こります。しかし、イギリスの国際法の権威らが「国際法上、妥当」との見解を示すと世論は沈静化し、事なきを得ました。この海戦で日本側は、漢城南方の牙山に増派される予定の清国兵力の半分を阻止することに成功しました。

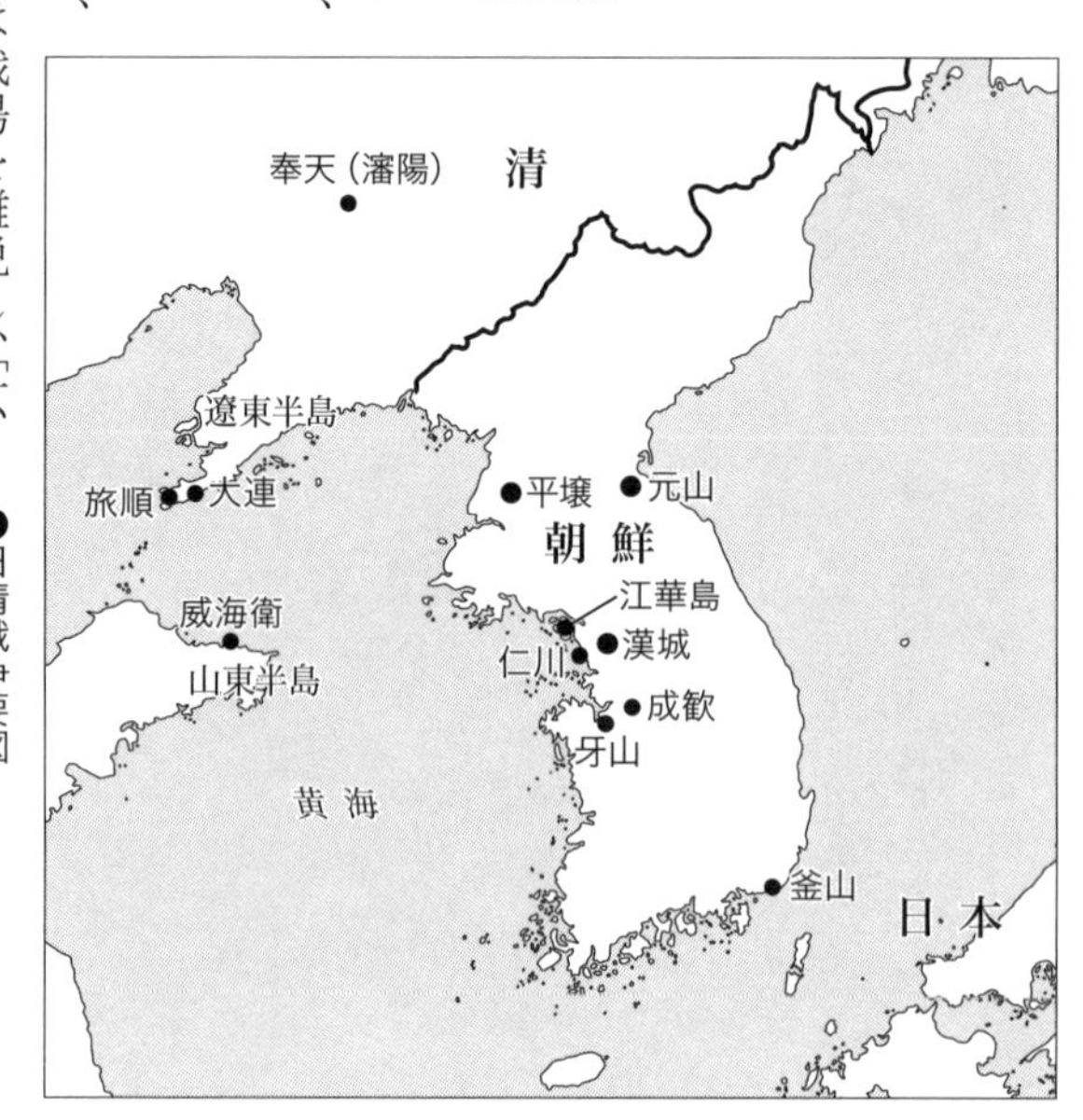

●日清戦争要図

一方、大島義昌少将指揮下の混成第九旅団が二九日、陸上でも戦闘に入り、牙山の北東、成歓で清国軍を討ち破りました。この開戦直後の安城渡の戦い★（九四年七月二九日）での無名戦士の美談が後世に語り伝えられることになりました。

天皇は「不本意」

八月一日、清国は、光緒帝による宣戦諭旨で、「朝鮮は我が大清の藩属である」として日本の朝鮮出兵を批判、その攻撃は国際法違反だと非難しました。日本政府も二日の閣議で、「清国」を相手国とする宣戦の詔勅★（日付は一日）を決定・交付しました。

●撃沈される「高陞」号（右）＝大英図書館蔵

◉宣戦の詔勅

天皇の大権としての宣戦布告には、日清・日露戦争の宣戦詔勅と第一次世界大戦・太平洋戦争の宣戦詔書とがある。日清戦争の詔勅文は、前文・交戦命令・開戦理由・結文で構成され、開戦に対する国家意思と戦争の正当性を公式に内外に表明していた。ただ、宣戦布告が戦時国際法上、開戦の必要条件となったのは一九〇七年の「開戦ニ関スル条約」以降。それ以前の日清・日露戦争の宣戦詔勅は、「臣民ニ公布スル主権者意思ノ発表」にすぎず、国内法、国際法上の法的効力は、ほとんどなかった（『国史大辞典』）。

◉無名戦士の英雄化

「安城渡の戦い」では、日本軍のラッパ手の一人が、敵弾に撃たれながらも、進軍ラッパを吹くのをやめず、壮烈な死を遂げたという。これが新聞で「美談」として報じられたあと、小学校の国定修身教科書に〈キグチコヘイ　ハシンデモ　ラッパ　ヲ　クチ　カラ　ハナシマセンデシタ〉と掲載され、学校教育を通じて広く知られるようになった。日清戦争の際、東京の新聞各紙は、朝鮮に数多くの従軍記者を派遣し、戦闘の模様や逸話を競って報じていた（佐谷眞木人『日清戦争』）。

国際法の遵守を宣言し、「朝鮮は日本が列国の伍伴（仲間）に就かしめたる独立国」であり、朝鮮を属邦とする清国がその独立を妨害していると批判しました。

こうした中、明治天皇は、宣戦布告後、今回の戦争は「朕素より不本意なり、閣臣等戦争の已むべからざるを奏するに依り、之れを許したるのみ」と、この戦争には反対であることを、宮内相の土方久元に語りました。さらに天皇は、伊勢神宮と孝明天皇陵に宣戦を奉告するにあたって、「朕甚だ苦しむ」とも述べました。その言葉に驚いた土方が天皇を諌めますと、天皇は激怒し、土方は退出せざるをえませんでした（『明治天皇紀　第八』）。

明治天皇が「不本意」と考えたのは、「天皇の地位も、国土も、国民も、明治天皇一代のものでなく、伝えていかねばならない公共のもの」である以上、「帝位と国家を危うくする冒険策はとりたくなかった」からといわれます。「天皇は避戦論者」でした（西川誠『明治天皇の大日本帝国』）。

しかし、翌日には天皇は怒りを解きます。大本営は、宮中から前線に近い広島に移されることになり、天皇は九月一五日、広島に到着、それ以降は戦争指導に熱を入れることになります。

平壌の激戦

大本営はまず、朝鮮半島からの清国軍駆逐を考えていました。

九月一日、広島の第五師団（師団長・野津道貫中将）と名古屋の第三師団（同・桂太郎中

●倒れながらもラッパを手放さない木口小平（大英図書館蔵）

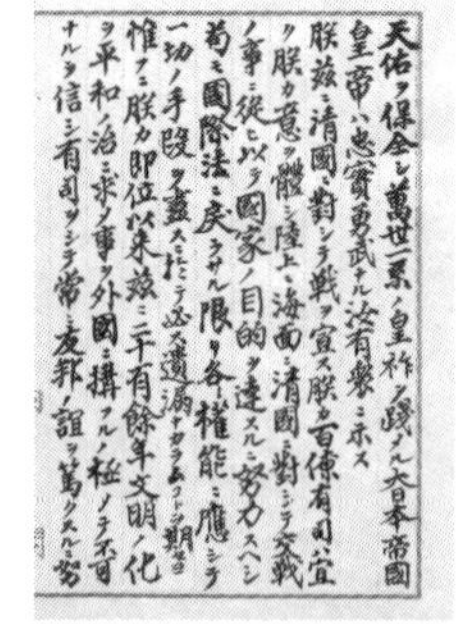
天佑ヲ保全シ萬世一系ノ皇祚ヲ踐メル大日本帝國
皇帝ハ忠實勇武ナル汝有衆ニ示ス
朕茲ニ清國ニ對シテ戰ヲ宣ス朕カ百僚有司ハ宜
ク朕カ意ヲ體シ陸上ニ海面ニ清國ニ對シテ交戰
ノ事ニ從ヒ以テ國家ノ目的ヲ達スルニ努力スヘシ
苟モ國際法ニ戻ラサル限リ各々權能ニ應シテ
一切ノ手段ヲ盡スニ於テ必ス遺漏ナカラムコトヲ期セヨ
惟フニ朕カ即位以來茲ニ二十有餘年文明ノ化
ヲ平和ノ治ニ求メ事ヲ外國ニ構フルノ極メテ不可
ナルヲ信シ有司ヲシテ常ニ友邦ノ誼ヲ篤クスルニ努

●宣戦の詔勅（国立公文書館蔵）

将）を併せて、第一軍（司令官・山県有朋大将）が編成されます。山県第一軍司令官は四日、東京を出発、一三日に漢城入りしました。近代的陸軍の建設に力を注いできた山県は後年、この時の出征こそは「生涯の最も会心の日」で、「武人の本懐」だったと述べています。

他方、八月中旬に漢城入りしていた第五師団師団長の野津道貫★（一八四一―一九〇八年）は、朝鮮半島北部の平壌（ピョンヤン）を攻撃するため、同月末、すでに北進を開始していました。

堅塁の平壌城の攻略戦で、日本軍は糧食や弾薬不足に苦しみ、清国軍の機関砲や連発銃の猛攻撃によって苦戦に陥ります。しかし、日本軍は砲弾と歩兵の突進で反撃を続けます。清国軍は九月一五日、突如、射撃を止め、白旗を掲げて平壌城を逃れ、日本軍は平壌を占領することができました。

この戦いでも「勇士」が登場しました。平壌城の玄武門に向かった兵士のうち、原田重吉（じゅうきち）一等兵が真っ先に門をよじ登って、内側から開門したのです。これを新聞が伝えると、一躍、原田は「時の人」となりました。

●錦絵「平壌玄武門兵士先登之図」

◉野津道貫

鹿児島県出身。戊辰戦争に参加し、鳥羽、東北、箱館に転戦した。一八七一年に陸軍少佐となる。大佐に昇進し、佐賀の乱の鎮圧にあたり、七七年の西南戦争には第二旅団参謀長として従軍し、奮戦した。七八年に少将に進み、東京鎮台司令長官。八四年、大山巌陸軍卿のヨーロッパ外遊に随行して各国の軍制を視察した。日清戦争では第五師団長として出征し、山県に代わって第一軍司令官を任じられて戦功をあげ、大将に昇任した。その後、近衛師団長、教育総監などを歴任し、日露戦争では第四軍司令官を務めた。のち元帥。

黄海海戦

九月一七日、朝鮮半島と中国大陸にはさまれた黄海で、司令長官の伊東祐亨中将率いる連合艦隊（旗艦「松島」など一二隻）は、丁汝昌提督の清国艦隊（旗艦「定遠」など一四隻）との間で、午後一時前から、砲撃戦に入ります。

ドイツ製の装甲砲塔艦である「定遠」「鎮遠」を擁した清国の北洋艦隊は、東洋最強と目されており、戦う前は、清国の方が明らかに有利と見られていました。四時間半にわたって繰り広げられた砲撃戦の末、清国側は「経遠」「致遠」「超勇」が撃沈され、「揚威」「広甲」は座礁後、破壊・自焼し、五隻を失いました。日本側も、全艦が被弾し、「松島」「比叡」「赤城」の各艦などに相当の被害が出ました。

結局、日本は巨艦の「定遠」「鎮遠」を討ち漏らしたものの、制海権を獲得。これまで日本を畏怖させてきた北洋艦隊を打倒したことは、日本国民を狂喜させました。黄海海戦の勝利と平壌陥落によって、海・陸戦の大勢は、ほぼ決することになります。

旅順攻略戦

平壌の戦いのあと、日本軍は直隷平野（北京・天津方面）での決戦をめざします。ここで清国軍の主力を撃破して講和に持ち込むというのが日本の作戦でした。

清国の遼東半島の南西端に位置する、旅順★の攻略戦は、その直隷決戦の根拠地づく

●日本の「松島」（大英図書館蔵）

りでした。このため、大本営は第二軍を編成し、九月二五日、第二軍司令官に陸相・大山巌大将を任命しました。

山県第一軍司令官は一〇月、平壌で第一軍の北進を命じます。一七日、先頭の第一〇旅団が、清国と朝鮮の国境を流れる鴨緑江南岸の義州を占領します。二五日には、第三師団の歩兵第五旅団が鴨緑江を渡り、清国領内（満州）に進出し、二六日、九連城を占領しました。

一方、第二軍は二四日以降、遼東半島に上陸を始め、大連湾の砲台などを占領。一一月二一日未明から旅順攻撃を開始しました。旅順要塞の攻防戦に参加したある将校は、自伝に「どの砲台も旗を靡かせ、それは戦国時代の絵巻物を彷彿とさせた。要塞の清国軍の抵抗を排しつつ前進、正午、主要防禦砲台はすべて陥落した。戦雲は急速に収まった。不落を誇ったこの天嶮が僅か半日で陥落したのであった」と書いています（岡義武『明治政治史』）。

同日夕方と翌日以降、市街地の敗残兵掃討作戦が展開されました。その際、日本軍は婦人や老人を含む非戦闘員を無差別に殺害したと、英米の新聞が非難します。この「無差別殺人や捕虜の殺害、略奪」の実態について、大本営から回答を求められた大

●旅順近郊での砲撃

◉旅順

中国・遼東半島南端の港市。良港に恵まれ、古くから山東半島と東北地方を結ぶ交通の要衝だった。清国はここに水師営を置き、一八七九年に築港工事を行って北洋艦隊の基地にした。日清戦争において日本軍は、陸・海軍が協力して旅順要塞を一日で陥落させたが、日露戦争では一五五日間を要し、多大の犠牲を払った。

山司令官は具申書で、旅順市街の兵士と民間人を「混一して殺戮」したこと（つまり無差別の殺人）と、懲戒のために捕虜を殺害した事実があることを認めましたが、略奪については否定しました（大谷正『日清戦争』）。

国際法遵守を宣戦の詔書に掲げていた日本政府は苦慮し、伊東巳代治・内閣書記官長（一八五七—一九三四年）は、「報道は事実わい曲も甚だしい」などとして逆攻勢に出て、打ち消しに躍起になりました。

第七回臨時議会が、九四年一〇月一五日、大本営が設置された広島に召集され、西練兵場に急きょ建てられた仮議事堂で開幕しました。会期は一週間でした。第六回議会の解散に伴い、九月に実施された総選挙は、戦時下とあって平穏に行われ、党派別勢力も大きな変化はありませんでした。

政府は、日清戦争の臨時軍事費予算案（歳入・歳出とも一億五〇〇〇万円）と関連法案を議会に提出しました。国庫剰余金と一億円を超える新規公債募集によって、これをまかなうとしていました。政府側の心配をよそに、衆議院・貴族院は、この巨額の軍事費をわずかな審議時間で全会一致、可決しました。これまで藩閥政府を強烈に攻撃してきた各党は、戦争の勃発で政争を中止し、戦争遂行に協力したのでした。

日清戦争に大義あり

日清戦争が始まった時、多くの言論・知識人は、この戦争には「大義」があるとみていました。

●広島大本営

福沢諭吉は豊島沖海戦勝利のあと、「日清の戦争は文野（文明と野蛮のこと）の戦争なり」（七月二九日）と題して、世界文明の進歩を妨げるものを打倒するのみと論じました。内村鑑三は、徳富蘇峰が創刊した雑誌『国民之友』九月号に、「日清戦争の義」を発表しました。内村はここで「吾人は信ず、日清戦争は吾人に取りては、実に義戦なりと、其義たる法律的にのみ義たるに非ず、倫理的に亦た然り」と書きました（関根清三『内村鑑三』）。しかし、内村は、戦争が終わりに近づくにつれて、その「戦争の義」に懐疑的になり、下関条約締結後の九五年五月になると、『義戦』は略奪戦に近きものと化し、その『正義』を唱えた預言者は今や恥辱の中にあります」と書簡にしたためることになります。

これに対して、平民的欧化主義のリーダー・徳富蘇峰は、日清戦争最中の九四年一二月、『大日本膨張論』を公刊し、日清戦争を国民の心理的・身体的膨張の契機ととらえました。九五年、ロシア、フランス、ドイツによる三国干渉が起こった時、蘇峰は大本営の軍人たちとともに、旅順口を視察中でした。蘇峰は、条約で割譲された遼東半島の返還が決まったと知ると衝撃を受け、力なき正義は無価値だと悟って「精神的に別人になった」と、後年、語っています（米原謙『徳富蘇峰』）。

日清戦争は、こうして日本の思想潮流に多大な影響を与え、蘇峰は、国家主義の熱烈な論者となっていきます。これに対して、内村は、日清戦争から一〇年後の日露戦争では強く非戦論を唱えるなど、蘇峰とは逆方向を歩みます。

●明治二八年に広島で撮影された徳富蘇峰（後列右）

朝鮮の内政改革

一方、九四年七月に成立した朝鮮の金弘集政権には、金允植、魚允中ら穏健開化派の人々が結集し、朝鮮の近代化に取り組みました。穏健開化派は、壬午軍乱後、親日派の金玉均ら急進開化派と袂を分かち、清国との関係を維持しながら近代化を主張していたグループです。

新政権は、清国の宗属からの離脱、科挙廃止と人材本位の官吏の登用、近代的な学校制度の導入、軍隊・警察改革、司法権の行政権からの独立、貨幣制度の整備、租税の金納化など、実に広範囲にわたる諸改革を進め、これは甲午改革と呼ばれました。

これに対し、日本政府は、日本軍の糧食確保など戦争協力を強要します。さらに内政改革を推進するため、同年一〇月には、元外相の井上馨が駐朝公使になって朝鮮入りし、宮中の政治への関与を禁じようとします。しかし、これは、国王高宗と閔妃の大きな反発を買い、彼らをロシアへ接近させることになります。

こうした中、金弘集政権の政策に反対する声が高まります。井上の介入で執政の座を外された大院君は、東学農民軍に密使を送り、政権打倒に向けて農民軍の再起を促しました。東学農民軍は一一月上旬に再蜂起し、その規模は四万人に膨れあがります。井上公使は、農民軍鎮圧のための軍隊を急派するよう本国に要請。日本軍は朝鮮軍と共同して討伐にあたり、農民軍は一二月、壊滅します。

4　下関条約と三国干渉

山県有朋を解任

伊藤博文首相は、一八九四（明治二七）年一二月四日、清国・北洋艦隊の軍港（山東省北東岸）である「威海衛を衝き、台湾を略すべき方略」と題する意見書を大本営に提出しました。意見書は、次の直隷決戦は、容易なことではなく、仮に北京を攻略しても、清国は無政府状態になって講和の相手を失い、列国の干渉を招くとして、作戦に反対を表明。そのうえで、威海衛・台湾攻略作戦を提案していました。伊藤はまた、講和条約で清国から台湾を譲与させるには、事前に占領しておくことが不可欠と考えていました。

一方、第二軍（大山巌司令官）が旅順を占領した後の一二月一八日、第一軍司令官の山県有朋が突然、解任されます。この異例の更迭の理由には、二説あります。一つは、山県が大本営の方針と異なる作戦を下命し、川上操六★参謀次長、桂太郎第三師団長に泣きつかれた伊藤首相が、病気療養の名目で、山県を召還する勅令を天皇に奏請した（藤村道生『日清戦争』）というものです。もう一つは、高齢の山県の病気というのは本

●威海衛に停泊する清国の艦船

当で、厳冬下の直隷決戦での任務遂行に耐えられないと判断されたため、という説です。

天皇の命令で帰国した山県は、枢密院議長と第一軍司令官を免じられ、監軍に任命されました。

丁汝昌の死

大本営は一二月一四日、連合艦隊司令長官の伊東祐亨★（一八四三―一九一四年）に対し、第二軍と協力して威海衛を攻撃するよう命じました。

日本陸軍は、九五年一月には山東半島に上陸し、二月から陸上と海上で総攻撃が開始されます。連合艦隊は、清国軍の「定遠」など三艦を撃沈しました。降伏を求められた北洋艦隊の丁汝昌提督は二月一一日、「艦沈み人尽きて後ち已まんと決心せしも、衆心潰乱今や奈何ともする能わず」と、李鴻章に打電し、毒を仰いで自決しました。

伊東司令長官は、降伏手続きにやってきた威海衛清国軍代表から、丁汝昌の遺骸がジャンク（貨客用運送船）で移送されることを知らされると、同代表に対し「いま、彼は力尽きて敗れたとはいえ、その柩をジャンクで運ぶなどとは、武士道を重んずる日本海軍軍人として、とても見るに忍びない」と述べ、日本が接収した商船の提供を約束しました（池田清『日本の海軍』）。

丁汝昌の遺骸を乗せた船が一九日、威海衛を出航するとき、軍港に停泊中の連合艦隊の旗艦「松島」は弔砲を放ち、各艦では乗員すべてが舷側に整列して、敵将の死に

●錦絵「日清戦争威海衛ニ於我軍激戦ス」

●伊東祐亨

哀悼の意を表しました。

下関の春帆楼

日本軍の連戦の勝利で、日本国民は「乱酔」状態に陥り、九四年末には「将来の欲望、日々に増長」し、外国政府にも日本人は「驕慢」と映るようになっていました（陸奥宗光『蹇蹇録』）。とくに講和に向け、日本海軍は、将来の日本の「南進」基地となりうる「台湾」の割譲を望み、陸軍は、朝鮮と北京をにらむ好位置にある「遼東半島」の獲得をもくろみ、財政当局は清国が支払う賠償金額に強い関心を寄せました。日本

●丁汝昌

◉川上操六

薩摩藩の洋式兵制の分隊長として鳥羽・伏見の戦い、戊辰戦争に従軍した。西南戦争では熊本城籠城戦で薩摩兵と戦った。大山巌の欧州兵制視察に随行して帰国後、参謀本部次長となり、八七年から一年半、乃木希典とともにドイツに留学し、兵制を研究した。帰国後、再び参謀次長に就き、参謀本部の地位確立に努めた。日清戦争では大本営陸軍上席参謀として作戦指導にあたり、九八年、参謀総長に就任した。

◉伊東祐亨

元薩摩藩士。幕末、神戸海軍操練所で勝海舟や坂本龍馬の薫陶を受け、海軍創設とともに海軍に入った。多くの軍艦の艦長を歴任し、九三年、常備艦隊司令長官に就任。日清戦争では連合艦隊司令長官として、清国の北洋艦隊を破って黄海の制海権を確保した。日露戦争では海軍軍令部長。一方、敵将の丁汝昌は、日本国内にも広く知られた軍人で、伊東とも親交があり、初代の海軍提督として互いに好敵手だった。

の各政党もあれこれ皮算用し、「賠償金は少なくとも三億円以上」「清国の三省及び台湾の割譲」などを打ち上げていました。

一一月になると、アメリカから講和の打診があり、連敗で講和を急ぎたい清国は、九五年一月末に講和使節を日本に派遣しました。しかし、全権が軽量級で、委任状に不備があるとして協議は決裂しました。

日清の講和交渉は三月二〇日、下関の割烹旅館・春帆楼で始まります。清国の全権は李鴻章で、日本側の全権は伊藤博文と陸奥宗光でした。李鴻章はまず、休戦条約の締結を求めますが、日本側は認めません。同月二四日、李鴻章は宿舎に帰る途中、自由党系の元壮士に狙撃されて負傷しました。★全権は李鴻章の養子の李経芳に代わりますが、この事件によって日本政府は、李が主張した休戦条約を結ばざるを得なくなり、台湾と澎湖諸島を除く地域で戦闘が停止されました。

日本、植民地帝国に

日清講和条約（下関条約）は四月一七日に調印され、二〇日、天皇が批准しました。

その内容は、

一、清国は朝鮮が独立自主の国であることを承認する
一、清国は日本に対して遼東半島、台湾、澎湖諸島★を割譲する
一、軍事賠償金として庫平銀（清国の納税用の秤で重さをはかった銀）二億両（日本円約三億一一〇〇万円）を日本に支払う

●負傷後の李鴻章。左目の下に傷跡がある

一、日本に対して欧州列強並みの通商上の特権を与え、新たに沙市、重慶、蘇州、杭州を開市・開港する

一、批准後三か月以内に日本軍は撤退し、清が条約を履行する担保に日本軍が威海衛を保障占領する

というものでした。

これにより、清国は、「朝鮮は独立国」であるという日本の主張を認め、宗属関係を廃止しました。また、日本は台湾を領有し、東アジアで初めて植民地を持つ「植民地帝国」になりました。

他方、この条約交渉開始直前の九五年一月一二日、日本政府は、久場島・魚釣島等(尖閣諸島)は沖縄県に属することを閣議決定しました。他国から異議はありませんでした。尖閣諸島★はこれにより日本領土に編入され、中国が領有権を主張し始める一九

●錦絵「清国媾和使来朝談判之図」

◉李鴻章狙撃事件

犯人は、二六歳、群馬県出身で、慶應義塾を中退していた。裁判の中で弁護人は、犯人の動機に関し、日本の戦果はまだ不十分で講和は時期尚早であり、戦争を継続させる目的で李暗殺を企てた、と述べた。李の胸を狙った弾丸は、李の左眼下のほおに命中。対日批判を憂慮した天皇は、野戦衛生長官・石黒忠悳と陸軍軍医総監・佐藤進を派遣し、治療にあたらせた。李は四月一〇日から交渉に復帰した(大谷正『日清戦争』)。

◉澎湖諸島

台湾島の西方約五〇キロメートルに位置する島嶼群。六〇余の島々からなる。下関条約で台湾とともに日本の領土となる。第二次世界大戦の日本敗北に伴い、中華民国に返還され、現在は台湾国民政府の統治下にある。

七〇年までは何の問題も起きませんでした。

遼東半島を放棄

李鴻章は、講和交渉で、「朝鮮の独立」を目的とする戦争で、日本が清国領土である遼東半島★の割譲を要求するのは不当だと主張し、同半島の利権獲得をめざすロシア政府にも同じ訴えをしていました。条約締結直後の一八九五年四月二三日、ロシア、ドイツ、フランスの三か国の駐日公使が、外務省に林董(ただす)外務次官を訪問し、遼東半島の放棄を勧告しました。日本による遼東半島の領有は、「清国の首府・北京を危うくし、朝鮮の独立を有名無実となす」ので、極東の平和の上から好ましくない、というのが理由でした。

三国干渉は、満州（現中国東北部）進出を狙っていたロシアが主唱したものです。ロシアはドイツ、フランス、さらにイギリスをも誘うつもりでした。ロシアの蔵相・ウィッテは、日本が遼東半島を足場に将来、朝鮮を併合し、大国建設に至ることを懸念し、今回、日本が勧告に従わないときは武力行使に出ることも想定していました（岡義武『明治政治史』）。

九三年にロシアと同盟関係を成立させたばかりのフランスは、これを機にロシアとドイツが接近することを警戒して、ロシアの誘いに乗ります。ロシアとバルカン半島をめぐって対立してきたドイツは、ロシアの関心が極東に向けば、ロシアの脅威が減ると計算し、これを後押ししました。これに対して、清国に代わって日本を、南下するロシアの防波堤にしようとしていたイギリスは、日本との対立を避けるため、ロシアの提案を拒みました。

ロシア政府にとって、イギリスの拒否回答は予想外だったようで、特別の会議が開かれました。そこでは「ロシアの敵対的行動は、日本という強力な敵を作り出し、日本をイギリス側に押しやる」として反対意見も出ましたが、「日本の南満州進出を阻止すべし」との意見が多数を占め、却下されました（大谷正『日清戦争』）。

日本政府は四月二四日、広島で、明治天皇、伊藤首相、山県陸相、西郷従道海相が出席して緊急の御前会議を開き、三国干渉への対応を協議します。その結果、第一に勧告の全面的拒否、第二に列国会議の提唱、第三に遼東半島の返還、の三案のうち、

◉遼東半島めぐる日・清・露

遼東半島は、現在の中国遼寧省の南部に位置する大きな半島。渤海に突き出た半島の先端に旅順・大連という重要な軍港があった。一八九四年一〇月、日本軍が同半島に上陸し、旅順・大連を占領した。同半島は、講和条約で日本に割譲されたが、露・独・仏の三国干渉で清に返還された。ところが、九八年にはロシアが旅順・大連を清から租借し、その後、日露戦争に勝利した日本が租借権を譲り受けるという変遷をたどる。

◉尖閣諸島

沖縄・石垣島の北約一七〇キロメートルにあり、魚釣島（三・八二平方キロメートル）など五つの島と三つの岩礁で構成されている。歴史的にも国際法上でも日本の領土であり、中国は、尖閣周辺に石油資源が埋蔵されている可能性を国連の機関が報告した後の一九七〇年代以降、領有権を主張し始めた。その後、中国はこの海域を実効支配する動きを強め、日本政府は二〇一二年、尖閣諸島を国有化した。

第二案の列国会議方式で内定します。

病気のため、兵庫県舞子で療養中だった陸奥は二五日、伊藤から意見を求められると、冒頭、「勧告を拒絶すべきだ」と強調し、列国会議方式についても「かえって新たな干渉を導くだけ」と強く反対しました（原田敬一『日清戦争』）。伊藤はそのあと京都で、対外強硬派の政党幹部らと会談し、「今は諸君の名論卓説を聞くよりは、軍艦と大砲に相談して熟議しなければならない」と述べ、彼らの抗議を封じました。

当時の日本陸海軍では、清国が講和条約批准延期を提案してきたため、三国干渉を拒否して一戦を交えるだけの力はありませんでした。日本政府は、五月四日の閣議で遼東半島の全面放棄を決定し、五日、三か国に対し、その旨通告しました。

●陸奥宗光

「他策なかりしを信ぜんと欲す」

遼東半島放棄は、戦争勝利に酔っていた人心に冷や水を浴びせました。陸奥の『蹇蹇録★』から引くと、日本社会はまるで「政治的恐慌（パニック）に襲われたるがごとく」「今にもわが国の要所は、三国の砲撃を受くるの虞（おそれ）あるもののごとく」震え上がっていました。三国干渉は、日本国民の間に、憤りと深い挫折感と復讐（ふくしゅう）心をもたらしました。これ以降、日本国内では、「臥薪嘗胆（がしんしょうたん）★」が国民の合言葉になっていきます。

もともと、伊藤や陸奥は、講和条約に対して列国が干渉してくることは避けられないと考えていました。しかし、それでも列国の干渉を誘発する遼東半島の割譲をあえて要求したのは、もし、講和条約の中に、「軍人の鮮血をそそぎて略取した遼東半島」

●陸奥宗光著『蹇蹇録』

割譲を脱漏したならば、「いかに一般国民を失望せしめたるべきぞ」とみていたからでした。

新聞各紙や雑誌は、国際情勢を見誤って遼東半島の割譲を求めた伊藤・陸奥外交の「失策」を厳しく指弾しました。国粋主義の三宅雪嶺（一八六〇―一九四五年）は、新聞『日本』で、「臥薪嘗胆」と題する論文などを発表し、「面目は汚されたり、戦勝の結果はその一半を失えり」と外交当局に引責辞任を要求しました。

これらの批判に陸奥はこう反論しています。「余は当時何人をもってこの局に当たらしむるも、またけっして他策なかりしを信ぜんと欲す」。

日本政府は、清国と再交渉して一一月八日、還付条約に調印し、遼東半島還付金と

●三宅雪嶺

◉『蹇蹇録』

陸奥宗光による日清戦争の外交記録。東学党の乱から日英の条約改正、日清戦争、三国干渉、日清講和条約批准に至るまでを述べている。『蹇蹇録』とは、「蹇蹇匪躬」という『易経』の語句から取られており、「労苦を重ねて君主に尽くし、自分の利害を顧みないこと」という意味。三四年間、〝秘本〟扱いにされ、一九二九年になって公刊された。国民やメディアがいったん獲得した領土を返還したことを非難する中、病床の陸奥は執念で同書を書き上げた。

◉「臥薪嘗胆」

敵を討つために、薪の中に身を伏せ、苦い肝も嘗めるなど長期にわたる試練に耐え、苦労を重ねる、という意味。当時、尋常小学校三年生だった平塚らいてうは、後年『わたくしの歩いた道』の中で、担任の先生が教室で、遼東半島のところだけ赤く塗りつぶした極東の地図をかけ、「熱涙をのんで還附したことの次第を、わかり易く、じゅんじゅんと」説明。その際、「先生が黒板に、特に大きく書かれた『臥薪嘗胆』の文字は今も心に浮びます」と書いている。

して三〇〇〇万両を得ました。こうして下関条約で日本が獲得した領土は、台湾と澎湖諸島になりました。

台湾の抗日闘争

日本政府内では、一八七四年の台湾出兵後も、台湾領有論が唱えられてきました。日清戦争の緒戦で勝利すると、台湾割譲要求が政府・海軍を中心に広がりをみせ、「北守南進」論者の松方正義は、台湾占領が急務と説きました。これを受けて政府は、日清の正式交渉開始までに台湾占領の既成事実化をはかろうと、台湾島西方の澎湖諸島の攻略を急ぎます。

九五年三月二三日、陸軍部隊が澎湖諸島に上陸し、二四日から連合艦隊の各艦が砲撃を開始。清国軍の根拠地・馬公(まこう)城を攻略して二六日、行政庁が開かれました。ただ、日本兵士の輸送船内で発生したコレラが、上陸後に蔓延(まんえん)し、これにより多数の死者が出ます。

五月八日、日清講和条約が批准されると、台湾は法的に日本領土となり、日本政府は一〇日、海軍軍令部長の樺山資紀(かばやますけのり)を台湾総督に任命しました。日本による台湾接収に憤激した台湾の富豪・地主、住民たちは二三日、「わが台民、敵に仕うるよりは死することを決す」として台湾の独立を宣言し、二五日、台湾民主国を樹立しました。このため、日本政府は大陸に出兵していた近衛師団を台湾に派遣し、その第一旅団が二九日、台湾東北端に上陸。六月六日、基隆(キールン)を陥落させました。

●基隆に上陸し行軍中の日本軍

敗走した台湾の兵士が台北になだれ込み、台湾民主国政府の首脳は大陸に逃れました。日本軍は七日、台北に無血入場すると、樺山総督を迎えて六月一七日、台湾総督府の始政式が行われます。しかし、台湾攻防戦はこれで終わりませんでした。先住民である高山族（こうざんぞく）をはじめ、台湾側は執拗（しつよう）な抵抗を続けたのです。このため、南進する日本軍は増派を重ね、「平定」までに五か月を要します。

台湾南西岸にある台南城は、清仏戦争で農民を主体とする「黒旗軍」を率いてフランス軍を追いつめた清国の軍人・劉永福（りゅうえいふく）★（一八三七―一九一七年）が防御していました。だが、一〇月一九日、日本軍の総攻撃により、台南城は大混乱に陥り、劉は大陸に逃れます。台湾民主国は一四八日の歴史をもって滅亡しました。

九五年一一月一八日、樺山は「全島平定宣言」を発します。近衛師団長の北白川宮能久親王（きたしらかわのみやよしひさしんのう）は一〇月二八日、台南城でマラリアのために死去しました。

台湾の平定のため、日本軍は約七万六〇〇〇人の兵力を投入し、五三二〇人の死傷者を出しました。また、台湾側の兵士・住民の犠牲者は一万四〇〇〇人に達したといわれます。

●北白川宮能久親王

◉劉永福

広東省の客家（ハッカ）出身といわれる。太平天国の乱の後、ベトナムに亡命し、一八六七年、農民を主体とする「黒旗軍」を編成、トンキン地方を侵略中のフランス軍を打ち破った。抗仏戦は、ベトナム人の協力を得て一〇余年にわたった。一八八四年、清仏戦争が始まると、清国軍とともに戦ったが、翌年の講和によって帰国。日清戦争では、台湾に渡って日本軍に抵抗し、抗日義勇軍の台湾住民らの精神的な支柱になったという。

5　日清戦争、日本の「決算」

「国民」の誕生

一八九五（明治二八）年五月三〇日、明治天皇は広島から東京に還幸（行幸先から帰ること）します。日比谷通りには巨大な凱旋門が建設され、新橋停車場から皇居まで、日清戦争の「凱旋パレード」が行われました。沿道は「大元帥」の姿を一目見ようと民衆が押し掛け、「我国開闢以来未曾有の盛典」（『時事新報』）になりました。

日清戦争では、日本国内で義勇軍運動が起き、多額の義捐金★も集められ、日本の連勝に多くの人々が戦勝気分にひたりました。この日のパレードは、そのクライマックス（最高潮）と言え、民衆の熱狂ぶりは格別のものがありました。そこでは、「天皇を君主として上に戴くことで、国民が平等であるという実感が醸成され」、「国民によって支えられた戦争という意識が成立」しました。日本は近代的な国民国家に脱皮し、そこに「国民」が生まれたと言われます（佐谷『日清戦争』）。

日本の陸海軍が、清国有利との事前の観測を覆して戦争に勝利できたのは、「組織や訓練を含めた軍事技術に大きな差があった」ことによりますが、それ以上に、「国

●東京・日比谷に作られた凱旋門

家の運命を自己の運命と同一視する近代的な意味の国民は、日本の方にはるかに多かった」（北岡伸一『日本政治史』）ことも理由に挙げられています。

それは維新以来、明治政府が推進してきた日本の近代化政策の成果でした。とくに軍事面では、八五年に約六万六〇〇〇人だった将兵数（軍人・軍属）は、日清戦争が始まる九四年には約一三万八〇〇〇人に増え、艦艇数も二五隻（約二万八〇〇〇トン）から五五隻（約六万三〇〇〇トン）に増強されていました。

他方、清国側では、中央政府の正規軍が機能せず、日本軍と戦ったのは、もっぱら李鴻章が率いる淮軍と北洋艦隊だったことも、日本に勝利をもたらす一因になりました。

死者の大半が戦病死

日清戦争は、三つの「戦争」からなっています。一八九四年七月二三日の朝鮮との

◉義勇軍と義捐金

一八九四年六月頃から全国各地で、民間人による私設の「義勇軍」が生まれた。その中心は、旧士族や国権派・民権派、俠客らだった。政府は義勇軍の戦争への参加を認めなかった。だが、義勇軍の結成が相次いだため、政府は八月、「愛国の至情」はわかるけれども、国には正規軍がある。民間には日々の仕事があり、いま義勇兵は求めない、という趣旨の「義勇兵に関する詔勅」を出した。一方、義捐金献納運動も行われ、新聞は、赤貧の家庭までが「お国のために」と献金している、などと喧伝し、運動を後押しした（佐谷『日清戦争』）。

戦争、それ以降、九五年四月までの清国との戦争、翌五月から一一月までの台湾での戦争です。

この間、日本人は、軍夫（人夫）らの民間人を含め、計二万一五九人が戦没しました。このうち、軍人・軍属は一万三四八八人で、戦闘による死者（戦死・戦傷死）は一四一七人。残りはコレラ、脚気、赤痢、チフスなどによる戦病死・変死でした。

戦病死者が死者の大半を占めたのは、「戦場の朝鮮半島や南満州、台湾が不健康地であったうえ、軍陣医学とくに軍の衛生管理の立ち遅れに原因」がありました（秦郁彦『靖国神社の祭神たち』）。九五年一二月、東京・九段の靖国神社に戦死者一四九六人が合祀されます。さらに九八年一一月には、戦病死者一万一四二七人が、戦死者同様に合祀されました。

莫大な賠償金獲得

日本政府が日清戦争で使った戦費は約二億円でした。これは当時の政府の年間予算約八〇〇〇万円の約二・五倍で、これだけの巨費を一年数か月で使い果たしたことになります。これに対して、清国から得た賠償金は二億両（日本円で約三億一一〇〇万円）で、遼東半島の還付報償金三〇〇〇万両（約四五〇〇万円）などを加えると、合計約三億五八〇〇万円に上りました。このような臨時収入を得たことにより、「幕末以来、日本がめざしてきた『富国強兵』に初めて財源ができた」（坂野潤治『日本近代史』）のでした。

この莫大な賠償金はどう使われたのでしょうか。第一に戦争の臨時軍事費の不足を

●靖国神社（一八九三年頃）

補い、第二に軍備拡張や製鉄所の創設財源となり、第三には金本位制の実施に充てられます（『大蔵省史』）。

このうち、陸海軍拡張費に一億九六〇〇万円が支出されるなど軍事関係費が全体の八割を占めました。陸軍は、対ロシア作戦を想定して六個師団の増設、海軍もロシアに対抗できるよう甲鉄戦闘艦六隻、装甲巡洋艦六隻などの拡張計画を立てます。日本政府はこのまま軍備拡張路線をひた走ることになります。

農商務省所管の製鉄所の設立は、軍艦建造や鉄道拡張など「軍備と工業との需用に応ずべきは国家経済上、急務中の急務」として提案され、議会で認められます。建設資金の一部に賠償金が充てられ、場所は福岡県八幡村（現在の北九州市）に決まります。この官営八幡製鉄所は一八九七年に着工され、一九〇一年に操業が開始されます。

閔妃殺害事件

日本政府が遼東半島還付に追い込まれると、朝鮮では、甲午改革で失脚していたグループが、朝鮮国王・高宗の妃である閔妃★（ミンビ）周辺に集まってロシアに接近し、ロシア公使が王宮にさかんに出入りします。

九五年八月、井上馨・駐朝鮮公使の後任に、元陸軍中将・三浦梧楼★（一八四七―一九二六年）が任命されました。三浦公使らは、この王宮の動きを制して日本勢力を挽回しようと、閔妃殺害の陰謀をめぐらします。

三浦の回顧録によると、「外交は素人」を自認する三浦は赴任前、「朝鮮は独立させ

●官営八幡製鉄所（一九〇一年）

●朝鮮公使時の三浦梧楼

るか、併呑するか、日露共同の支配にするか、この三策のうち、政府の意見はいずれにあるかを明示してもらいたい。自分はどこまでも政府の方針に従ってやるつもりである」と言って政府に意見書を出しました。ところが、政府からは何の回答もなかったため、公使就任を謝絶。しかし、山県有朋から速やかな着任を促され、三浦は「我輩は政府無方針のままに渡韓する以上は、臨機応変、自分で自由にやるの他はないと決心した」と書いています（三浦梧楼『観樹将軍回顧録』）。

一〇月七日夜から八日未明にかけ、日本軍の守備隊、日本軍に育成された朝鮮人訓練隊、領事館警察官、大陸浪人ら壮士団が景福宮に侵入し、閔妃を殺害しました（乙未事変）。犯行には外国人の目撃者がおり、ソウル駐在の外交団も動き出し、国際的な批判を恐れた日本政府は、三浦公使ら四八人を日本に召還し、広島地方裁判所と第五師団の軍法会議にかけます。

三浦らが広島に帰国した際は、各地から集まった人々が、「被告一同に甚大なる同情と熱情的な歓迎を表し……あたかも凱旋将軍を迎うるの光景」だったと、被告の一人が書き残しています（角田房子『閔妃暗殺』）。

朝鮮当局は、閔妃殺害の犯人として三人の朝鮮人を逮捕、一二月二八日に処刑しました。翌九六年一月、日本の軍法会議の判決は全員無罪、広島地裁の予審も全員を免訴としました。

朝鮮に親露政権

乙未事変の後、朝鮮では大院君を執政とし、親露派を追放して、第四次金弘集内閣

◉閔妃

朝鮮王朝の高宗の王妃。大院君夫人の推薦で妃となった。一八七三年、大院君が下野し、高宗の親政が始まると、政権中枢を自らの閔氏一族で独占し、実権を掌握した。七六年には、日本と条約を締結、欧米にも開国政策をとった。これに対し、反閔妃派・反日派の壬午軍乱が発生。大院君は政権に復帰するや、閔妃は変装して王宮を脱出した。ところが軍乱は清国軍の手で鎮圧され、大院君は天津に連行された。そこで王宮に戻った閔妃は、金玉均らの急進開化派によって起こされた甲申政変も、清国軍の力で抑え込んだ。さらに日清の圧力を牽制(けんせい)しようと、ロシアへの接近策をとったが、清国の圧力で頓挫(とんざ)。九四年、日本軍が王宮を占領し、甲午改革が始まると、閔氏一族は政権を追われたが、三国干渉を機にロシアと結んで巻き返しを図った(『朝鮮人物事典』)。

◉三浦梧楼

一八四六年、長州に生まれた。奇兵隊出身。戊辰戦争などで功をあげ、七一年、陸軍少将に昇進。萩の乱、西南戦争に従軍した。開拓使官有物払い下げ事件や大隈外相の条約改正に反対して予備役に編入された。その後、士官学校校長、学習院長などを歴任し、九五年に駐朝鮮公使になった。三浦と杉村濬一等書記官が中心になって閔妃排除を計画し、公使館守備隊員らが実行した。角田房子『閔妃暗殺』には、三浦がソウルで、旧知の間柄である邦字紙『漢城新報』社長・安達謙蔵(のち内務相、逓信相)に対し、「どうせ一度は狐(きつね)(閔妃のこと)狩りせねばならぬが」と漏らすシーンが出てくる。閔妃暗殺は、日本の勢力後退は親露反日政策をとる閔妃に原因があるので除かなければならない、という粗暴きわまりない蛮行だった。三浦は、一九一〇年には枢密顧問官になり、日本政界の黒幕として活躍する。

が発足しました。しかし、民衆の「国母」殺害への怒りはすさまじく、同内閣が公布した「断髪令」への反発がこれに加わり、「反日」の義兵運動が発生します。

政府軍と日本軍が鎮圧にあたる中、政権を追われた親露派が九六年二月、武装したロシア水兵をソウルに引き入れ、高宗父子をロシア公使館に移して新政権を樹立しました。これを「露館播遷（ろかんはせん）」と言います。

日本政府の「傀儡（かいらい）」とされながらも、近代改革を推進してきた内閣首班の金弘集は、避難のすすめを断って、群衆に襲われ殺害されました。朝鮮の開化運動は、金玉均ら急進開化派に次いで、穏健開化派も犠牲になったのです。

国王は、ロシア公使館に一年間居続け、その間、ロシア勢力が増大することになります。九六年三月、ロシア皇帝ニコライ二世の戴冠式（たいかんしき）に参列した朝鮮の特派大使・閔（びん）泳煥（えいかん）は、ロバノフ露外相との間で秘密協定を結びました。協定は、ロシア側が、朝鮮国王を護衛する親衛隊の創設を援助するとともに、ロシア大蔵省官吏を財政顧問として派遣するという内容でした。

国王は九七年二月、宮殿に戻り、一〇月には「皇帝」に即位し、国号を「大韓帝国」と改めました。

戦争目的果たせず

日本は、日清戦争で朝鮮から清国勢力を追い出すことには成功しました。しかし、朝鮮半島における日本の覇権確立には至らず、むしろロシアの登場を許して、安全保障環境は悪化することになりました。

このため、「わが民族の独立を確保する上から、朝鮮半島に第三国の勢力が及ぶのを阻止することが、日清戦争における第一義的目的であったことを考えるとき、戦勝にもかかわらず、この基本目的は達成されない結果になった」（岡義武『明治政治史』）という評価が出てきます。

朝鮮半島でロシア勢力が伸長するのに伴い、朝鮮における日本の立場は揺らぎ始めました。日本政府は、ロシア政府との外交交渉を通じて、日本の地位保全をはかる必要に迫られ、山県有朋を特命全権大使としてロシアに派遣することにしました。

ニコライ二世の戴冠式に出席した山県は、九六年六月、ロバノフ外相と会談しました。この結果、朝鮮の財政立て直しに両国が協力すること、朝鮮の軍隊・警察に干渉しないことのほか、両国とも相手の了解なくして朝鮮に出兵せず、出兵の際には駐兵・中立地域を申し合わせることで合意しました（山県―ロバノフ協定）。

広がる黄禍論

他方、日本が欧州製の兵器で、大国・清を打ち破ったことは、ヨーロッパ諸国の間にあった「黄禍（こうか）（Yellow Peril）論」を刺激しました。

黄禍論とは、「一九世紀の終わりから二〇世紀の初頭に西洋世界に流布した、黄色人種およびその国家である日本や中国の勃興が、白色人種やその国家に対して脅威となるという考えやイメージ」（飯倉章『黄禍論と日本人』）というふうに定義されています。

●訪露時の山県有朋（前列右から三人目。一八九六年五月撮影）

この黄色人種が白色人種に災難をもたらすという、人種的偏見に基づく議論は、はじめは、欧米人が、豊富で安価な中国人労働者に対して、強い警戒心と恐怖心を抱いたことに始まると言われます。ところが、日清戦争で日本が勝利した結果、黄禍論の照準は、中国に代わって日本に当てられることになりました。

ロシアが独仏とともに遼東半島の還付を要求してきた直後の九五年四月、ドイツ皇帝のヴィルヘルム二世★（一八五九―一九四一年）は、従兄弟（いとこ）にあたるロシアの皇帝・ニコライ二世に三国干渉を支持する手紙を送りました。

> ぼくは、君が日本に対抗して、ヨーロッパの利益を守るために、ヨーロッパが連合して行動するようにイニシアチブを取った、その見事なやり方にたいして心から感謝している。……ぼくは間違いなく、ぼくの力でできる限りのことをして、ヨーロッパを平静に保ち、かつロシアの背後を守るだろう。そうすれば、誰も君の極東方面への活動を邪魔はできないはずだ。というのも、アジア大陸を開拓し、大黄色人種の侵入からヨーロッパを守るのが、ロシアにとって将来の大きな任務であることは明らかだからだ。
>
> （平川祐弘『西欧の衝撃と日本』）

そして、君が将来、清国領土のいくつかの部分を、ロシアに併合するのを喜んで手伝うつもりだから、それと同じように、君もドイツが港を一つ手に入れられるよう配慮してくれたまえ――と臆面もなく希望を述べていました。

ヴィルヘルム二世の手紙は、こうして黄色人種の脅威と、これに対抗するためのヨー

●ヴィルヘルム二世（アメリカ議会図書館蔵）

ロッパ連合の必要性を挙げて「黄禍」を説いたのです。

同年秋、ヴィルヘルム二世は、宮廷画家に命じて、黄禍論を比喩的に表現する寓意画「ヨーロッパの諸国民よ、汝らのもっとも神聖な宝を守れ！」の原画をロシア皇帝に贈りました。ヴィルヘルム二世は、その後も、しばしばニコライに手紙を書き、日本との戦いは、キリスト教徒と仏教徒の文明間闘争であり、ロシアはアジア人種の西漸（次第に西方へ移っていくこと）からヨーロッパを防衛する天命を負っているのだと、日本との戦争を後押しします（竹中亨『ヴィルヘルム二世』）。

●寓意画「ヨーロッパの諸国民よ、汝らのもっとも神聖な宝を守れ！」。右の煙の中に東洋を示す仏像があり、左半分には擬人化された欧州諸国が並んでいる

◉ヴィルヘルム二世

ヴィルヘルム一世の孫。一八八八年にドイツ皇帝になった。ピンと両端をはね上げた髭は「カイゼル髭」と称された。ヴィルヘルム一世を支えたビスマルクを罷免し、海軍力を整備して、「世界政策」のスローガンの下、積極的な海外拡張を唱えた。やがてイギリス、フランス、ロシアと対立を深め、第一次世界大戦を引き起こす形になった。大戦末期のドイツ革命で退位し、オランダに亡命した。これによりホーエンツォレルン家の支配は終わった。

6　帝国主義列強の餌食

清に「瓜分の危機」

清国は、アヘン戦争（一八四〇―四二年）に敗れた後、アロー戦争（五六―六〇年）にも、清仏戦争（八四―八五年）にも敗北し、あげくアジアの「弱小国・日本」との日清戦争（九四―九五年）にも敗れて、その弱体ぶりを世界にさらすことになりました。

帝国主義列強がそれを見逃すはずはなく、清国は列強の餌食（えじき）になります。

清国政府は、何よりもまず、日本に賠償金を支払う必要がありました。しかし、当時の清国財政では、支払い不可能な額であり、外国銀行からの多額の借金に頼らざるをえませんでした。一八九五年七月、ロシアとフランスの銀行から四億フラン（一億両）の共同借款を受け入れ、イギリスとドイツの銀行とは九六年三月、一六〇〇万ポンド（一億両）の共同借款契約を結びます。

これでも完済できなかった清国政府は、さらに厳しい条件で借金を重ねます。西欧列強は、これら一連の巨額の借款と引き換えに多くの利権を獲得。清国の領土は次々と分割され、清国の官僚や知識人たちに、瓜（うり）が切り分けられるという意味の「瓜分（かぶん）の危機」を、強く感じさせることになります。

ロシア勢力、満州へ

列強の資本家たちが大いに食指を動かしたのが鉄道と鉱山の利権でした。

諸列強の中でもロシアが積極的で、九六年五月における皇帝ニコライ二世の戴冠式に李鴻章の出席を要請すると、蔵相ウィッテは、訪露した李鴻章を相手に交渉を重ね、六月にペテルブルクで露清秘密同盟条約に調印しました。この条約は、日本を仮想敵とする軍事（攻守）同盟で、日本が極東ロシアの領土、清国または朝鮮を侵略した場合の相互援助を約束していました。

その際、ロシア陸軍が迅速に支援できるようにと、清国はシベリア鉄道の満州（中国東北部）横断を認め、その鉄道敷設権と経営権を、フランス資本で設立した露清銀行に与えると定めました。この東清鉄道（満洲里―ハルビン―ウラジオストク）は、ロシア勢力を中国の東三省（遼寧、吉林、黒竜江）に引き入れるものであり、後の日露対立の導火線になります。

ところで日本政府は、この条約の存在を日露戦争が始まるまで知りませんでした。しかし、この攻守同盟は発動されませんでした。

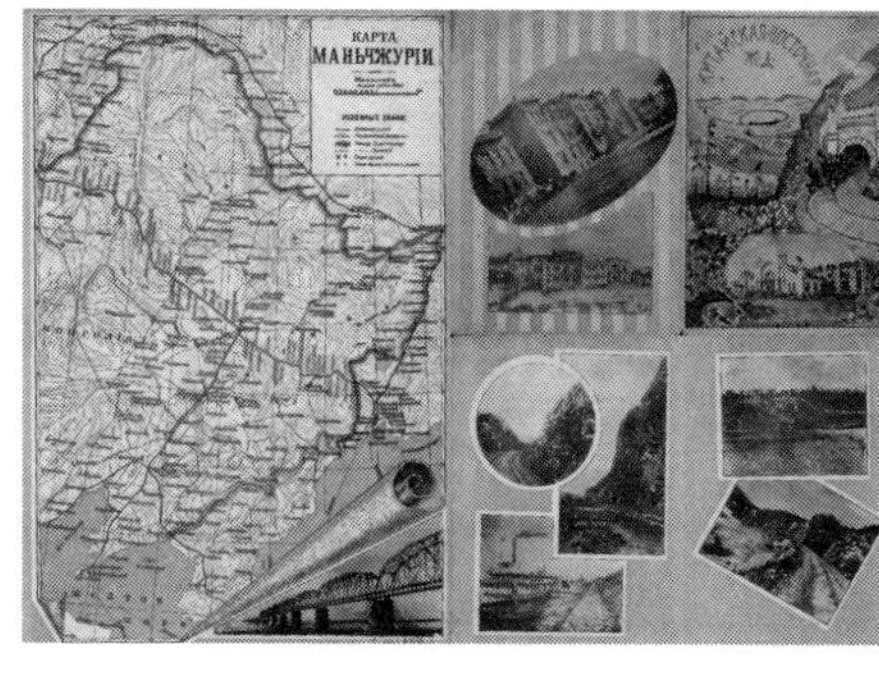

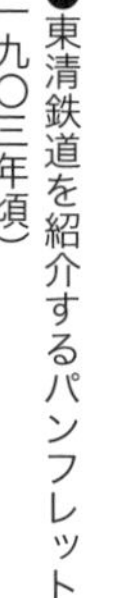
●東清鉄道を紹介するパンフレット（一九〇三年頃）

独・露・英・仏が租借地

中国沿岸への海軍基地建設を狙っていたドイツは、九七年一一月、山東省でドイツ人宣教師が中国人に襲われて殺害されると、上海に停泊中の軍艦を派遣し、膠州湾（こうしゅうわん）を占領しました。九八年三月、膠州湾の九九年間の租借★を清国に同意させ、山東半島に鉄道を敷設する権利と、鉄道沿線の鉱山採掘権を認めさせる条約を結びました。

ドイツに対抗して、ロシアも九七年一二月、艦隊を送って旅順・大連湾を占領します。ロシアは清国と交渉し、九八年三月、旅順・大連の遼東半島を二五年間租借し、東清鉄道の支線（ハルビン―旅順・大連）を建設する権利も得ました。三国干渉で放棄させられた遼東半島をロシアが租借したことは、日本国民の対ロシア感情を一層悪化させました。

ドイツ、ロシアの帝国主義的な動きは、イギリスやフランスを駆り立てました。

イギリスは九八年二月、長江（揚子江（ようすこう））沿岸地域の他国への「不割譲」を約束させた後、香港島対岸の九龍半島を一九九七年まで九九年間租借することや、山東省北岸の威海衛（いかいえい）の租借も清国政府に認めさせました。フランスは一八九八年四月、広州湾を海軍基地として九九年間

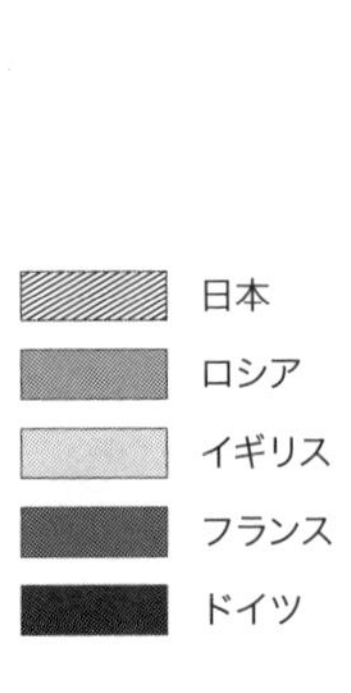

●清国領土に設定された列強の勢力範囲（各種資料を参考に作成）

租借し、フランス領インドシナのトンキンから雲南に至る鉄道敷設権を獲得しました。

帝国主義列強各国は、この租借地と鉄道を中心として、自国権益を排他的に確保する、いわゆる「勢力範囲」をそれぞれ清国領土に設定します。ロシアは満州・モンゴル、ドイツは山東半島、イギリスは長江流域と広東南東部、フランスはベトナムと地続きの広西、広東西部、雲南南部などが勢力圏とされました。日本も負けじとこれを追いかけます。台湾の対岸にあたる福建省の権益の不割譲を清国政府に承認させました。

アメリカ・スペイン戦争

一方、アメリカは、この「勢力圏争い」には出遅れました。

アメリカは一九世紀末には、世界第一位の工業国になるのですが、国内では、一八九三年の経済恐慌に伴う失業者の増大や労働運動の高まり、東欧・南欧からの移民の大量流入による貧困など、さまざまな社会問題を抱えていました。このため、企業に対する規制強化や労働条件の改善、市政改革など「革新主義」という名の改革が進め

●右側で「キューバ」と書かれた小さなケーキを食べるアメリカと、左側で「中国」と書かれた大きなケーキを分けようとするイギリス、日本、ドイツ、フランス、ロシアの各国

◉租借地
日清戦争後、ドイツ、ロシア、イギリス、フランスの各国が条約によって一定期間無償で租借した海岸の要地。租借地は、清国側の潜在的な主権が認められるだけであり、数十年に及ぶ租借となると、事実上の領有に等しいものだった。その点、主権が清国の側に属していた租界（開港場の外国人居住区）とは意味合いが異なる。

られます。

もともと、アメリカは、第五代米大統領のジェームズ・モンロー（一七五八―一八三一年）が、欧米両大陸の相互不干渉をうたうモンロー主義★の宣言（一八二三年）を行って以降、米大陸外への政治的関与はなるべく控え、自国の安全を守ろうとしてきました。しかし、六七年にはハワイ諸島北西のミッドウェー諸島を自国領とし、同年、ロシアからアラスカを買収します。八〇年代に入ると海外膨張熱が高まり、米西部開拓にみられた膨張政策である「マニフェスト・デスティニー（明白な天命）」が太平洋上に姿を現し始めます。

九〇年には、米海軍大学教授のアルフレッド・マハンが『海上権力史論』（歴史に及ぼす海上勢力の影響）を発表し、「海を制するものが世界を制するのだ」と説きました。これは各国の建艦競争に火を付け、ロシアのバルチック艦隊を破ることになる日本艦隊の建設にも影響を与えました（猿谷要『物語アメリカの歴史』）。

九五年、スペインの植民地だったキューバで、独立を求める反乱が発生しました。これに対して、スペインは大軍を派遣して弾圧に出ます。九八年二月、ハバナ港に停泊中の米軍艦「メイン」号が爆沈し、将兵二六〇人が死亡すると、米議会は同年四月一九日、宣戦布告を決議し、スペインとの戦争（米西（べいせい）戦争）が始まりました。日本でも、米西戦争開始直前、アメリカはモンロー主義を捨てフィリピンをとろうとしているとの情報が、宮内相・田中光顕（みつあき）から山県有朋に伝えられています（佐々木隆『明治人の力量』）。

一方、ハワイでは九七年二月、日本人の移民希望者が上陸を拒否される事件が起きていました。これに対して、日本政府は軍艦を派遣するとともに、駐米公使・星亨は

●モンロー

●沈没した「メイン」号

ハワイの軍事占領を主張しましたが、結局、九八年七月、アメリカはハワイを併合しました。

米国、アジアに植民地

海軍次官補のセオドア・ルーズベルト（のちの米国大統領、一八五八―一九一九年）は、太平洋艦隊をスペイン植民地のフィリピンに派遣し、スペイン艦隊を破って九八年八月、マニラを占領しました。ルーズベルトはその後、海軍の職を辞すると、義勇軍「ラフ・ライダーズ（荒馬乗り）」を編成してキューバを転戦し、国民的英雄になります。

米西戦争は一〇週間で終わります。九八年一二月のパリ講和条約で、アメリカはフィリピン、グアム、プエルトリコを領有し、アジアに植民地を獲得しました。ルーズベルトは、「われわれは世界において偉大な役割を果たすよう努力しなければならない」と述べて、フィリピン領有を正当化しました。一九〇一年には、キューバを保護国とし、財政や外交に制限を加えました。

●ラフ・ライダーズの服装で馬に乗るセオドア・ルーズベルト

◉モンロー主義

アメリカ合衆国の第五代大統領モンローが、一八二三年の年次教書で打ち出したアメリカ外交の基本路線（モンロー宣言）。欧米両大陸の相互不干渉を唱えた。欧州諸国は今後、アメリカ大陸を植民の対象にすべきでないこと、また、ラテンアメリカ諸国に対するいかなる干渉も米国への非友好的態度とみなすこと、米国は欧州の政治に介入しないことを挙げていた。しかし、その後、国際政治の動向により、その意味は変容していった。

同年、マッキンリー大統領が暗殺され、副大統領から大統領に昇任したルーズベルトは、「パナマ革命」を策動し、パナマ運河を永久に租借する権利を得て「私はパナマ運河地帯をとった」と豪語します（有賀貞・宮里政玄編『概説アメリカ外交史』）。他の中南米諸国に対しても武力を背景にアメリカの権益を主張する、いわゆる「棍棒（こんぼう）外交」を展開しました。

一方、九六年から植民地支配打倒の革命運動が始まっていたフィリピンでは、九八年六月、指導者のアギナルド★（一八六九―一九六四年）がフィリピン共和国の樹立を宣言し、大統領に就任します。この間、アギナルドは武器弾薬を調達するため、部下を日本に派遣し支援を求めました。相談を持ち込まれた衆議院議員・犬養毅が斡旋（あっせん）をして船に武器を積み込み、フィリピンに向かわせましたが、輸送の途次、船が台風で沈没してしまいました。

アメリカはフィリピン独立を認めず、フィリピン・アメリカ戦争が勃発します。アメリカによる民族運動への武力介入の始まりです。戦闘は一九〇二年まで続きました。アメリカ側の死者は、米西戦争の死者の一〇倍にあたる四三〇〇人にのぼる一方、米軍によって五万人のフィリピン人の命が奪われました（有賀夏紀『アメリカの20世紀』）。

門戸開放宣言

アメリカは、フィリピンを領有した後、東アジア政策について、とくに中国分割をめぐって外交姿勢が問われることになります。

アメリカ国内では、海外植民地の領有について反対論がありました。同時に、中国での経済的利益への関心も強くみられました。国務長官のジョン・ヘイ★（一八三八―一九〇五年）は、一八九九年九月と一九〇〇年七月の二回、「門戸開放通牒（つうちょう）（宣言）」を英仏独伊露日の六か国に送付し、東アジア政策を明らかにしました。

宣言の柱は、中国全土における通商上の機会均等と、中国の独立と領土の保全からなっていました。その目的は、アメリカとして、列強の中国分割に反対する一方、通商上の機会均等の原則を掲げて、アメリカとしても中国に進出し利益を追求することにありました。

このアメリカによる中国の領土保全・門戸開放政策は、後年、中国に進出を図る日本と厳しく対立することになります。

●ジョン・ヘイ

◉ジョン・ヘイ

南北戦争中、リンカーン米大統領の秘書を務めた。リンカーンの死後、『ニューヨーク・トリビューン』紙の主筆、国務次官などを歴任。『リンカーン伝』を著した。マッキンリー、セオドア・ルーズベルト両政権の国務長官を務め、門戸開放宣言のほか、一九〇三年にはパナマ運河の開鑿権（かいさくけん）を獲得した。

◉エミリオ・アギナルド

一八九六年に勃発した秘密結社カティプーナンによる対スペイン独立闘争に参加。いったん、香港に亡命したあと、九八年、アメリカとスペインとの戦争が始まると、帰国して闘争を再開。翌年一月、フィリピン共和国の樹立を宣言し、初代大統領に就任した。だが今度は、植民地化を狙うアメリカ軍との戦争となり、捕らえられ降伏した。

康有為の「変法」

「瓜分の危機」の到来に清国では、日本の明治維新をモデルとする新しい政治改革運動が起きます。これまで清国では、アヘン戦争や太平天国（一八五一―六四年）の後、兵器や艦船をはじめとして西洋近代文明を積極的に取り入れ、工業化や軍備増強をはかろうとする「洋務運動」がありました。その基本的な考え方は、中国の学問で心身を修めながら、西洋の学問（科学技術）を利用するというもので、「中体西用」と言われました。

しかし、日清戦争敗北の衝撃により、中国の伝統的な政治制度や思想を温存・維持したままでは、近代科学・技術はうまく機能せず、政治改革も進まないという議論が強まります。そこで登場したのが「変法」運動の指導者・康有為（一八五八―一九二七年）でした。この広東出身の知識人である康有為が唱えた「変法」は、「旧い法（制度）を変通（その時々の必要性への適応）すること」を指します（川島真『近代国家への模索』）。孔子を改革者として高く位置づけ、国会開設や憲法制定による日本式の立憲君主制の採用を主張しました。

九八年六月、康有為らは光緒帝を奉じて革新政治の断行に動き、光緒帝が同月一一日に「国是の詔」を下して「戊戌変法（百日維新）」がスタートします。科挙の改革や近代的学校の設立、官庁の改廃統合が打ち出されましたが、試験改革や行政整理は、官僚たちや官僚志望者から強い反発が出ました。

●康有為

変法派と保守派との権力闘争が頂点に達した同年九月、首相を辞したばかりの伊藤博文が清国を訪問していました。清朝の朝廷では、日本近代化の立役者である伊藤を君側の顧問に迎える案が取りざたされていました。康有為は同月一八日、日本公使館に伊藤を訪ね、変法支持を懇願します。しかし、伊藤ははっきりした返答をしませんでした。伊藤は変法運動には距離を置いていたのです（瀧井博『伊藤博文』）。

光緒帝は同月二〇日、伊藤と会見し、変法維新の進め方について大臣らを指導してもらいたいと、伊藤の協力を求めたといわれます。しかし翌二一日、西太后ら保守派は、変法派を一掃するクーデターに出て、光緒帝は逮捕されます。

こうして改革はつぶされ、光緒帝は幽閉され、康有為や梁啓超（りょうけいちょう）（一八七三―一九二九年）らは日本に亡命。変法推進派幹部六人が処刑されて、戊戌の変法はピリオドが打たれます。これを「戊戌政変」といいます。

7　帝国日本の政治混迷

政権が頻繁に交代

日清戦争後、日本政治が直面したのは、この先、帝国日本の国家経営をいかに進めるかの「戦後経営」策でした。藩閥政府は、その方針として第一に陸・海の軍備拡充を挙げ、次いで製鋼所の建設や鉄道・電話の敷設拡大を掲げます。しかし、これらを実施するためには財源の手当てが必要で、増税が避けられません。そして増税法案を成立させるためには、憲法上、衆議院の同意が不可欠でした。これが政府にとって高いハードルになります。

内閣制度が導入（一八八五年）されてから日清戦争まで、議会では藩閥政府と民党（反政府・野党）との対立が続きました。日清戦争中、抗争は中断されましたが、戦後になると、藩閥政府も、予算案や法案を成立させるためには、政党と連携しなければならなくなります。

予算審議における野党の抵抗を抑止するため、憲法七一条は、予算が不成立のとき、政府は前年度予算を施行することができるとしていました。しかし、予算が膨張する

●明治中期の衆議院

中では、この前年度予算執行権も、事実上、役に立たなくなります。これに対し、政党の側も実利を重く見て政府に接近し、双方に「連立」の動きが強まります。

日清戦後の内閣をみてみますと、一八九六(明治二九)年八月、四年間政権を担当してきた第二次伊藤内閣が総辞職しました。次いで、第二次松方内閣(九六年九月—)、第三次伊藤内閣(九八年一月—)、第一次大隈内閣(同年六月—)、第二次山県内閣(同年一一月—)、第四次伊藤内閣(一九〇〇年一〇月—)と、政権が頻繁に交代します。一八九〇年代の後期、藩閥と政党との連携の断絶は、内閣の退陣に直結し、そのあげく生まれた政党内閣もあっけなく瓦解(がかい)して、混沌(こんとん)とした政治が続きます。

伊藤内閣、自由党と連携

日清戦争後、帝国議会(第九回)が初めて開かれたのは九五年一二月でした。政府が提出した九六年度予算案の歳出は一億五二〇〇万余円で、前年度に比較すると六二七〇万余円も増加しました。その膨らんだ予算の大部分は軍備拡張費でした。これに対して、議会内の対外強硬派は、三国干渉による遼東半島放棄という「国辱的結果を招いた政府の責任」を追及しようと身構えていました。

議会開会を前に、首相の伊藤博文は自由党との提携交渉を進めていました。自由党は、同年七月の党大会で、遼東還付は「遺憾」だが、これによる争闘で「国家の大計」をあやまってはならないと決議し、一一月には伊藤内閣との提携を公然と宣言しました。

これに対して、対外強硬派の中心にあった立憲改進党は九六年三月、犬養毅らの中国進歩党、自由主義経済学を唱える田口卯吉（うきち）（一八五五―一九〇五年）らの帝国財政革新会、立憲革新党などと合同して「進歩党★」を結成しました。進歩党は、衆議院（三〇〇議席）の三分の一を占め、大隈重信を事実上の党首に、自由党と互角の大政党になります。

伊藤内閣と自由党との連携工作は、伊東巳代治・内閣書記官長と自由党の林有造がパイプ役になり、合意に達します。この際、自由党は資金援助を受けました。この連携によって、三国干渉など外交の失態を追及する政府弾劾（だんがい）上奏案は衆議院で否決され、政府予算案も三一万余円が削減されただけで、成立しました（『議会制度百年史　帝国議会史　上巻』）。

伊藤は議会閉幕後の九六年四月、自由党総理・板垣退助を内務大臣（内相）に迎え入れます。また、自由党の領袖（りょうしゅう）である星亨（ほしとおる）を駐米公使に起用しました。伊藤内閣と自由党との提携は、藩閥勢力と有力政党とが手を結ぶ「連合」の時代のさきがけになります。

しかしこれは、不偏不党の「超然主義」を信奉する山県有朋をはじめ山県閥の政治家、内務省への自由党派の侵食を嫌う官僚たちに強い不満を抱かせることになりました。

金本位制の確立

伊藤は九六年八月、陸奥宗光外相の後任に大隈重信、渡辺国武蔵相のあとに松方正

●伊東巳代治

義を充てて挙国一致内閣を作ろうとします。しかし、板垣内相が、進歩党トップの大隈の入閣に猛反対します。さらに大隈と結んだ松方は、大隈の入閣を自らの入閣の条件としました。この結果、伊藤は内閣改造に行き詰まって総辞職し、九月一八日、第二次松方正義内閣★が成立します。

松方首相は蔵相を兼務し、外相に大隈を充てました。この内閣は「松隈内閣」と呼ばれます。長州閥の伊藤が自由党と組んだのと同様、薩摩閥の松方は進歩党と提携したわけです。

●松方正義

◉進歩党

結党の宣言書は、「進歩主義」をとり、「責任内閣」を設立し、外交を刷新して「国権を拡張」し、財政を整理して「民業の発達」を期すとうたった。とくに「今や帝国の実勢と、寰宇（世界のこと）大機とが小党の分立を容さず。茲に各党派を解散し、以て進歩党を樹立し、……猛進して以て第二維新の大業を賛襄せんと欲す」と強調した。伊藤内閣と自由党との連携に対抗して、小党分立の野党の結集をはかったのである。

◉第二次松方正義内閣

元老会議は山県有朋を推したが辞退したため、松方を推挙し、九月一八日に成立した。その当初の顔ぶれは、▽総理・松方正義　▽外務・西園寺公望　▽内務・板垣退助　▽大蔵・松方正義　▽陸軍・大山巌　▽海軍・西郷従道　▽司法・芳川顕正　▽文部・西園寺公望　▽農商務・榎本武揚　▽逓信・白根専一　▽拓殖務・高島鞆之助　▽班列・黒田清隆。組閣が難航し、成立から二日後、薩派の樺山資紀を内相に、同派の高島を拓殖務相のまま陸相を兼任させ、進歩党の事実上の党首・大隈を外相に迎えた。つまり薩派を中心に据え、衆院第二党の進歩党を与党とする内閣として発足した。その後、山県閥の清浦奎吾（司法相）、野村靖（逓信相）、蜂須賀茂韶（文相）がそれぞれ入閣したが、これは、進歩党主導を警戒する山県が閣内に押し込んだものとみられた。

松方は、九六年一二月からの第一〇回議会で貨幣法を成立させ、九七年一〇月から金本位制が採用されることが決まります。これにより、日本銀行券は金兌換で発行され、お札をいつでも金貨と交換できるようになります。

日本政府は、金準備の不足から、従来の「銀本位制」を「金本位制」に移行させることができませんでした。しかし、日清戦争の賠償金をポンド金貨で受け取り、英ロンドンに在外正貨として預託することで、金本位制の国際経済システムに参入することができました。

当時は、国際的に銀貨の価値が下落し、円の値打ちが下がっていました。これは生糸・銅・石炭などの輸出品には有利で、輸出は増加していました。

これに対して機械・鉄鋼などの輸入価格は上昇します。円の国際的価値を落ち着かせ、外国との取引を安定した相場で行うには、金本位制の採用が欠かせないというのが財務当局の考え方でした。松方首相や大蔵省は、これで反対論を押し切りました。

松方、進歩党に大盤振る舞い

議会閉幕後、松方首相は、進歩党の要求を踏まえて新聞紙条例を改正し、言論規制を緩和します。

その一方で、与党の進歩党員を各省の次官、局長らに多数任命するなど、官職を大盤振る舞いしました。進歩党からは農商務次官に大石正巳、外務省通商局長に高田早苗、新設の同省勅任参事官に尾崎行雄らが就任したほか、愛知・福井・埼玉・山形な

●金本位制のもとで発行された日本銀行券（日本銀行貨幣博物館蔵）

どの各県知事に進歩党員が就きました。一向に政権を取れずにきた進歩党員にとって、これは願ってもないチャンスでした。大臣が無理なら次官でも局長でも県知事でもいいと、「官職と黄白（金のこと）」に目が無い議員が少なくありませんでした。

天皇は、党員たちの大量就官について、「将来、政党の軋轢（あつれき）のため、地方長官の更迭が頻繁になるおそれはないか」と憂慮の念を示しました。

九七年一二月召集の第一一回議会にかける九八年度予算案は、膨張する予算の歳入不足を補うため、安定財源である「地租」の増徴（ぞうちょう）（増税）が不可避になります。

地租は土地に課せられる税金で、土地の価格に対して最初は三％、七七年に二・五％に引き下げられた後、据え置かれてきました。地租率アップには、地主・農民層は強く反対しており、選挙を控えた議員たちも警戒感を強めます。

与党の進歩党内にも反対論が高まり、同党は松方内閣との絶縁を決議し、大隈も一一月六日、辞任します。このため、樺山内相らが自由党との提携工作にあたりますが、不発に終わります。自由、進歩両党などが一二月二五日、内閣不信任決議案を提出すると、松方は衆議院を解散し、混乱の末に内閣総辞職しました。

英・露のどちらと結ぶべきか

松方内閣に代わって九八年一月一二日、第三次伊藤博文内閣★が成立しました。伊藤は、第二次内閣の自由党との連携では満足せず、進歩党も含めた「大連立」内閣をつくろうとしました。このため、伊藤は大隈と板垣とそれぞれ会談しますが、大隈は自

●明治中期の稲刈り風景（長崎大学附属図書館所蔵）

らの内相就任と、進歩党に枢要大臣ポスト三つを要求し、板垣も内相ポストを求めます。伊藤は連立をあきらめ、「超然内閣」を組織せざるをえなくなりました。

新内閣の親任式に先立つ一月一〇日、異例の御前会議が開かれました。伊藤は西欧列強によって進行中の清国分割に強い危機感を抱いていました。その中で、日本をいかに「独立不羈（束縛されず自由にふるまうこと）」の地に置くかは喫緊の要事であり、伊藤は、御前会議の席上、以下のような国際情勢認識を明らかにします。

> すでにロシアは満州（現中国東北部）から清国に迫り、遼東・大連・旅順を占領した。フランスは雲南地方を占領し、イギリスは揚子江河口を支配下に置き、ドイツは膠州湾、山東地方を占領しようとしている。イギリスは韓国の仁川港に軍艦を繋泊させている。もし、イギリスとロシアが衝突した場合、日本はどちらに与すべきか。イギリスと結べば露・仏・独三国を敵にしなければならず、ロシアと結べばイギリスを疎外しなければならない。

伊藤はそのうえで、「日本の現状をみる時、兵備は未だ充実せず、財政も未だ整っていない。これでは強敵にあたることはできない。むしろ日本は局外中立して安全を図るほかない」と述べました（『明治天皇紀　第九』）。

これは積極的中立主義ではなく、無力な日本には他に選択肢がないことを意味していました。天皇をはじめ同席の山県有朋ら全員がこの提案に賛同しました。

自由、進歩両党で憲政党結成

伊藤内閣は、赤字財政のため、懸案の地租増徴案を成立させなければなりませんでした。九八年三月一五日の衆議院選挙（自由党98、進歩党91、国民協会26議席）後、自由党は板垣の入閣を要求します。しかし、四月一三日の閣議で、井上馨が反対して入閣が見送られると、自由党は猛反発し、伊藤に「関係断絶」を告げました。

第一二回議会が九八年五月に召集されます。伊藤は、政党の協力の得られない「超然内閣」のまま、地租をはじめ所得税、酒税などの増税案の提出に踏み切ります。枢密院書記官長の平田東助によれば、伊藤は、「もし通過しない時は、議会の解散を重ね、場合によっては、憲法一部の停止を行っても必ず決行する」と明言していました（坂野潤治『明治憲法体制の確立』）。この正面突破の結果は明らかでした。同案は六月一〇日、自由、進歩両党の圧倒的多数で否決されます。伊藤は衆議院を解散しました。

解散の翌日、自由、進歩両党の合同が決まります。四月あたりから若手幹部を中心

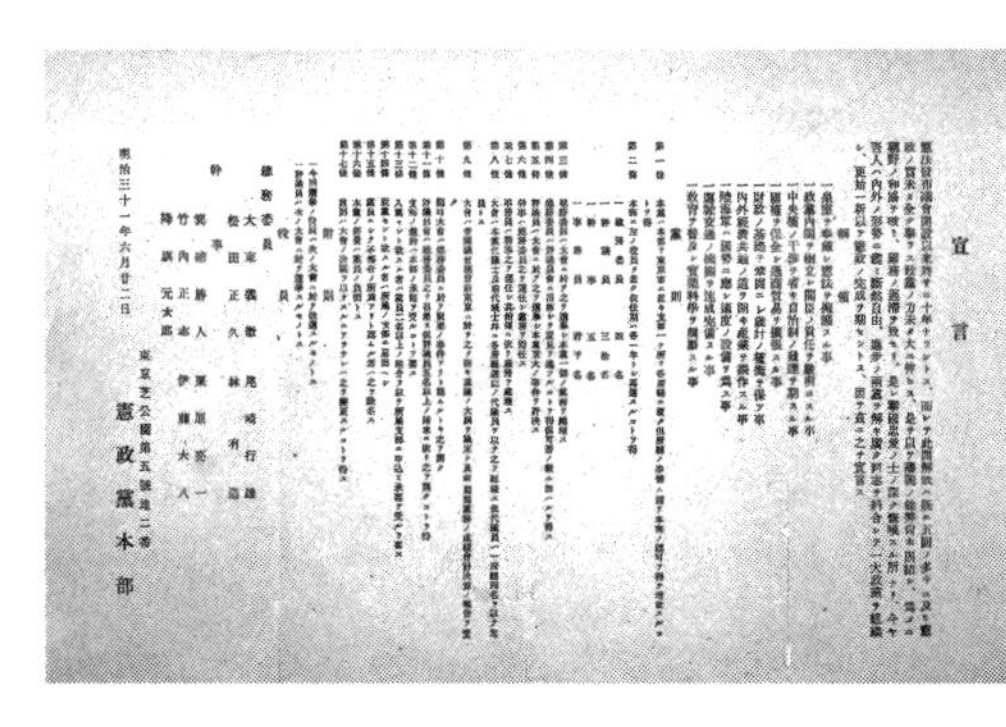

●憲政党結成宣言

◉第三次伊藤博文内閣

大臣の顔ぶれは、▽総理・伊藤博文　▽外務・西徳二郎　▽内務・芳川顕正　▽大蔵・井上馨　▽陸軍・桂太郎　▽海軍・西郷従道　▽司法・曾禰荒助　▽文部・西園寺公望　▽農商務・伊東巳代治　▽逓信・末松謙澄

に合同話が進められており、相次ぐ衆議院解散と「反・地租増徴」共闘によって機運が高まりました。六月一六日に開かれた民党同志大懇親会で、大隈は、この大政党の結成は、「国のためにこれほどの喜びはない」と述べる一方で、「成るのは難しくして破るゝのは易い」とも語り、敵対していた政党同士の結束を訴えました。

同月二一日に両党は解党して、翌二二日に「憲政党★」の結党式を行います。宣言書は、議会開設以来、五回の衆議院解散を経ても政党の力は伸びておらず、ここに「広く同志を糾合して一大政党を組織し、更始一新以て憲政の完成を期す」としていました。総裁には大隈重信が就任しました。

綱領は、第二項に「政党内閣を樹立し、閣臣の責任を厳明にすること」とうたい、党首を首相に閣僚も政党員が占める政党内閣制の実現を明確に打ち出していました。党創立委員の鳩山和夫・前衆議院議長は、「政府もし、拒みて柔順に城を明渡さずんば、我が党強硬なる手段をもってこれを奪取せんのみ」と述べました。この一大政党の出現は、藩閥政府に強い衝撃を与え、政局に大変動をもたらすことになります。

●憲政党東北出張所の発会式（一八九九年四月、仙台）

◉「生煮え」の憲政党

憲政党は、伊藤内閣と自由党との連携断絶を契機に、憲政擁護、政党内閣樹立、藩閥勢力の打倒を掲げて結成された。しかし、新党創立委員の一人だった岡崎邦輔の『憲政回顧録』によると、機略に長じた大隈重信は、「いずれ合同すればみんな自分の手中に丸め込む位の考え」を持っていたのに対して、大隈を信用していない板垣退助は「かなり躊躇」していた。合同の話は、自由党の大長老の林有造や竹内綱、片岡健吉などを全く置き去りにして、「一瀉千里」に進んだという。いわば「生煮え」の新党だったのである。

8　伊藤と山県の修羅場

伊藤、新党結成を決意

一八九八（明治三一）年六月の自由、進歩両党による「憲政党」結成を目の当たりにした首相の伊藤博文は、これに対抗するため、自ら新しい政党を組織しようと決意し、この考えを閣議で明らかにしました。★

しかし、「新党旗揚げ」を知った山県有朋は、新党阻止に向けて動き出し、伊藤と山県との争闘が始まります。山県は、憲政党という「一大民党」に対して「政府党（勤王党）」を組織するのはやむをえないとしても、政党内閣は決して容認できないと考

●会談する伊藤博文（左）と山県有朋（一八九六年一月、伊藤の別邸・滄浪閣で）

◉伊藤博文の新党計画

伊藤は九八年六月、自由、進歩両党の提携により地租増徴案が否決され、第一二回議会を解散する前から今回の新党結成を考えていた。衆院解散の際の閣議の場で政党結成計画を諮ると、井上馨、金子堅太郎はただちに賛成し、黒田清隆も計画を支持した。伊藤の計画は、大学に籍のある知識人と商工業者とに基礎をおくもので、伊藤は渋沢栄一ら有力実業家とも会見し、構想を提示した（ジョージ・アキタ『明治立憲政と伊藤博文』）。

えていました。

伊藤が政党結成に意欲をみせたのは、これが初めてではありません。九二(明治二五)年一月、吏党(第一回議会以来の政府党であった「大成会」)を基礎に政党を作って第一次松方内閣を支援しようとしました。しかし、この時は天皇の賛成を得られず、断念しました。

「予は同意する能ず」

九八年六月二四日、元老会議が開かれます。この場で伊藤と山県が「新党」をめぐって激しく火花を散らします。二人のほかには黒田清隆、井上馨、西郷従道、大山巌らが出席していました。『伊藤博文伝』の記述に基づいて、生涯の政敵である二人の修羅場を再現します。

伊藤「(憲政党という)一大敵国が出現した以上、政府もまた一大政党を組織してこれに対抗するのほか、今後、議会政治の運用を期するの道なきにより、この際自ら、有識者、実業家を糾合して政党を組織し、これを率いて議政壇上にて堂々と反対党と戦わんと欲す。諸君の意見を承りたし」

山県「議院制度に政党の伴うは、何人も否認する所にあらずといえども、身いやしくも、首相の現職にありながら、一党を樹てんとするは不可なり。政府は、いずれの政党に対しても公平なるを本義とすべきで、首相自ら政党組織の事に当たろ

●伊藤博文

うとするは、純理より論ずるも、政策より見るも、共に不可なり。予（私）はこれに同意する能（あたわ）ず」

伊藤「予の意、既に決す。もし、現職にあって政党を組織するを非なりとせば、予は潔く首相の職を辞せんのみ」

山県「閣下は元老の地位にあり、元老は常に陛下に対し奉り、重要の国務に就き、献替（けんたい）（可否を言上すること）の職務を負う。元老が政党を主裁（しゅさい）するに至らば、たちまち不偏不党の地位を失うに至らん」

伊藤「首相としても、また現職を辞するも、絶対に予の政党組織を否認するにおいては、予はやむを得ず、官職、勲爵（くんしゃく）（勲等と爵位）の一切を拝辞し、一介の野人・伊藤博文として結党の事に当たらんのみ。一野人として行動する以上、もはや元老会議に謀（はか）る要なし」

山県「閣下の政党組織は、遂（つい）に政党内閣の端を啓（ひら）くに至らん。政党内閣制は我が国体に反し、欽定（きんてい）憲法の精神に悖（もと）り、民主政治に堕（だ）するものにあらずや。閣下、何すれぞ徒党の鼠輩（そはい）（取るに足りない卑しい者）と伍（ご）し、かゝる奇矯（ききょう）の挙に出（い）でんとするか」

伊藤「政党内閣の可否を論ずるは、そもそも枝葉末節のみ、要は皇国の進運に資するや否やを顧みるにあり、蓋（けだ）し山県君と予とは、憲政に関する根本観念を異にす。予はその信念に邁往（まいおう）して君国に酬（むく）ゆるの道を講ぜんのみ」

「新党領袖」を後継指名

伊藤はここまで述べたあと、破天荒な提案をします。

愚考にては、後継内閣は、議会に大多数の議員を有する新党の領袖大隈重信、板垣退助に組閣の御沙汰あらんことを奏請するを以て、憲政の本義に適えりと信ず。

山県らは、唖然として言葉を失い、やがて山県が改めて反論を加え、他の元老も反対します。これに対して、伊藤は「諸君の中で誰か後継首相を引き受けるか」と問いかけ、誰も答えないでいると、山県に向かってこの重任を担ってはどうかとたたみかけます。山県が断ると、「諸君みな辞するならば、国家経綸の抱負を有する大政党の領袖を煩わすほかはない」と繰り返し、大笑しました。

伊藤は二四日、辞表を提出すると、次期首相に大隈・板垣を奏薦しました。

この政権を投げ出した伊藤の言動については、「議会運営上、多数党の党首に政権を担当させるのが妥当と考えた」「伊藤は追いつめられて錯乱状態にあり、政権担当から逃げる元老らに面当てでした」などの見方があります。これに対して、九一年に政界入りした岡崎邦輔(一八五四―一九三六年)は後年、自著で伊藤の胸の内を以下のように振り返っています★。

●山県有朋(一八九五年撮影)

公（伊藤）は（大隈・板垣政権は）到底長続きするものではないと見通していた。政党が自ら十分の訓練もなく、勿論確乎たる政策の持ち合わせもないのに拘わらず、政府のする事を一から十まで反対しているから、如何に実際政治が困難なものであるかを知らせると同時に、政権を獲るためには、政党自らまず如何にその内部を整え、訓練を加えなければならぬかを十分認識させるには、この機会を絶好と考えたのであろう。

『憲政回顧録』

カリスマと大御所

伊藤と山県は、二人とも長州の下級武士の出身で、山県が三歳の年長でした。ともに吉田松陰の松下村塾に学び、幕末は尊皇攘夷の志士として奔走しました。伊藤はイギリスに留学したあと、開国論を唱えて倒幕運動に身を挺し、山県は高杉晋作の「奇兵隊」に参加、戊辰戦争では各地を転戦しました。

●松下村塾

◉岡崎邦輔

和歌山出身。大蔵省や内務省に出仕した後、一八八八年、陸奥宗光の駐米公使赴任に従って渡米し、ミシガン大学に学んだ。九一年の衆議院選挙で初当選し、以来、自由党、憲政党、政友会に属して当選を重ねた。陸奥宗光の配下で働き、星亨逓信相の下で官房長を務めた。いったん政界を離れた後、カムバックして護憲運動に力を尽くし、加藤高明護憲三派内閣では農相を務めた。政界有数の政略家として知られた。

明治新政府で少壮官僚として能力を認められた伊藤は、岩倉遣外使節団に加わり、木戸孝允や大久保利通らと並んで「全権副使」を務めます。他方、山県も欧州視察後、薩摩にいた西郷隆盛を引っ張りだして政府直轄の陸軍を創設し、徴兵制を推し進めました。伊藤は七三（明治六）年に参議、七八年に内務卿（ないむきょう）に就き、「立憲カリスマ」として明治憲法の制定にあたり、八五年、我が国初の内閣総理大臣に就きました。

山県は七四年に参議、八三年に内務卿、八九年に内閣総理大臣ですから、政治キャリアでは伊藤に先行されていました。しかしその間、七三年に我が国初の陸軍卿、七八年に参謀本部長に就任し、九〇年には陸軍大将に昇進しました。山県は「陸軍の大御所」と称されるようになります。

とくに山県は、陸軍省だけでなく、内務・司法・逓信省などにも自らの人脈を築き、貴族院にも山県系勢力を広げ、自分の政治権力の源泉としました。これに対して、自らの能力・識見に強い自信をもっていた伊藤は、いわゆる派閥を作りませんでした。

二人は性格も対照的で、伊藤が「天真爛漫（らんまん）」タイプなら、山県は「謹厳剛直」の人と言われました。山県閥の形成と軍部の重みが増すにつれて、二人の政治力は接近します。山県は政党との連携に動く伊藤を超然主義の立場から批判してきました。伊藤の新党計画は、これまでの両者の確執を一気に爆発させたのです。

日本初の政党内閣

さて、伊藤は九八年六月二五日夜、大隈と板垣を首相官邸に招き、組閣の大命を拝受するよう勧めます。大隈は「貴意領せり（承知）」とし、板垣は「予は実に意外なり。自分はその器にあらざるを知る」と述べました（『伊藤博文伝』）。大隈と板垣は二六日、伊藤に対して大命拝受の意向を伝え、天皇は二七日、「卿等二人力を協せて内閣を組織し、国家のため尽力すべし」と命じました。天皇は、特に海軍大臣（西郷従道）と陸軍大臣（桂太郎）を呼び、ともに「留任」するよう厳命しました。

同月三〇日、首相兼外相に大隈重信、副首相格の内相に板垣退助が就任し、いわゆる「隈板内閣★」（第一次大隈内閣）が発足しました。陸・海相を除く全閣僚が憲政党員という、日本初の政党内閣の誕生でした。

新内閣は、閣僚人事で旧党派が角突き合わせたうえ、海・陸相からは軍備拡張策には介入するなとクギを刺されるなど、その政権運営は初めから危ぶまれていました。天皇は七月一四日、「憲政党は、人事をはじめ大隈と板垣の指揮で動くと信じていたのに決してそうではなく、常に党員たちに操縦されている。二人に委任すれば国政を遂行しうると思ったのは、全くの誤りだった」と側近に語ります。

●大隈重信

●板垣退助

◉第一次大隈重信内閣

▽総理・大隈重信　▽外務・大隈重信　▽内務・板垣退助　▽大蔵・松田正久　▽陸軍・桂太郎　▽海軍・西郷従道　▽司法・大東義徹　▽文部・尾崎行雄　▽農商務・大石正巳　▽逓信・林有造――という顔ぶれ。旧進歩党系が大隈、大東、尾崎、大石、旧自由党系は板垣、松田、林で、閣僚ポストの数では自由党系が一人少なかったが、板垣が内務、松田が大蔵という重要ポストを得た。これに対し、進歩党系は、大隈が総理と外相を兼ね、内閣書記官長や法制局長官も抑えており、全体として旧進歩党系が優勢だった。

九八年八月一〇日に実施された第六回衆議院選挙の結果、憲政党は三〇〇議席中、二六〇議席をとって圧勝しました。

隈板内閣でも、官職あさりの「猟官熱」はすさまじいもので、憲政党議員らが数多くの高級官僚ポストに就きました。政党内閣を嫌った官僚たちが辞職して多数の空きポストが生まれたこともありましたが、旧自由・進歩両党員の積年の対立感情がポスト争奪戦を激しくあおったといわれています。

隈板内閣、四か月で崩壊

隈板内閣は短命に終わります。発端は尾崎行雄★文相の演説でした（共和演説事件）。尾崎は八月二二日、帝国教育会で演説し、当時の拝金主義の風潮を批判しながら、日本では共和政治を行う気遣いはないけれども、仮に共和政治になるとすれば、三井・三菱が大統領になるだろうと表明しました。

これに対して、「尾崎は共和主義者で、まことに不謹慎である」と非難が巻き起こりました。旧自由党系は、先の組閣で駐米公使・星亨の外相就任を蹴られた腹いせもあって、尾崎発言をことさら問題視し、一〇月二四日、尾崎は罷免（ひめん）されます。この後任人事も、旧自由党系と旧進歩党系の間で大もめになり、大隈首相が二六日、文相の後任に犬養毅（旧進歩党系）の起用を強行すると、対立は頂点に達しました。

激怒した板垣内相は二七日、犬養の親任式に先立って宮中に参上し、大隈への不信と政権の内紛を上奏します。二八日には、政権分裂を策してきた星が憲政党の解党を

●尾崎行雄

主張。旧自由党側は、板垣、松田、林の三閣僚辞任と憲政党の解党が受け入れられなければ、「党大会は血を見るの不幸を見るべし」と、旧進歩党側を脅しました。

二九日、旧自由党側は、同党系だけで集まって党大会を強行し、憲政党の解散を決めると、同名の「憲政党」創設を決議しました。綱領は旧憲政党そのままでした。そのあと、旧自由党系は、憲政党本部の建物から旧進歩党系の荷物を道路に放り出してしまうなどドタバタ劇を演じました。

旧自由党系の三閣僚は一〇月二九日、辞表を出し、大隈首相、大石、犬養ら旧進歩党系の閣僚も三一日、辞表を提出。大隈内閣は発足からわずか四か月で崩壊しました。旧進歩党系の議員は新憲政党を「偽党」と批判し、一一月三日、「憲政本党」を結成します。ただ、憲政本党の綱領は、新憲政党と少しも変わらぬものでした。自由、進歩両党が合同して生まれた憲政党は、結局、憲政党（旧自由党系）と憲政本党（旧進歩党系）に分裂して終わりました（憲政党113、憲政本党131＝一一月三日の衆議院議席数）。

山県は、大隈内閣の誕生をみて、「ついに明治政府は落城し、政党内閣となりたり。

●大隈重信夫妻（前列）と犬養毅

◉尾崎行雄

慶應義塾に学び、新聞記者を経て一八八二年、大隈重信の改進党創設に参加。八七年、保安条例で東京から追放された。九〇年、第一回衆議院議員総選挙に立候補して当選、以後、一九五二年まで連続二五回当選の記録をつくった。六三年間、議員として政党政治を擁護し、「憲政の神様」と称された。第一次大隈内閣の文相を辞職した後、一九〇〇年、伊藤博文の政友会に創立委員として参加、一九〇三〜一二年まで東京市長を務めた。第一次憲政擁護運動の先頭に立ち、政友会を脱党後、第二次大隈内閣の司法相となる。

「伊藤は乱臣賊子（らんしんぞくし）」「大隈内閣打倒こそ貴族院の任務だ」などと反感を示し、内閣の短命説を唱えていました。結局、「人は権力を離れてはならぬ」が信条の山県は、隠退などしませんでした。大隈首相退陣後、配下の桂太郎陸相や貴族院の山県系議員とともに、伊藤や政党勢力に対して逆襲に転じます。

9　明治国家と山県有朋

山県の逆襲

一八九八（明治三一）年一一月八日、第二次山県有朋内閣★が発足しました。

山県直系の陸相・桂太郎は、「ポスト大隈」の後継首相として山県の決起を促し、その実現のため元老間を奔走しました。桂や山県派は、韓国・清国訪問中の伊藤博文が帰国すると、大隈内閣の継続を主張しかねないとみて、伊藤帰国前に後継の選考を終えるよう急ぎます。内閣成立は、伊藤が上海から長崎に帰国した翌日のことで、カヤの外に置かれた伊藤の憤懣（ふんまん）は想像に余りあります。

山県は、前・隈板（わいはん）内閣時に官職に登用された政党人を追い出して、藩閥官僚を復帰

●山県有朋

◉**第二次山県有朋内閣**

▽総理・山県有朋　▽外務・青木周蔵　▽内務・西郷従道　▽大蔵・松方正義　▽陸軍・桂太郎　▽海軍・山本権兵衛　▽司法・清浦奎吾（けいご）　▽文部・樺山資紀　▽農商務・曾禰荒助　▽逓信・芳川顕正――という顔ぶれ。桂、青木、清浦ら山県閥と、松方、西郷、樺山ら薩摩閥による藩閥政府だった。

させます。山県は、桂の進言を入れて、憲政党（旧自由党）との提携を図ろうとしますが、入閣交渉がうまくいかず、超然内閣でスタートしました。

一二月開会の第一三回帝国議会を控えて、山県は憲政党との交渉を続行します。その結果、現内閣は「超然主義をとるものにあらずと宣言する」、「憲政党と提携して議会に臨む旨を発表する」ことなどを申し合わせます。山県は一一月三〇日、憲政党代議士たちを首相官邸に招待して茶話会を開き、政府と憲政党との「肝胆相照（かんたんあいてらす）」の提携成立声明を発しました。

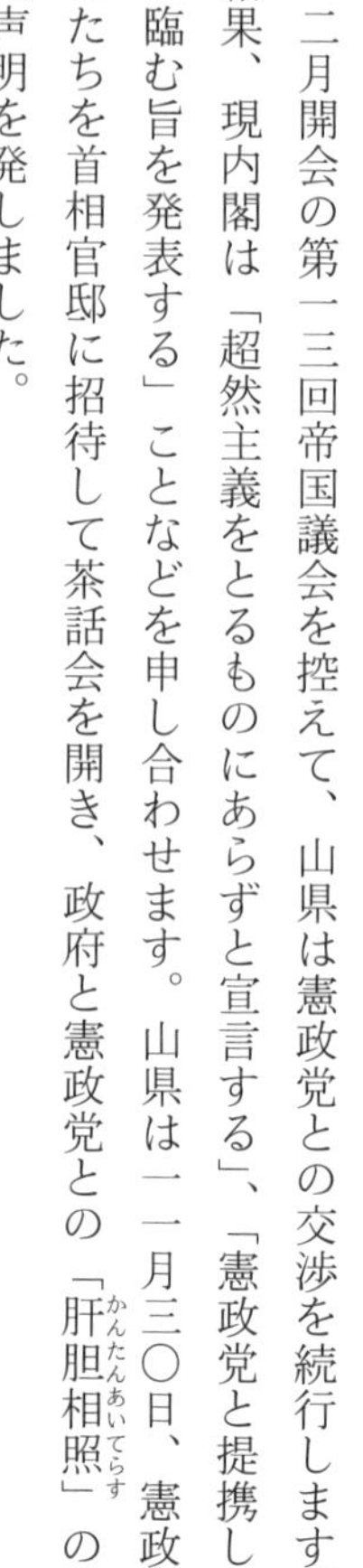

地租増税の成功

山県が超然主義の立場を修正したのは、陸軍の軍備拡張の財源は地租増税に求めるほかなく、そのためには憲政党と手を組まざるをえないと判断したためとみられます。山県は地租税率二・五％を四％に引き上げる地租増徴（ぞうちょう）法案を議会に提出しました。しかし、これには野党・憲政本党だけでなく、与党・憲政党内からも反対意見が出ます。このため、山県は、憲政党の領袖・星亨を椿山荘（ちんざんそう）に招いて会談し、星の入閣を求めました。星は入閣を辞退しますが、山県が説く国際情勢の重要性と陸軍拡張に理解を示し、「自分を助けて命を投げ出す者が二〇人ばかりいる」と述べて協力を約束し、山県をいたく感激させました。

地租増徴法は、税率三・三％、増税を五年間限りとするなどと修正したうえで、一二月末に成立しました。

●桂太郎

山県は、同法成立の見返りに、府県会・郡会議員は、市会・町村会議員らが選出してきた「複選制」を廃止し、市町村民による直接選挙としました。これは憲政党が求めていたものでした。加えて、年額八〇〇円の衆議院議員歳費を一挙に二〇〇〇円に引き上げることを提案し、改正法を成立させました。露骨な懐柔工作でした。

山県はこれにとどまらず、法案に反対する議員らを買収したとされ、評論家・鳥谷部春汀（とやべしゅんてい）は、「政治的射利（しゃり）熱を利用した議会操縦」の結果、「神聖なる議院」はほとんど「一種の株式市場」と化したと論じました（岡義武『明治政治史』）。

政党の「猟官」阻止

山県は議会終了後の九九年三月、文官の任用資格に関する勅令「文官任用令」を改正しました。文官任用令は、官界への門戸開放と専門性を備えた官吏登用のため、九三年一〇月に制定されました。具体的には、奏任官（首相・各省大臣の天皇への奏請によって任用される高等官で、各省の課長以下の事務官・技師など）については、文官高等試験の合格者から採用すること（資格任用）とし、自由任用を廃止しました。

山県内閣の改正は、この資格任用を原則として勅任官（天皇の勅令によって任用される高等官で、各省の次官・局長級など）にまで拡大するもので、これにより次官以下ほぼすべての官職は、資格任用に切り換えられました。これは、憲政党内閣で顕著になった政党員の猟官運動を阻止する狙いがありました。このため、官職を渇望していた憲政党員は激しく反対しました。

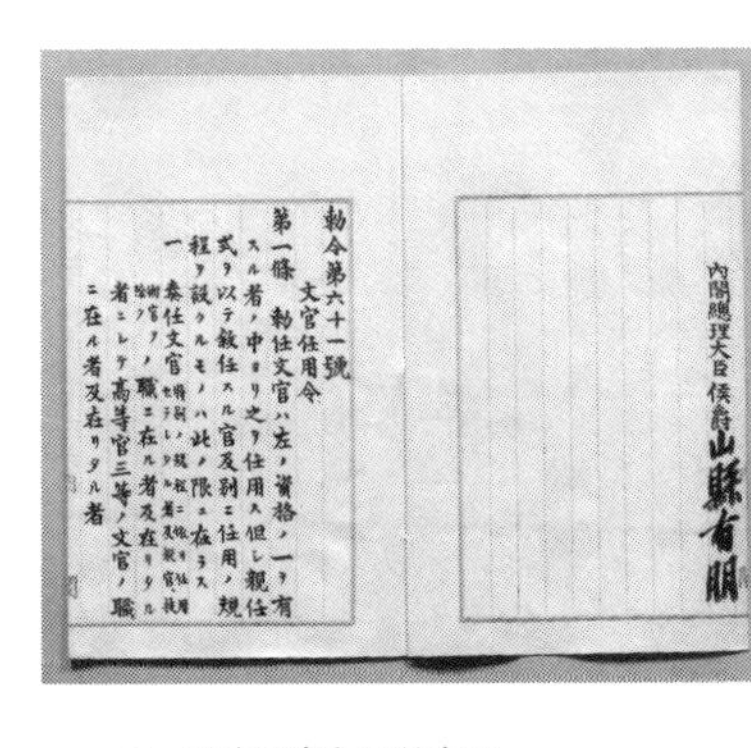

●公布された文官任用令改正

また、文官分限令も制定され、官吏は刑の宣告や懲戒処分を受けない限り、免官されないことを規定しました。政変などにより不利益を被らないよう官吏の身分保障をはかったものです。

軍部大臣現役武官制

山県内閣は一九〇〇（明治三三）年五月、陸・海軍大臣を現役の大・中将に限って任命する「軍部大臣現役武官制」★を導入しました。実際のところ、これまでの陸・海軍大臣は、ほとんど武官でしたが、山県は、現役武官制とすることで政党勢力による軍掌握を阻止しようとしたのです。つまり、文官任用令とともに、軍や政府中枢から政党を排除する狙いでした。

しかし、この制度は、のちに大きな副作用を生みます。現役武官は陸・海軍省が人事権をもっています。このため、軍部にとって好ましくない人物が首相になった場合は、陸・海相を推薦しないことで組閣を断念させることができます。軍部は、大正・戦前昭和期にこの制度を使って、内閣を倒したり、組閣を流産させたりするようになるのです。

一方、山県内閣は一九〇〇年三月、治安警察法★を公布しました。集会・結社・言論を抑圧するとともに、これまでの治安立法にはなかった、労働運動や農民運動に対する取り締まり規定を盛り込みました。山県は、内相として保安条例を公布（一八八七年一二月）し、自由民権運動を弾圧しましたが、この治安警察法は、一八九七年前後から現れた労働運動や農民運動を抑え込む目的がありました。

明治の日本は、対外的な独立の危機の克服と、対内的には天皇中心の国家体制の構築をめざしました。山県にすれば、軍部を掌握して軍事費の増大と軍備の拡充に努める一方、反体制派を抑圧して君主制の危機の芽をつみ、明治国家の安寧（あんねい）を期したということになります。

有権者数が二倍に

参政権を拡大する改正衆議院議員選挙法が一九〇〇年三月に公布されました。

◉軍部大臣現役武官制

一八八六年、内閣制度のもとの陸相と海相は武官でなければならないと定められた。ただ、現職でなくてもよかった。その後、武官制は撤廃されたが、一部を除いて現役大・中将が就任した。一九〇〇年、第二次山県内閣は、陸・海相は現役大・中将に限る軍部大臣現役武官制を明文化した。その後、一三年、第一次山本内閣は、予備役・後備役・退役の大・中将でもよいと拡大したが、三六年、二・二六事件後に発足した広田弘毅内閣が現役制を復活させた。

◉治安警察法

新聞紙条例、集会条例、保安条例、集会及政社法などに次ぐ保安立法。全三三条からなり、結社・集会の届け出の義務化、軍人・警察官・宗教家・教員・学生・女子・未成年者の政治結社加入の禁止、女子・未成年者の政談集会参加の禁止、集会に対する警察官の禁止・解散権と結社に対する内務大臣の禁止権、労働者や小作人の団結と争議行為に対する制限などを定めていた。女子の政談集会参加禁止条項など一部はのちに削除された（『国史大辞典』）。

一八八九年制定の選挙法は、選挙・被選挙人資格は、直接国税一五円以上を納付した人で、小選挙区制、記名投票制をとっていました。第三次伊藤内閣は、日清戦争後に台頭してきた都市の商工業者らの選挙権を拡大しようと法案を提出しましたが、成立しませんでした。

九九年一月には、経済界のリーダーである渋沢栄一、一代で大倉財閥を築く大倉喜八郎（一八三七―一九二八年）ら実業家が「衆議院議員選挙法改正期成同盟」を組織し、「我ら商工業者の権利の拡張と参政権の完成」に向け、活発な運動を展開します。

第二次山県内閣も二月、改正案を提出します。しかし、貴族院と衆議院が対立して法案は流れてしまい、同年一二月に再提出された改正案が、貴族院で大幅修正のうえ成立しました。それによると、選挙資格の納税要件を一〇円以上（当初案は五円以上）に引き下げ、被選挙資格の納税要件は撤廃し、単記無記名投票制としました。大選挙区制（一府県一選挙区）とし、人口三万人以上の市は独立選挙区となります。

この改正により、議員総数は300から369となり、市選出議員数は17から61に増加します。有権者数は約五〇万人から約九八万人へと二倍近く増えました。

山県自身は、選挙権の拡大には消極的でしたが、大選挙区制は山県の政党観を反映していました。山県は、藩閥支持の「御用党」を育成し、二大政党の間に介在してキャスティングボートを握らせ、それによって議会をコントロールしようと考えていました。このため、山県は小党に有利な大選挙区制を望んでいたとされます（前掲『明治政治史』）。ちなみに、御用党の「国民協会」は山県内閣下の九九年七月に解散し、代わって「帝国党」が結成されますが、同党の党勢も伸びませんでした。

●大倉喜八郎

立憲政友会の結成

新党結成を山県らに阻止された伊藤は、九九年四月から新党結成準備のため、全国遊説を行います。伊藤は同月一二日、長野での演説で、「議会を復讐すべき場所、いわゆる矢来を結って讐討でもする場所であるかの如く思って、罵詈讒謗の言を放つのは、国家の歴史を汚すもの」と指摘。政権の争奪や一党の利益を求めるだけの政治では政党は滅んでしまうとして、「日本国民全体のために、春雨の霑うが如き政治を行わなければならぬ」と述べました（『伊藤博文演説集』）。

このころ憲政党内には、山県との提携は利用されるだけで益少なし、といった不満が高まっていました。領袖の星は一九〇〇（明治三三）年五月末、山県に対して、閣僚が入党するか、あるいは党員を入閣させるかの二者択一を迫ります。山県がこの要求を拒絶したため、憲政党は提携解消を通告しました。

六月一日、星らは新党結成に意欲を示している伊藤を訪問し、憲政党党首就任を要請します。しかし、伊藤は謝絶します。このため、憲政党側は、自ら解党したうえで「伊藤新党」に合流することとし、双方の合意が成立しました。

八月二五日、「立憲政友会」の創立委員会が開かれ、「趣旨」と「綱領」が発表されました。創立委員には西園寺公望、渡辺国武、金子堅太郎らの伊藤系官僚と、林有造、星亨、尾崎行雄、松田正久らの憲政党幹部が指名されました。趣旨には「閣臣の任免は憲法上の大権に属し、政党員か党外の士をとるかは元首の自由意思に存す」とし、

●立党当時の立憲政友会のメンバーの写真

政党内閣制に踏み込んではいませんでした。綱領は「憲法を恪守し、統治権の施用を完うからしめ、もって国家の要務を挙げ、各個の権利自由を保全せむことを期す」などとしていました。

こうして藩閥勢力と政党勢力の一半が合体した立憲政友会★（総裁・伊藤博文）は、九月一五日、発会式を行いました。衆議院議員は一五二人（憲政党から一一一人、憲政本党から九人、小会派無所属から三二人）でした。党総務委員、幹事長の人選などは、総裁が決定するという「総裁専制」の党としてスタートしました。

それに先立つ同一三日、憲政党は、臨時党大会を開いて解党を宣言。また、自由民権運動の指導者で、立憲自由党総理だった板垣退助に感謝決議を行い、板垣はこれを機に政界を引退しました。

山県退陣、伊藤が組閣

山県首相は九月、いよいよ退陣を決意します。山県が伊藤に後継になるよう求めたのに対し、伊藤は、新党が発足したばかりで準備不足であるとして固辞します。が、やむなく引き受けることになり、一〇月一九日、第四次伊藤博文内閣★が成立します。

当時の政界では「敵の陣営未だ定まらざるに夜襲をかける山県一流の兵法」などと評されました（山本四郎『日本政党史』）。政党嫌いの山県は、伊藤の準備不足を承知で政権を譲り、伊藤政友会内閣を失敗させようとしたというわけです。

山県は五月二四日、すでに天皇に辞意を伝えていました。しかし、清国ではその頃から排外主義団体「義和団」が勢いを増し、六月に北京の列国公使館を包囲する事件が起きます。日本政府は列国と協調して陸軍を派遣し、八か国の連合軍は八月、義和団と清国軍の抵抗を排して北京を占領しました。山県はこの事変処理のために天皇から続投を命じられていたのですが、反乱の鎮定と政友会発足を機に辞任したのでした。

〔以下第Ⅲ巻〕

◉立憲政友会の総裁

初代の総裁は伊藤博文（一九〇〇年九月就任）、第二代が西園寺公望（〇三年七月就任）、第三代は原敬（一四年六月就任）が襲った。原の後の総裁は、高橋是清（二一年一一月就任）、田中義一（二五年四月就任）、犬養毅（二九年一〇月就任）と続き、六代までいずれも首相として政権を担当した。その次の鈴木喜三郎（三二年五月就任）は一九三七年に辞意を表明し、党内は後継問題で、中島知久平派と鳩山一郎派に割れ、中島派は中島を、鳩山派は久原房之助をそれぞれ総裁に推して二派に分裂。四〇年七月、両派は相次いで解党して近衛文麿の新体制運動になだれ込んだ。歴代総裁のうち、伊藤、原、犬養、高橋はテロに倒れている。

◉第四次伊藤博文内閣

第四次内閣の顔ぶれは、▽総理・伊藤博文　▽外務・加藤高明　▽内務・末松謙澄　▽大蔵・渡辺国武　▽陸軍・桂太郎　▽海軍・山本権兵衛　▽司法・金子堅太郎　▽文部・松田正久　▽農商務・林有造　▽逓信・星亨　▽班列・西園寺公望。星亨主導の憲政会が山県と袂（たもと）を分かって伊藤の新党運動に接近、憲政会を解党して生まれた政友会政権だけに、陸相、海相、外相の三人を除き、全員が政友会の党員だった。しかし、そのうち旧憲政党員が四人で、他は政友会創立時に入党した伊藤系の官僚出身者。結局、この内閣は、東京市疑獄事件による星の辞任、貴族院の山県系勢力の攻撃、最後は渡辺蔵相の問題発言で内閣不統一に陥り、短命に終わることとなる。

第Ⅱ巻参考文献一覧

会田倉吉『福沢諭吉』吉川弘文館、一九七四年
アキタ、ジョージ『明治立憲政と伊藤博文』荒井孝太郎・坂野潤治訳、東京大学出版会、一九七一年
芥川龍之介「舞踏會」『現代日本文学全集26』筑摩書房、一九五三年
麻田雅文『日露近代史——戦争と平和の百年』講談社現代新書、二〇一八年
安里進ほか『沖縄県の歴史』山川出版社、二〇一〇年
朝日新聞社編『朝日日本歴史人物事典』朝日新聞社、一九九四年
浅野典夫『「なぜ?」がわかる世界史　近現代』学研教育出版、二〇一二年
飛鳥井雅道『明治大帝』講談社学術文庫、二〇〇二年
新井勝紘『五日市憲法』岩波新書、二〇一八年
新里金福・大城立裕『沖縄の百年　第二巻　歴史編　近代沖縄の歩み（上）』琉球新報社編、太平出版社、一九六九年
阿部賢一『徳富蘇峰』時事通信社、一九六三年
有賀夏紀『アメリカの20世紀（上）1890年〜1945年』中公新書、二〇〇二年
有賀貞・大下尚一編『概説アメリカ史——ニューワールドの夢と現実』有斐閣選書、一九七九年
有賀貞・宮里政玄編『概説アメリカ外交史　対外意識と対外政策の変遷』有斐閣選書、一九九八年
飯倉章『黄禍論と日本人——欧米は何を嘲笑し、恐れたのか』中公新書、二〇一三年
飯田賢一ほか編『現代日本産業発達史Ⅳ　鉄鋼』交詢社出版局、一九六九年
家近良樹『西郷隆盛　維新150年目の真実』NHK出版新書、二〇一七年
——『西郷隆盛——人を相手にせず、天を相手にせよ』ミネルヴァ書房、二〇一七年
——『その後の慶喜——大正まで生きた将軍』ちくま文庫、二〇一七年
——『徳川慶喜』吉川弘文館、二〇一四年
家永三郎編集・解説『現代日本思想大系3　民主主義』筑摩書房、一九六五年
五百旗頭薫「条約改正外交」井上寿一編『日本の外交　第一巻　外交史　戦前編』岩波書店、二〇一三年
——「大隈重信」『明治史講義【人物篇】』ちくま新書、二〇一八年
池田清『日本の海軍　誕生篇』朝日ソノラマ、一九九三年
池辺三山『明治維新　三大政治家——大久保・岩倉・伊藤論』中公文庫、二〇〇五年
石光真清『城下の人——新編・石光真清の手記（一）西南戦争・日清戦争』石光真人編、中公文庫、二〇一七年
石牟礼道子『西南役伝説』講談社文芸文庫、二〇一八年

磯田光一『鹿鳴館の系譜』講談社文芸文庫、一九九一年
板垣退助監修『自由党史（中・下）』岩波文庫、一九五八年
市川大祐ほか『わたしたちの歴史　日本から世界へ』山川出版社、二〇二二年
伊藤之雄『伊藤博文——近代日本を創った男』講談社学術文庫、二〇一五年
——『大隈重信——「巨人」が築いたもの（上・下）』中公新書、二〇一九年
——『元老——近代日本の真の指導者たち』中公新書、二〇一六年
——『山県有朋——愚直な権力者の生涯』文春新書、二〇〇九年
——『元老西園寺公望——古希からの挑戦』文春新書、二〇〇七年
稲田正次『明治憲法成立史（上・下）』有斐閣、一九六〇、六二年
井上勝生『日本の歴史18　開国と幕末変革』講談社学術文庫、二〇〇九年
——『幕末・維新』岩波新書、二〇〇六年
井上清『井上清史論集2　自由民権』岩波現代文庫、二〇〇三年
——『西郷隆盛（上・下）』中公新書、一九七〇年
——『条約改正——明治の民族問題』岩波新書、一九五五年
——『日本の歴史20　明治維新』中公文庫、二〇〇六年
井上幸治『秩父事件——自由民権期の農民蜂起』中公新書、一九六八年
井上潤『渋沢栄一——近代日本社会の創造者』日本史リブレット人、山川出版社、二〇一二年
井上寿一『山県有朋と明治国家』ＮＨＫブックス、二〇一〇年
猪飼隆明『西郷隆盛——西南戦争への道』岩波新書、一九九二年
色川大吉『自由民権』岩波新書、一九八一年
岩井肇『新聞と新聞人』現代ジャーナリズム出版会、一九七四年
岩尾光代『姫君たちの明治維新』文春新書、二〇一八年
岩崎育夫『アジア近現代史——「世界史の誕生」以後の８００年』中公新書、二〇一九年
——『入門　東南アジア近現代史』講談社現代新書、二〇一七年
岩波書店編集部『近代日本総合年表』岩波書店、一九六八年
——『岩波西洋人名辞典　増補版』岩波書店、一九八一年
植手通有「兆民における民権と国権」木下順二・江藤文夫編『中江兆民の世界——「三酔人経綸問答」を読む』筑摩書房、一九七七年
ヴェルヌ、ジュール『八十日間世界一周』鈴木啓二訳、岩波文庫、二〇〇一年
潮木守一『ドイツの大学——文化史的考察』講談社学術文庫、一九九二年
内村鑑三『代表的日本人』鈴木範久訳、岩波文庫、一九九五年
海野福寿『韓国併合』岩波新書、一九九五年
江村栄一「幕末明治前期の憲法構想」『日本近代思想大系9

憲法構想』解説、岩波書店、一九八九年
江森泰吉編『大隈伯百話』実業之日本社、一九〇九年
圓城寺清『大隈伯昔日譚』立憲改進党党報局、一八九五年
大石眞『日本憲法史』有斐閣、二〇〇五年
大久保利謙『大久保利謙歴史著作集 2 明治国家の形成』吉川弘文館、二〇〇七年
大久保泰甫『ボワソナアド――日本近代法の父』岩波新書、一九七七年
大蔵省財政金融研究所財政史室編『大蔵省史――明治・大正・昭和 第一巻』大蔵財務協会、一九九八年
大谷正『日清戦争――近代日本初の対外戦争の実像』中公新書、二〇一四年
大津透・桜井英治・藤井譲治ほか編『岩波講座 日本歴史 第16巻 近現代2』岩波書店、二〇一四年
大濱徹也『乃木希典』講談社学術文庫、二〇一〇年
大日方純夫『日本近代の歴史 2 「主権国家」成立の内と外』吉川弘文館、二〇一六年
岡百合子『中・高校生のための 朝鮮・韓国の歴史』平凡社ライブラリー、二〇〇二年
岡義武『近代日本の政治家』岩波文庫、二〇一九年
――『国際政治史』(『岡義武著作集 第七巻』岩波書店、一九九三年)
――『明治政治史(上・下)』岩波文庫、二〇一九年
――『山県有朋――明治日本の象徴』岩波新書、一九五八年
岡崎勝世ほか『高校教科書 明解世界史A』帝国書院、二〇一〇年
岡崎邦輔『憲政回顧録』福岡日日新聞社東京聯絡部、国立国会図書館デジタルコレクション、一九三五年
岡崎久彦『戦略的思考とは何か 改版』中公新書、二〇一九年
岡本隆司『袁世凱――現代中国の出発』岩波新書、二〇一五年
――『清朝の興亡と中華のゆくえ――朝鮮出兵から日露戦争へ』(叢書「東アジアの近現代史」第一巻)、講談社、二〇一七年
――『世界のなかの日清韓関係史――交隣と属国、自主と独立』講談社選書メチエ、二〇〇八年
――『中国の誕生――東アジアの近代外交と国家形成』名古屋大学出版会、二〇一六年
――『日中関係史――「政冷経熱」の千五百年』PHP新書、二〇一五年
――『李鴻章――東アジアの近代』岩波新書、二〇一一年
小川原正道『西南戦争――西郷隆盛と日本最後の内戦』中公新書、二〇〇七年
奥平康弘『「萬世一系」の研究――「皇室典範的なるもの」への視座(下)』岩波現代文庫、二〇一七年
尾崎三良『尾崎三良自叙略伝(中)』中公文庫、一九八〇年
尾崎行雄『咢堂自傳』咢堂自傳刊行會、一九三七年
――『民権闘争七十年』読売新聞社、一九五二年
尾佐竹猛『大津事件――ロシア皇太子大津遭難』三谷太一郎校注、岩波文庫、一九九一年
小沢健志監修『レンズが撮らえた幕末明治の女たち』山川出版社、二〇一二年
小田英郎ほか監修『新版 アフリカを知る事典』平凡社、二〇〇

一〇年
小田切秀雄『二葉亭四迷――日本近代文学の成立』岩波新書、一九七〇年
小田部雄次『華族――近代日本貴族の虚像と実像』中公新書、二〇〇六年
落合弘樹『秩禄処分――明治維新と武家の解体』講談社学術文庫、二〇一五年
海音寺潮五郎『西郷と大久保』新潮文庫、一九九〇年
加来耕三『西郷隆盛１００の言葉』潮新書、二〇一七年
笠原英彦『天皇親政――佐々木高行日記にみる明治政府と宮廷』中公新書、一九九五年
――『明治天皇――苦悩する「理想的君主」』中公新書、二〇〇六年
勝田孫弥『大久保利通伝（下）』同文館、一九一〇―一一年
勝田政治『〈政事家〉大久保利通――近代日本の設計者』講談社選書メチエ、二〇〇三年
――『明治国家と万国対峙――近代日本の形成』角川選書、二〇一七年
加藤周一「明治初期の翻訳」『日本近代思想大系15　翻訳の思想』解説、岩波書店、一九九一年
加藤地三・中野新之祐『〝教育勅語〟を読む』三修社、一九八四年
加藤徹『西太后――大清帝国最後の光芒』中公新書、二〇〇五年
鹿野政直『近代日本思想案内』岩波文庫、一九九九年
苅部直『日本思想史の名著30』ちくま新書、二〇一八年
川島真『近代国家への模索１８９４―１９２５　シリーズ中国近現代史（2）』岩波新書、二〇一〇年
川道麟太郎『西郷隆盛――手紙で読むその実像』ちくま新書、二〇一七年
河部利夫・保坂栄一編『新版　世界人名辞典　西洋編』東京堂出版、一九九三年
姜在彦『増補新訂　朝鮮近代史』平凡社ライブラリー、一九九八年
姜範錫『征韓論政変――明治六年の権力闘争』サイマル出版会、一九九〇年
――『明治14年の政変――大隈重信一派が挑んだもの』朝日選書、二〇一三年
菊池秀明『中国の歴史10　ラストエンペラーと近代中国　清末中華民国』講談社学術文庫、二〇二一年
北岡伸一『独立自尊――福沢諭吉の挑戦』中公文庫、二〇一一年
――『日本政治史――外交と権力』有斐閣、二〇一一年
――・歩平編『「日中歴史共同研究」報告書　第二巻　近現代史篇』勉強出版、二〇一四年
――『後藤新平――外交とヴィジョン』中公新書、一九八八年
木下順二・江藤文夫編『中江兆民の世界――「三酔人経綸問答」を読む』筑摩書房、一九七七年
木下康彦・木村靖二・吉田寅編『詳説　世界史研究』山川出版社、二〇〇八年
木畑洋一『帝国航路（エンパイアルート）を往く　イギリス植民地と近代日本　シ

リーズ日本の中の世界史』岩波書店、二〇一八年
君塚直隆『ヨーロッパ近代史』ちくま新書、二〇一九年
金重明『物語　朝鮮王朝の滅亡』岩波新書、二〇一三年
木村靖二ほか『詳説　世界史B』山川出版社、二〇一五年
木村誠ほか編『朝鮮人物事典』大和書房、一九九五年
木村昌人『渋沢栄一――民間経済外交の創始者』中公新書、一九九一年
キーン、ドナルド『明治天皇（二・三）』角地幸男訳、新潮文庫、二〇〇七年
楠精一郎『児島惟謙――大津事件と明治ナショナリズム』中公新書、一九九七年
宮内庁『明治天皇紀　第三』吉川弘文館、一九六九年
――『明治天皇紀　第四』吉川弘文館、一九七〇年
――『明治天皇紀　第五』吉川弘文館、一九七一年
――『明治天皇紀　第六』吉川弘文館、一九七一年
――『明治天皇記　第八』吉川弘文館、一九七三年
――『明治天皇紀　第九』吉川弘文館、一九七三年
久保田哲『帝国議会――西洋の衝撃から誕生までの格闘』中公新書、二〇一八年
琴秉洞『増補新版　金玉均と日本――その滞日の軌跡』緑蔭書房、二〇〇一年
清沢洌『外政家としての大久保利通』中公文庫、一九九三年
『月刊中央公論　特集――誤解だらけの明治維新』（二〇一八年四月号）中央公論新社、二〇一八年
黄昭堂『台湾総督府』ちくま学芸文庫、二〇一九年
幸徳秋水『兆民先生　兆民先生行状記』岩波文庫、一九六〇年
――『二十世紀の怪物　帝国主義』山田博雄訳、光文社古典新訳文庫、二〇一五年
小風秀雅編『大学の日本史――教養から考える歴史へ　4近代』山川出版社、二〇一六年
国史大辞典編集委員会『国史大辞典』吉川弘文館、一九七九―一九九七年
国民精神文化研究所『グラント将軍との御對話筆記』国民精神文化研究所、一九三七年
児島惟謙『大津事件日誌』家永三郎編注、東洋文庫、一九八九年
小島晋治・丸山松幸『中国近現代史』岩波新書、一九八六年
小西四郎編集『日本人物史大系　第五巻　近代I』朝倉書店、一九六〇年
小林和幸『谷干城――憂国の明治人』中公新書、二〇一一年
――編『明治史講義【テーマ篇】』ちくま新書、二〇一八年
小宮一夫「板垣退助」『明治史講義【人物篇】』ちくま新書、二〇一八年
――「条約改正問題――不平等条約の改正と国家の独立」『明治史講義【テーマ篇】』ちくま新書、二〇一八年
小山文雄『明治の異才　福地桜痴――忘れられた大記者』中公新書、一九八四年
近藤和彦ほか『高校教科書　現代の世界史』山川出版社、二〇一三年
近藤富枝『鹿鳴館貴婦人考』講談社、一九八〇年
西郷隆盛『新版　南洲翁遺訓』猪飼隆明訳・解説、角川ソフィ

ア文庫、二〇一七年
佐伯彰一『近代日本の自伝』中公文庫、一九九〇年
坂本一登『伊藤博文と明治国家形成――「宮中」の制度化と立憲制の導入』講談社学術文庫、二〇一二年
――『岩倉具視――幕末維新期の調停者』日本史リブレット・山川出版社、二〇一八年
坂本多加雄『新しい福沢諭吉』講談社現代新書、一九九七年
――『日本の近代 2　明治国家の建設』中公文庫、二〇一二年
坂本藤良『幕末維新の経済人――先見力・決断力・指導力』中公新書、一九八四年
佐々木克『幕末の天皇・明治の天皇』講談社学術文庫、二〇〇五年
――監修『大久保利通』講談社学術文庫、二〇〇四年
佐々木隆『日本の歴史21　明治人の力量』講談社学術文庫、二〇一〇年
佐々木雄一「日清戦争――日本と東アジアの転換」『明治史講義【テーマ篇】』ちくま新書、二〇一八年
――『陸奥宗光――「日本外交の祖」の生涯』中公新書、二〇一八年
笹山晴生ほか『詳説　日本史B』山川出版社、二〇一五年
佐藤功『日本国憲法概説　全訂第四版』学陽書房、一九九四年
佐藤誠三郎『「死の跳躍」を越えて――西洋の衝撃と日本』千倉書房、二〇〇九年
佐谷眞木人『日清戦争――「国民」の誕生』講談社現代新書、二〇〇九年
猿谷要『ハワイ王朝最後の女王』文春新書、二〇〇三年
――『物語アメリカの歴史　超大国の行方』中公新書、一九九一年
篠田鉱造『明治百話（上）』岩波文庫、一九九六年
司馬遼太郎『歳月（上・下）』講談社文庫、二〇〇五年
芝原拓自ほか校注『日本近代思想大系12　対外観』岩波書店、一九八八年
渋沢栄一『論語と算盤』角川ソフィア文庫、二〇一三年
島田昌和『渋沢栄一――社会企業家の先駆者』岩波新書、二〇一一年
清水勲編『続ビゴー日本素描集』岩波文庫、一九九二年
清水伸『明治憲法制定史（上）』原書房、一九七一年
清水唯一朗『近代日本の官僚――維新官僚から学歴エリートへ』中公新書、二〇一三年
下斗米伸夫編著『ヒストリー　ロシアの歴史を知るための50章』明石書店、二〇一五年
下村冨士男編『明治文化資料叢書　第四巻　外交編』風間書房、一九六二年
『週刊東洋経済　特集――日本史再入門』（二〇一八年四月二八日・五月五日合併号）東洋経済新報社、二〇一八年
衆議院・参議院編『議会制度百年史　帝国議会史　上巻』大蔵省印刷局、一九九〇年
――『議会制度百年史――別冊　目で見る議会政治百年史』大蔵省印刷局、一九九〇年
春畝公追頌会編『伊藤博文伝　下』原書房、一九七〇年
白鳥令編『日本の内閣（Ⅰ）』新評論、一九八一年

杉山伸也『日本経済史　近世―現代』岩波書店、二〇一二年
鈴木孝一編『ニュースで追う明治日本発掘　4』河出書房新社、一九九四年
鈴木武史『星亨――藩閥政治を揺がした男』中公新書、一九八八年
鈴木正幸『皇室制度――明治から戦後まで』岩波新書、一九九三年
隅谷三喜男『日本の歴史22　大日本帝国の試煉』中公文庫、一九八四年
関根清三『内村鑑三――その聖書読解と危機の時代』筑摩選書、二〇一九年
関根正雄編著『内村鑑三　人と思想25』清水書院、二〇一四年
先崎彰容『100分de名著　西郷隆盛　南洲翁遺訓』NHK出版、二〇一八年
――『未完の西郷隆盛――日本人はなぜ論じ続けるのか』新潮選書、二〇一七年
高橋陽一『くわしすぎる教育勅語』太郎次郎社エディタス、二〇一九年
高良倉吉『琉球王国』岩波新書、一九九三年
多木浩二『天皇の肖像』岩波現代文庫、二〇〇二年
瀧井一博『伊藤博文――知の政治家』中公新書、二〇一〇年
――「伊藤博文――日本型立憲主義の造形者」『明治史講義【人物篇】』ちくま新書、二〇一八年
――『文明史のなかの明治憲法――この国のかたちと西洋体験』講談社選書メチエ、二〇〇三年
――編『伊藤博文演説集』講談社学術文庫、二〇一一年
竹内博編著『来日西洋人名事典　増補改訂普及版』紀伊國屋書店、一九九五年
竹内理三ほか編『日本近現代史小辞典』角川書店、一九七八年
竹越与三郎『新日本史（上・下）』西田毅校注、岩波文庫、二〇〇五年
竹中亨『ヴィルヘルム2世――ドイツ帝国と命運を共にした「国民皇帝」』中公新書、二〇一八年
田中彰『岩倉使節団　米欧回覧実記』岩波現代文庫、二〇〇二年
――『明治維新』岩波ジュニア新書、二〇〇〇年
田中健一・氷室千春編集『図説　東郷平八郎』東郷神社・東郷会、一九九三年
玉木俊明『ヨーロッパ繁栄の19世紀史――消費社会・植民地・グローバリゼーション』ちくま新書、二〇一八年
千葉功『桂太郎――外に帝国主義、内に立憲主義』中公新書、二〇一二年
趙景達『近代朝鮮と日本』岩波新書、二〇一二年
朝鮮史研究会編『新版　朝鮮の歴史』三省堂、一九九五年
陳舜臣『小説日清戦争――江は流れず（上・中・下）』中公文庫、一九八四年
土屋喬雄『日本資本主義史上の指導者たち』岩波新書、一九三九年
筒井清忠編『明治史講義【人物篇】』ちくま新書、二〇一八年
筒井若水ほか『法律学教材　日本憲法史』東京大学出版会、一九七六年

津野田興一『やりなおし高校世界史』ちくま新書、二〇一三年
角田房子『閔妃暗殺——朝鮮王朝末期の国母』新潮文庫、一九九三年
鶴見祐輔『〈決定版〉正伝・後藤新平』全八分冊・別巻一、藤原書店、二〇〇四—〇六年
遠山茂樹校注『日本近代思想大系2　天皇と華族』岩波書店、一九八八年
戸川幸夫『乃木希典』人物往来社、一九六八年
時野谷勝・梅渓昇「伊藤博文と山県有朋」大久保利謙編『日本人物史大系第六巻　近代Ⅱ』朝倉書店、一九六〇年
徳富蘇峰『近世日本国民史　明治三傑』講談社学術文庫、一九八一年
所功『象徴天皇「高齢譲位」の真相』ベスト新書、二〇一七年
戸部良一『逆説の軍隊』中公文庫、二〇一二年
富田信男編著『明治国家の苦悩と変容——日本政治史の一断面』北樹出版、一九七九年
——ほか『日本政治の実力者たち（1）幕末・明治篇』有斐閣新書、一九八〇年
内閣制度百年史編纂委員会編『内閣制度百年史　上巻』大蔵省印刷局、一九八五年
——『歴代内閣総理大臣演説集』内閣官房、一九八五年
永井路子『岩倉具視——言葉の皮を剝きながら』文春文庫、二〇一一年
永江朗監修『日本の時代をつくった本』WAVE出版、二〇一七年
中江兆民『三酔人経綸問答』鶴ヶ谷真一訳、山田博雄解説、光文社古典新訳文庫、二〇一四年
中里裕司編集代表『山川歴史総合用語解説』山川出版社、二〇二一年
中村隆英『明治大正史（上・下）』東京大学出版会、二〇一五年
中村正則ほか校注『日本近代思想大系8　経済構想』岩波書店、一九八八年
中元崇智「自由民権運動と藩閥政府」『明治史講義【テーマ篇】』ちくま新書、二〇一八年
——『板垣退助——自由民権指導者の実像』中公新書、二〇二〇年
奈良岡聰智「岩崎弥太郎——三菱と日本海運業の自立」『明治史講義【人物篇】』ちくま新書、二〇一八年
成瀬治・黒川康・伊東孝之『ドイツ現代史』山川出版社、一九八七年
西川誠『天皇の歴史7　明治天皇の大日本帝国』講談社学術文庫、二〇一八年
——「内閣制度の創設と皇室制度」『明治史講義【テーマ篇】』ちくま新書、二〇一八年
日外アソシエーツ編『明治大正人物事典Ⅰ、Ⅱ』紀伊國屋書店、二〇一一年
日本史広辞典編集委員会『日本史広辞典』山川出版社、一九九七年
萩原延壽『大分裂　遠い崖——アーネスト・サトウ日記抄

10』朝日文庫、二〇〇〇年
――『北京交渉　遠い崖――アーネスト・サトウ日記抄11』朝日文庫、二〇〇八年
――『西南戦争　遠い崖――アーネスト・サトウ日記抄13』朝日文庫、二〇〇八年
――『陸奥宗光（上・下）』朝日新聞社、一九九七年
長谷川如是閑『ある心の自叙伝』朝日新聞社、一九五〇年
秦郁彦『旧日本陸海軍の生態学――組織・戦闘・事件』中公選書、二〇一四年
――『靖国神社の祭神たち』新潮選書、二〇一〇年
――編『日本陸海軍総合事典』東京大学出版会、一九九一年
波多野善大編『中国文明の歴史10　東アジアの開国』中公文庫、二〇〇〇年
林新・堀川惠子『狼の義――新 犬養木堂伝』角川書店、二〇一九年
原田敬一『戦争の日本史19　日清戦争』吉川弘文館、二〇〇八年
――『日清・日露戦争　シリーズ日本近現代史（3）』岩波新書、二〇〇七年
半藤一利・出口治明『明治維新とは何だったのか』祥伝社、二〇一八年
坂野潤治『近代日本の外交と政治』研文出版、一九八五年
――『日本近代史』ちくま新書、二〇一二年
――『明治憲法体制の確立――富国強兵と民力休養』東京大学出版会、一九七一年
坂野潤治・大野健一『明治維新１８５８―１８８１』講談社現代新書、二〇一〇年
ピーティー、マーク『20世紀の日本　植民地――帝国50年の興亡』浅野豊美訳、読売新聞社、一九九六年
『百科事典　マイペディア』電子辞書版
平川祐弘『西欧の衝撃と日本』講談社学術文庫、一九八五年
ひろたまさき『福沢諭吉』岩波現代文庫、二〇一五年
福沢諭吉『学問のすすめ』佐藤きむ訳、角川ソフィア文庫、二〇〇六年
――『文明論之概略』岩波文庫、一九九五年
――『明治十年丁丑公論・瘦我慢の説』講談社学術文庫、一九八五年
福地惇『明治新政権の権力構造』吉川弘文館、一九九六年
二葉亭四迷『予が半生の懺悔』青空文庫、二〇〇六年
藤田省三『維新の精神』みすず書房、一九六七年
藤村道生『日清戦争――東アジア近代史の転換点』岩波新書、一九七三年
『ブリタニカ国際大百科事典』電子辞書版
ペリー、マシュー・カルブレイス『ペリー提督日本遠征記（上・下）』角川ソフィア文庫、二〇一四年
ベルツ、トク（編）『ベルツの日記（上）』菅沼竜太郎訳、岩波文庫、一九七九年
牧原憲夫『民権と憲法　シリーズ日本近現代史（2）』岩波新書、二〇〇六年
真崎翔『核密約から沖縄問題へ――小笠原返還の政治史』名古屋大学出版会、二〇一七年

升味準之輔『日本政治史1　幕末維新、明治国家の成立』東京大学出版会、一九八八年
――『日本政治史2　藩閥支配、政党政治』東京大学出版会、一九八八年
――『日本政党史論　第一巻』東京大学出版会、一九六五年
松浦玲『勝海舟と西郷隆盛』岩波新書、二〇一一年
――『日本政党史論　第二巻』東京大学出版会、一九六六年
松沢裕作『自由民権運動――〈デモクラシー〉の夢と挫折』岩波新書、二〇一六年
松下芳男『乃木希典』吉川弘文館、一九八五年
松永昌三『中江兆民評伝（上・下）』岩波現代文庫、二〇一五年
真辺将之『大隈重信――民意と統治の相克』中公叢書、二〇一七年
丸山真男『「文明論之概略」を読む（上・中・下）』岩波新書、一九八六年
三浦梧楼『觀樹将軍回顧録』中公文庫、一九八八年
御厨貴『日本の近代3　明治国家の完成』中公文庫、二〇一二年
三島由紀夫『鹿鳴館』新潮文庫、一九八四年
水谷三公『日本の近代13　官僚の風貌』中公文庫、二〇一三年
三谷太一郎『近代日本の戦争と政治』岩波書店、一九九七年
――『日本の近代とは何であったか――問題史的考察』岩波新書、二〇一七年
三谷博『維新史再考――公議・王政から集権・脱身分化へ』NHKブックス、二〇一七年
――『明治維新を考える』岩波現代文庫、二〇一二年
ミットフォード、アルジャーノン・B『英国外交官の見た幕末維新』講談社学術文庫、一九九八年
南塚信吾『シリーズ日本の中の世界史　「連動」する世界史――19世紀世界の中の日本』岩波書店、二〇一八年
宮城栄昌『沖縄の歴史』琉球新報社、一九七五年
宮本正興・松田素二編『新書アフリカ史　改訂新版』講談社現代新書、二〇一八年
宮本又郎『日本の近代11　企業家たちの挑戦』中央公論新社、一九九九年
陸奥宗光『蹇蹇録』萩原延寿責任編集、中公クラシックス、二〇一五年
村上重良『天皇制国家と宗教』講談社学術文庫、二〇〇七年
村瀬信一「帝国議会の開幕――衆議院の『民党』と『吏党』」『明治史講義【テーマ篇】』ちくま新書、二〇一八年
室伏哲郎『日本のテロリスト』弘文堂、一九六二年
明治ニュース事典編纂委員会『明治ニュース事典　第二巻』毎日コミュニケーションズ、一九八四年
毛利敏彦『江藤新平――急進的改革者の悲劇』中公新書、一九八七年
――『大久保利通』中公新書、一九九二年
――『台湾出兵――大日本帝国の開幕劇』中公新書、一九九六年
――『明治六年政変』中公新書、一九七九年
百瀬孝『事典　昭和戦前期の日本　制度と実態』吉川弘文館、一九九〇年

――『史料検証　日本の領土』河出書房新社、二〇一〇年
文部科学省『学制百年史』文部科学省ホームページ、二〇〇九年
矢口祐人『ハワイの歴史と文化――悲劇と誇りのモザイクの中で』中公新書、二〇〇二年
保田孝一『最後のロシア皇帝　ニコライ二世の日記』講談社学術文庫、二〇〇九年
安丸良夫・深谷克己校注『日本近代思想大系21　民衆運動』岩波書店、一九八九年
山内昌之・細谷雄一編著『日本近現代史講義――成功と失敗の歴史に学ぶ』中公新書、二〇一九年
山口輝臣編『はじめての明治史――東大駒場連続講義』ちくまプリマー新書、二〇一八年
山住正己校注『日本近代思想体系6　教育の体系』岩波書店、一九九〇年
山本四郎『政変――近代政治史の一側面』塙新書、一九八二年
――『日本政党史（上）』教育社歴史新書、一九七九年
山本真鳥・山田亨編著『ハワイを知るための60章』明石書店、二〇一三年
由井正臣校注『後は昔の記他――林董回顧録』東洋文庫、一九七〇年
米原謙『植木枝盛――民権青年の自我表現』中公新書、一九九二年
――『徳富蘇峰――日本ナショナリズムの軌跡』中公新書、二〇〇三年
読売新聞昭和時代プロジェクト『昭和時代――戦前・戦中期』中央公論新社、二〇一四年
――『昭和時代――敗戦・占領・独立』中央公論新社、二〇一五年
レーニン、ウラジーミル『帝国主義』宇高基輔訳、岩波文庫、一九五六年
――『帝国主義論』角田安正訳、光文社古典新訳文庫、二〇〇六年
ロチ、ピエール『秋の日本』村上菊一郎・吉氷清訳、角川文庫、一九五三年
我妻栄編集代表『日本政治裁判史録』第一法規出版、一九六八―七〇年
若松英輔『内村鑑三――悲しみの使徒』岩波新書、二〇一八年
和田春樹『ヒストリカル・ガイド　ロシア』山川出版社、二〇〇一年
――ほか編『岩波講座　東アジア近現代通史　第一巻　東アジア世界の近代　19世紀』岩波書店、二〇一〇年
渡辺幾治郎『大隈重信』時事通信社、一九五八年

や　行

ら　行

わ　行

は　行

ま　行

な 行

た　行

さ 行

事項索引

あ 行

か 行

や　行

ら　行

わ　行

な　行

は　行

ま　行

さ 行

た 行

か 行

主要人名索引

あ 行

著者紹介

浅海伸夫（あさうみ・のぶお）
1951年生まれ。中央大学法学部卒。74年、読売新聞（東京本社）入社、横浜支局に配属。82年から18年間、政治部記者。その間、政治コラム『まつりごと考』連載。世論調査部長、解説部長を経て論説副委員長。読売新聞戦争責任検証委員会の責任者、長期連載『昭和時代』のプロジェクトリーダーを務めた。現在は同社調査研究本部主任研究員。
著書に『政治記者が描く平成の政治家』（丸善ライブラリー）、『政　まつりごと』（編著、読売新聞社）、『国会と外交』（共著、信山社）、『日本の世論』（編著、弘文堂）、『素顔の十代』（同）、『現代日本政党史録 4』（共著、第一法規）、『二大政党時代のあけぼの——平成の政治と選挙』（編著、木鐸社）、『検証　戦争責任（上・下）』（編著、中公文庫）、『昭和時代』全5巻（編著、中央公論新社）。

高校生のための「歴史総合」入門
——世界の中の日本・近代史（全3巻）
II 欧米の「近代」に学ぶ

2023年1月30日　初版第1刷発行

著　者　浅　海　伸　夫
発行者　藤　原　良　雄
発行所　株式会社　藤　原　書　店

〒162-0041　東京都新宿区早稲田鶴巻町523
電　話　03（5272）0301
ＦＡＸ　03（5272）0450
振　替　00160 - 4 - 17013
info@fujiwara-shoten.co.jp

印刷・製本　中央精版印刷

落丁本・乱丁本はお取替えいたします
定価はカバーに表示してあります

Printed in Japan
ISBN978-4-86578-370-4

気鋭の思想史家の決定版選集

坂本多加雄選集

（全２巻）

［序］粕谷一希　［編集・解題］杉原志啓

Ａ５上製クロスカバー装　口絵２頁

Ⅰ 近代日本精神史　680 頁　**8800 円**（2005 年 10 月刊）　**品切**◇ 978-4-89434-477-8

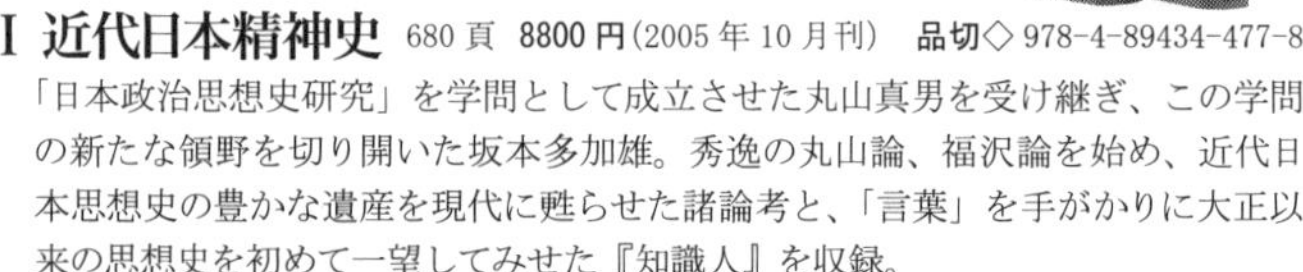

「日本政治思想史研究」を学問として成立させた丸山真男を受け継ぎ、この学問の新たな領野を切り開いた坂本多加雄。秀逸の丸山論、福沢論を始め、近代日本思想史の豊かな遺産を現代に甦らせた諸論考と、「言葉」を手がかりに大正以来の思想史を初めて一望してみせた『知識人』を収録。

［月報］北岡伸一　御厨貴　猪木武徳　東谷暁

Ⅱ 市場と国家　568 頁　**8800 円**（2005 年 10 月刊）　**品切**◇ 978-4-89434-478-5

憲法に規定された「象徴天皇制度」の意味を、日本の来歴に基づいて初めて明らかにした天皇論、国家の相対化や不要論が盛んに説かれるなか、今日における「国家の存在理由」を真正面から明解に論じた国家論、歴史教育、外交など、時事的問題の本質に鋭く迫った時事評論を収録。

［月報］西尾幹二　山内昌之　中島修三　梶田明宏

明治・大正・昭和の時代の証言

蘇峰への手紙

（中江兆民から松岡洋右まで）

高野静子

近代日本のジャーナリズムの巨頭、徳富蘇峰が約一万二千人と交わした膨大な書簡の中から、中江兆民、釈宗演、鈴木大拙、森次太郎、国木田独歩、柳田國男、正力松太郎、松岡洋右の書簡を精選。書簡に吐露された時代の証言を甦らせる。

四六上製　四一六頁　**四六〇〇円**（二〇一〇年七月刊）◇978-4-89434-753-3

近代日本言論界の巨人。生誕150年記念企画

稀代のジャーナリスト 徳富蘇峰 1863-1957

杉原志啓・富岡幸一郎編

明治二十年代、時代の新思潮を論う新進の思想家として華々しく論壇へ登場、旺盛な言論執筆活動を繰り広げ、また『国民之友』『国民新聞』を発行・経営し、多くの後進ジャーナリストを発掘・育成。『近世日本国民史』全百巻をものした巨人の全体像に迫る。

桶谷秀昭／保阪正康／松本健一／坂本多加雄／伊藤彌彦／西田毅ほか

Ａ５並製　三二八頁　**三六〇〇円**（二〇一三年一二月刊）◇978-4-89434-951-3